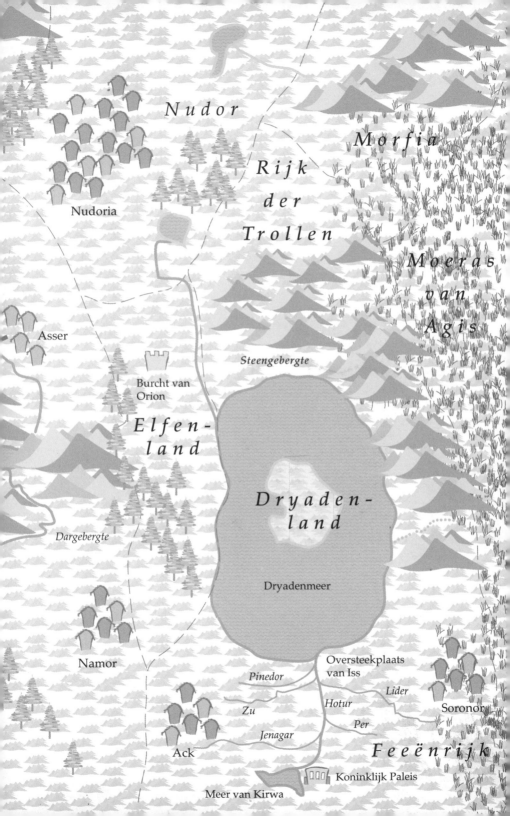

Anne West

De Macht van het Zwaard

De Fontein

www.uitgeverijdefontein.nl

Deze uitgave bevat de titels
De vuurmagiër en *De zwarte magiër*

© 2004 Anne West
Voor deze uitgave:
© 2007 Uitgeverij De Fontein, Baarn
Omslagontwerp en illustraties: Wim Euverman
Zetwerk: Hans Gordijn

ISBN 978 90 261 2325 2
NUR 283, 284

Inhoud

DE VUURMAGIËR

Een tempel voor Adanar

Een

Het plantje groeide.
Cyane was tot het uiterste geconcentreerd. In gedachten zag ze de kern van het plantje, waar de levenssappen naar de bladeren worden gestuurd. Haar hand lag om de groene steen in haar zwaard. Ze móést die stroming vasthouden.

Zweetdruppels parelden op haar voorhoofd. Ja, het plantje groeide. Ze verbeeldde het zich niet. 'Het is me gelukt!' riep ze.

Onmiddellijk was ze het beeld van het plantje kwijt. Haar concentratie was verdwenen.

Mekaron sloeg zijn armen over elkaar. 'Wel twee centimeter. Geweldig hoor.'

Cyanes blijdschap verdween als sneeuw voor de zon. De voormalige watermagiër had de taak op zich genomen om haar te onderwijzen in de magische krachten van de twee diamanten in haar zwaard. Maar Mekaron was geen gemakkelijke leermeester. Zijn broer Meroboth, de vroegere aardmagiër, had de kracht niet Cyane te onderwijzen. Bovendien had hij er zijn handen vol aan om de groep veilig naar hun bestemming te brengen. Die bestemming was Melsaran, de vuurmagiër, de oudste van de drielingbroers.

Een paar uur geleden waren ze het gevaarlijke Dryadenmeer overgestoken. Ze stonden nu aan de voet van het
Steengebergte, dat zowat het hele Rijk der Trollen in beslag
nam.

Meroboth, Sirus en Mekaron hadden lang overlegd
welke route ze het beste konden nemen. Ze wilden Melsaran zo snel mogelijk vinden. Helaas wist niemand waar hij
precies was.

Bovendien kon het reisgezelschap niet zomaar rond-
trekken. Naast de twee tovenaars en de Nudoorse
zwaardvechter Sirus bestond Cyanes gezelschap uit Tiron,
de vroegere stalknecht van Cyanes vader, haar gezelschapsdame Gondolin, de Fee Ikor, vroeger een van de
twee meesterspionnen van de zwarte magiër, Ikors vriend
Iss en Giffor, de opvliegende Dwerg die voor hun dieren en
het magische zwaard zorgde. Een vreemdsoortig gezelschap, dat niet overal graag werd gezien.

Ze hadden besloten door het Steengebergte te reizen.
Dit gebergte was verlaten nu de Trollen nagenoeg uitgestorven waren. Het handjevol dat nog over was, leefde in
het Gebergte van Orgor in het noorden van het Rijk der
Duisternis.

Het was echter onmogelijk over de bergen heen te gaan.
Ze waren steil. Niemand was er ooit in geslaagd ze te be-
klimmen. Nee, ze moesten eronderdoor. Meroboth wist
een doorgang. Op een groot, verlaten zandstrand, vlak bij
de ingang, zouden ze de nacht doorbrengen, zodat ze de
volgende dag het gangenstelsel van de Trollen konden betreden.

Cyane was blij dat Mekaron haar onder zijn hoede had
genomen. Zijn lessen leidden haar af van het feit dat Tiron
zich steeds vreemder gedroeg. Met een schuin oog keek ze
naar de jongeman die zoveel voor haar betekende. Hij zat

een eindje verderop op het strand. Met zijn ene hand hield hij de hanger van een ketting vast. Gek, die ketting was haar nooit opgevallen. Ze wist zeker dat hij die ketting nog niet had toen hij hen verliet om op zoek te gaan naar Dinang, de oudste zoon van Elfenkoning Orion.

Tiron negeerde Mekaron zo veel hij kon en ook dat vond ze erg vreemd. Ze dacht aan het eerste ogenblik dat de twee elkaar zagen. Het had geleken of Mekaron Tiron ergens van kende.

'Magie is een vorm van geesteskracht,' legde Mekaron haar uit. 'Hoe sterker je wil, des te sterker je magie zal zijn. De diamanten geven hun eigenaar magische krachten. Het is aan hem te leren ermee om te gaan en om de magie uit te breiden. Onze training bij Delamar begon dan ook niet met het leren van allerlei leuke trucjes, maar met het sterken van onze wil.'

Bij dit verhaal zonk Cyane de moed in de schoenen.

Mekaron zag haar gezicht betrekken. 'Er is een reden waarom jij uitgekozen bent, dame,' zei hij streng.

'Die reden is er inderdaad,' kwam Meroboth tussenbeiden. In zijn ogen schitterden vonkjes. Hij legde zijn hand op Cyanes schouder. 'Je had haar moeten zien, Mekaron, in Elfenland en bij de Varénen. Deze jonkvrouw staat haar mannetje, eh, ik bedoel vrouwtje.' Hij stak zijn hand naar haar uit en trok haar overeind. 'Als er iemand een sterke wil heeft, is zij het wel.'

Cyane glunderde bij deze woorden. Meroboth was de laatste dagen afstandelijk geweest, omdat hij het niet kon verkroppen dat Melsaran contact had gezocht met haar in plaats van met hem.

'Het spijt me, meisje,' vervolgde Meroboth op serieuzere toon. 'Ik heb je onheus behandeld. Jij kunt er ook niets aan doen dat Melsaran rare streken uithaalt.'

13

Ze glimlachte.

'Mooi, nu dat opgelost is, kunnen we misschien gaan slapen,' stelde Mekaron voor. Lenig sprong hij op. Hij slenterde naar Ikor en Iss, die achteraf zaten. Gondolin, Sirus, Giffor en Tiron zaten samen rond een vuur.

Cyane ging bij het vuur liggen en rolde zich behaaglijk in een deken.

Ze werd wakker van een geluid dat ze niet thuis kon brengen. Het leken wel stenen die tegen elkaar ketsten en vervolgens met een doffe plof in het zand vielen. Ze schoot overeind.

Het begon net licht te worden. Ze was niet de enige die het vreemde geluid had gehoord. Ikor stond al overeind. Hij tuurde omhoog langs de bergwand. Cyane krabbelde op en volgde zijn blik.

De grillige punten van het Steengebergte waren hoog en steil. Op een richel stond een vreemd wezen. Het keek naar hen met twee roodgloeiende ogen. Zijn huid was helemaal behaard en het had zes poten. Het stond er op vier. De andere twee hield het dier dreigend voor zich. De grote vleugels op zijn rug waaierden langzaam heen en weer. Alsof het een kans afwachtte.

'Wat is het?' siste Cyane.

Ikor haalde zijn schouders op. Hij hield het wezen onafgebroken in de gaten.

Snel maakte Cyane de anderen wakker.

Mekaron hoefde maar één blik op het dier te werpen om de situatie in te schatten. 'Magie, zwarte magie. Kijk eens naar je zwaard, Cyane.'

Ze haalde het wapen uit de schede op haar rug. De twee diamanten schitterden fel.

'Laat dat altijd een waarschuwing voor je zijn,' zei Mekaron.

14

'Het is een Morf,' meende Meroboth.

'Ja, het is Ramart.' Ikors koele woorden brachten een schok bij de anderen teweeg. Ramart was Ikors dienaar geweest. Hij werkte voor wie hem het meest betaalde. Toen hij in een gevecht bijna zijn been was kwijtgeraakt, had Ikor hem achtergelaten. Was dat afschuwelijke wezen op de bergwand de man die zo zwaargewond in Nudoria was achtergebleven?

'Goh, niet alleen heeft de arts zijn been weten te redden. Hij heeft er voor de zekerheid ook nog een paar extra aan gezet,' merkte Sirus op.

Ondanks alles moest Cyane lachen om de opmerking van de Nudoor.

'Wat zou hij willen?' vroeg Meroboth aan de Fee, die wederom zijn schouders ophaalde.

'Hoe moet ik dat weten?'

Lang hoefden ze niet op antwoord te wachten. Met een ijzingwekkende kreet sprong Ramart van de rots. Even leek het of hij te pletter zou vallen. Toen sloeg hij zijn vleugels uit. Snel als een roofvogel dook hij met zes gespreide klauwen op zijn prooi af. Die prooi was Ikor.

Cyane was de eerste die het door had. 'Kijk uit!' gilde ze.

Met haar zwaard in de aanslag stoof ze op de Fee af. Ze voelde de sterke luchtverplaatsing toen het monster over haar heen schoot en met twee van zijn klauwen naar Ikor greep.

De Fee sloeg met zijn scherpe werpmes tegen een van de poten. Het dier krijste van pijn. Toch keerde het weer terug om tot een nieuwe aanval over te gaan. Met een krachtige slag van zijn poot wist het Ikor tegen de grond te werpen.

Ikor was nu hulpeloos, hoewel hij zijn mes nog stevig vasthield.

Cyane draaide zich om. Voor de derde keer viel Ramart aan.

Slechts drie mensen waren dichtbij genoeg om Ikor te hulp te schieten. Zijzelf zwaaide met haar zwaard. Het lukte haar enkele rake klappen uit te delen, die Ramart met veel gekrijs incasseerde. Iss was ook in de buurt, maar tot Cyanes verbazing deed Ramart krampachtige pogingen zo veel mogelijk bij de veerman uit de buurt te blijven. Liever nog liet hij zich verwonden door haar zwaard dan dat hij zich door Iss liet aanraken. Deze gedachte schoot slechts even door Cyanes hoofd, want haar aandacht werd getrokken door Tiron. Hij stond in een uitstekende positie om Ramart de genadeslag toe te dienen, maar hij hield zijn zwaard omlaag en deed geen moeite Ikor te helpen.

'Tiron!' schreeuwde Cyane, terwijl ze met een laatste krachtsinspanning opnieuw probeerde Ramart weg te slaan. Tevergeefs.

Met een triomfantelijke kreet stortte het wezen zich op Ikor. Zes klauwen sloten zich om diens magere lichaam.

Cyane rende naar Ramart toe en hakte op hem in. Haar pogingen hadden geen effect. De adrenaline stroomde door haar lichaam. Snel keek ze naar het mos op de plaats waar de Morf gevallen was. Ze kon de structuren onderscheiden. Sappen stroomden door de groene vezels. Ze sloot haar ogen en concentreerde zich.

Plotseling begon Ramart te schreeuwen, luid en intens. Als door de bliksem getroffen liet hij Ikor los en viel stuiptrekkend op de grond. Zijn lichaam vertoonde vreemde, bewegende bobbels, die zich een weg naar buiten zochten. De huid scheurde. Een korst van mos schoot omhoog, vol rood vocht.

Ramart gilde en tierde. Hulpeloos rolde hij door het zand. Zijn dierlijke vormen vervaagden. De zes poten verdwenen in het lijf, dat meer en meer de vorm aannam van een mens. Maar dan een mens met onnatuurlijke uitsteeksels. Schuim stond op zijn mond. Hij smeekte voor zijn leven terwijl het mos hem verscheurde.

'Cyane, stop,' klonk plotseling de stem van Mekaron. Hijgend opende ze haar ogen.

Het mos hield op met groeien, maar ook een onkundig oog kon zien dat het leven van Ramart niet meer te redden was. Verbijsterd staarde ze naar hem. Had zij dat gedaan?

Meroboth stormde onmiddellijk op hem af. 'Is dat je dank, vuile rat,' siste hij tegen de van pijn kronkelende man.

Ikor kwam langzaam overeind en sloeg het stof van zijn fluweelbruine mantel. Minachtend keek hij neer op zijn voormalige knecht. 'Het was je om mij te doen, nietwaar, Ramart?'

'Adanar zou me belonen voor jouw dood,' stamelde Ramart moeizaam.

'Ach, natuurlijk. Adanar.' Ikors stem klonk kil en venijnig. 'Hopelijk was die beloning dit waard.'

Cyane wilde naar de Morf toe lopen maar Mekaron hield haar tegen. Ramarts ogen braken. Met een golf bloed blies hij zijn laatste adem uit.

Onaangedaan wenkte Meroboth Giffor. 'Zou je even een kuil voor hem willen graven?'

Misselijk en trillend van spanning liep Cyane weg van het lijk dat overwoekerd was door mos. Het was de magie van de groene diamant die Ikor het leven had gered. Zij had de diamant laten werken. Ze wilde het, ze wilde dat Ramart gedood werd. Ze ging op een groot rotsblok zitten en verborg haar gezicht in haar handen.

Mekaron kwam naast haar zitten. 'Als jij hem niet had gedood, had hij jou en Ikor vermoord,' zei hij.

17

Ze knikte. Ze wist dat ze geen keus had gehad.

'Eén ding weten we nu in ieder geval zeker,' zei Mekaron met een lach in zijn stem. 'Jouw wil is sterk genoeg.'

Cyane glimlachte beverig.

'Maar jongedame, je moet je wil onder controle krijgen. Je kunt niet steeds je magie inzetten tegen de zwarte magie zonder dat daardoor de krachten van de diamanten afnemen.'

Weer knikte ze. Ze had nergens aan gedacht toen ze het mos liet groeien. Ze wilde alleen Ikors leven redden. Ze keek op naar de Fee. Hij knikte haar toe. Meer dankbaarheid hoefde ze van hem niet te verwachten.

Giffor begroef Ramart snel. Alleen een hoop zand markeerde zijn laatste rustplaats. Zwijgend stond iedereen bij het graf. Opluchting overheerste. De Morf had een gevaarlijk staaltje van zwarte magie laten zien. Hij kon zich in een enorm monster veranderen. Dat beangstigde iedereen. Waartoe was Adanar, de oppermachtige meesterspion van de zwarte magiër, nog meer in staat?

Cyanes hoofd stond naar heel iets anders, iets verontrustenders. Waarom had Tiron haar niet geholpen? Hij had daar maar gestaan en geen hand uitgestoken om Ikor te redden. Het leek erop dat hij wachtte tot het te laat was en Ikor dood aan zijn voeten lag. Ze rilde. Wat bezielde hem? Waarom deed hij zo?

'We moeten gaan,' zei Meroboth. 'Als Ramart ons wist te vinden, weet Adanar het waarschijnlijk ook.'

Iss, Giffor en Sirus liepen naar het schip van de veerman dat iets verderop lag afgemeerd. Het schip was waardeloos geworden. Iss zou nooit meer veilig de oversteek kunnen maken, omdat hij een Fee over het meer had gezet. Met deze daad had hij de monsters in het Dryadenmeer tegen zich gekeerd.

De drie rukten enkele smalle planken los die ze konden gebruiken als fakkel. Het hout werd aangestoken en het kampvuur gedoofd. Met zijn allen liepen ze naar de ingang van de grot die hen het Steengebergte in leidde.

Twee

Meroboth was de eerste die naar binnen liep. Cyane volgde hem met haar paard Horizon aan de teugel. Ze kwamen in een hoge, smalle gang. Water sijpelde over de vloer. In lang vervlogen tijden had het deze gang uitgesleten. Nu was het niet meer dan een miezerig stroompje dat zich over de onregelmatige bodem een weg zocht. Het spoelde niet eens over hun voeten. Het water maakte de vloer echter glibberig. Niemand waagde het zijn rijdier te bestijgen. De hoeven van de paarden kletterden op de bodem en het geluid weerkaatste tegen de wanden. De fakkels wierpen grillige schaduwen vooruit.

Ze vorderden langzaam over het onregelmatige oppervlak. Eindelijk kwamen ze uit in een kleine grot.

Meroboth scheen met zijn fakkel rond. Opeens hield hij zijn adem in. Cyane volgde zijn blik en zag waar de oude man zo van was geschrokken. Met een kreet wendde ze haar gezicht af. Op de grond lagen talloze botten en schedels. De anderen snelden op haar gil de grot in.

Sirus kwam naar voren en bekeek de skeletten nauwkeurig. 'Rustig maar,' zei hij. 'De meeste zijn van dieren. Een enkele schedel is van een Trol. Ze zijn hoe dan ook al heel oud.'

'Misschien is dit een oude grafkelder,' opperde Mekaron. 'De Trollen konden hun doden hier niet begraven, daarvoor is de grond te hard.'

'Dat zou best kunnen,' zei Meroboth. Iets in zijn stem deed Cyane opkijken. Het leek of de oude man er niet helemaal gerust op was. Alsof hij iets vermoeddc wat hij niet uit durfde te spreken. Waar dacht hij werkelijk aan?

'Laten we maar verder gaan.'

Ze liepen de grot uit en een nieuwe lange gang in. Deze gang was erg breed. Aan de zijkant waren door de eeuwen heen grillige druipsteenformaties gegroeid. Er waren hier geen tekenen van ecn beschaving.

Cyane verloor haar richtinggevoel in het donker. Ze hoopte dat Meroboth wist waar ze heen moesten. Na een zoveelste bocht splitste de gang zich opeens. Meroboth bleef voor de twee gangen stilstaan.

'Wat nu?' vroeg Sirus.

Meroboth aarzelde. 'Tja.'

'Jij weet de weg toch hier?' vroeg Mekaron.

'Eh... nou,' begon Meroboth.

Sirus en Mekaron keken hem ongelovig aan.

'Niet precies,' gaf Meroboth toe.

'Wat bedoel je met "niet precies"?' informeerde Mekaron.

'Nou, kijk,' zei Meroboth. 'Ik ben hier nog nooit geweest.'

'Wat!' riep Mekaron uit.

'Maar je wist de ingang,' voegde Sirus daaraan toe.

'Daar had Vélar me ooit eens over verteld,' bekende Meroboth.

'O, en wat dacht je toen: we komen misschien wel een aardige Trol tegen die zo vriendelijk is ons de weg te wijzen?'

Meroboth wierp een boze blik op zijn broer. 'Ik had niet veel keus, dankzij jou, als ik het me goed herinner,' beet hij hem toe. 'We konden niet door het Feeënrijk omdat je vriendje daar gezocht wordt.' De oude man wees koeltjes naar Iss, die met Ikor achteraf stond. 'En met ons beladen groepje kan ik onmogelijk door Elfenland trekken, want dan heeft Wananka meteen weer een burgeroorlog in haar rijk. Maar misschien had jij een beter idee gehad?'

Als twee kemphanen stonden de broers tegenover elkaar.

'Ik dacht dat...' begon Mekaron.

Een knal alsof er een onweersbui pal boven hen hing, onderbrak zijn betoog. Een kolom van vuur schoot uit het niets omhoog in de linkergang. Vlammen als zonnestralen schoten naar de wanden en belemmerden zo de doorgang. In de vlammen waren vaag de contouren van een langgerekt gezicht zichtbaar. De ogen waren gesloten, de mond een lijn als een liniaal.

'Wat is...' zei Mekaron. Hij deed een stap in de richting van de vlam. De ogen schoten open. Vuurpijlen spuwden uit de pupillen en landden voor de voeten van de magiër. De mond van het wezen in de vlam sperde zich open en een doordringende, aanhoudende kreet vulde de grot. Het geluid kaatste tegen de wand en vermenigvuldigde zich snel. Cyane sloeg haar handen voor haar oren. Mekaron deinsde terug. Onmiddellijk sloot de mond zich. De oogleden zakten.

Verwonderd staarde iedereen naar de vlam.

'Ik heb het idee dat iemand niet wil dat we daarheen gaan,' merkte Meroboth op.

'Maar wie?' informeerde Sirus.

Aarzelend keek Meroboth naar zijn broer.

Mekaron schudde zijn hoofd. 'Het zou vuurmagie kunnen zijn, maar dat gezicht is een teken van zwarte magie.'

Meroboth deed een stap in de richting van de vlam. On-

middellijk begon het gekrijs weer en schoten de ogen vuur.
'Het maakt niet uit,' zei hij droog.'We komen er toch niet
langs.Vuurmagie of zwarte magie, Cyane is nog niet sterk
genoeg om het uit te schakelen. Bovendien kost dat de diamanten te veel kracht. We nemen de rechtergang.'

Zonder een weerwoord volgde de groep de oude man.
Cyane liep ongerust langs de vlam met het nu vredige gezicht. Wat als Tronador of Adanar hen op het verkeerde
been probeerde te zetten? Wat als ze deze donkere wereld
nooit meer uitkwamen?

De gang die ze waren ingeslagen verschilde nauwelijks
van de vorige. De echo van de paardenhoeven op de stenen
klonk hol en kil in de donkere gang. Na verloop van tijd
boog de gang omhoog. De grond werd droger.Toen het gevaar om weg te glijden geweken was, steeg iedereen in het
zadel.

Nadat ze een tijdje gereden hadden, werd de gang langzaam breder en hoger om uiteindelijk uit te komen in een
enorme grot. Hier was een natuurlijk licht dat door een vul-
kaanachtig gat ver boven hen naar binnen scheen.

Cyane ging naast de twee magiërs staan en keek rond.
De gewelven van de grot staken meters boven hen uit. In de
rotswand bevonden zich tientallen holen waar halfvergane
houten trappen naartoe leidden. Op de grond voor hen
lagen potten en scherven: de overblijfselen van een oude
beschaving.

'Dus hier woonden de Trollen vroeger,' merkte Mekaron
op.

'In holen, heel passend,'vond Sirus.

'Laten we hier overnachten,'stelde Meroboth voor.

Sirus en Tiron verzamelden het oude hout van de trappen
en maakten een kampvuur. Giffor, Ikor en Iss vonden aan de
rand van de grot een waterbron waaruit de paarden konden

drinken. Gondolin bereidde de maaltijd. Ondertussen verloren Meroboth en Mekaron zich in jeugdherinneringen.

In haar eentje verkende Cyane de grot. Ze probeerde zich de omgeving voor te stellen in vroeger tijden, toen zij nog bewoond was. Trollen die de houten trappen op en af liepen, knapperende kampvuren en primitieve ovens waarin potten werden gebakken. Wat had dit volk ertoe gedreven alles achter te laten? Net als de Feeën hadden ze hun vaderland verloochend voor een beter bestaan elders. De Feeën hadden het er aanmerkelijk beter van afgebracht. In groten getale woonden zij nu in Néfer à Tagalet, de weelderige hoofdstad van het Rijk der Duisternis. De Trollen waren nagenoeg uitgeroeid en sleten de rest van hun miezerige bestaan in het Gebergte van Orgor. Zouden ze nog weleens terugdenken aan hun leven hier?

Cyane ontdekte een trap die nog intact was. Nieuwsgierig naar de woningen van de Trollen begon ze aan de klim, die haar bij een aantal holen halverwege de rotswand bracht. Ze klauterde naar binnen. Ook hier zag ze scherven en een vuurplaats. In de rotswand waren kleine alkoven, waarin resten van kaarsen stonden. In het midden van de achterste wand was een grotere alkoof. Daarin stond een beeldje.

Cyane pakte het beeldje op. Het stelde een lang, slank figuurtje voor, maar de trekken waren niet meer herkenbaar. Het beeldje was gemaakt van puimsteen. Ze wist dat dat snel sleet. In zijn handen hield het figuurtje echter onmiskenbaar een donker steentje vast.

'Dat is de zwarte diamant,' zei iemand achter haar.

Verrast draaide Cyane zich om naar Ikor. Hij had haar blijkbaar zien klimmen en was haar achterna gekomen. Waarom?

'In het Rijk der Duisternis zijn veel van zulke beeldjes te vinden,' vertelde Ikor.

'Wie is degene die de diamant vasthoudt?' vroeg Cyane.

'Meestal is dat Orgor, de eerste zwarte magiër.'

Cyane bekeek het beeldje nauwkeurig, alsof dat haar meer antwoorden kon geven. Ze besefte dat ze weinig afwist van de geschiedenis van de vijf magiesoorten en de magiërs die de diamanten hadden bezeten.

'Orgor en zijn broer Dar waren degenen die de vijfkleurige diamant vonden, de steen die alle magie in zich herbergde. Zij zijn ook verantwoordelijk voor het splitsen van de magie. Orgor eigende zich de zwarte magie toe.'

Geboeid luisterde ze naar Ikor, die ze nog nooit zo veel achter elkaar had horen spreken.

'Orgor is een symbool geworden voor de magiërs na hem. Hij wordt als een god aanbeden, terwijl Dar nagenoeg in de vergetelheid is geraakt.'

'Delamar, de leermeester van de drieling, had ook een meerkleurige diamant,' herinnerde Cyane zich.

Ikor schudde zijn hoofd. 'Er is een aantal diamanten dat magie kan opvangen. Er is echter maar één diamant die alle magie van de wereld kan bevatten. Delamars diamant heeft veel kracht gehad, maar hij bevatte maar vier soorten magie. De luchtmagie was toen al aan de eenhoorns gegeven. De oorspronkelijke vijfkleurige diamant is waarschijnlijk in de Tempel van Orgor. Degene die hem vindt kan alle magie naar zich toezuigen.'

'Heeft iemand hem al gevonden?'

'Nee. Melsaran zoekt er al jaren naar. Velen gingen hem voor, maar zij zijn nooit meer teruggekeerd.'

Cyane knikte. Dat was de reden waarom Melsaran vaak in het Rijk der Duisternis werd gezien.

'Maar Adanar zoekt die diamant ook,' merkte ze op.

'Natuurlijk, en daarom jaagt hij nu ook op Melsaran. Melsaran is de achilleshiel van Tronador,' zei Ikor, 'want Tronador zal nooit toestaan dat Melsaran gedood wordt.'

Het drong langzaam tot Cyane door wat deze woorden betekenden. Tronador was niet in staat Melsaran, zijn lievelingsbroer, kwaad te doen. Dat moest zeer frustrerend zijn voor Adanar, die waarschijnlijk precies wist wat de Tovenaar van Goed en Kwaad van plan was. Nu ze dit alles wist, leek haar rol in deze gebeurtenissen een stuk minder belangrijk. Aarzelend vroeg ze Ikor ernaar.

'Je moet ervan uitgaan dat de vijfkleurige diamant nooit gevonden zal worden. Melsaran heeft me ooit eens verteld dat er maar in één boek geschreven staat hoe je de diamant mee kunt nemen. De enige manier om zonder de vijfkleurige diamant een eind te maken aan deze strijd is een krachtmeting tussen de zwarte magie en drie andere vormen van magie. Gontak, de meestersmid die ook aan jouw zwaard begonnen is, maakt eenzelfde wapen in het Rijk. Ook daar is iemand uitverkoren. In het handvat van dit zwaard is plaats voor de zwarte diamant. Jij komt tegenover de drager van dat zwaard te staan met drie andere vormen van magie. Een gevecht zal uitmaken wie als overwinnaar uit de strijd komt. Drie vormen van magie samen zijn net zo krachtig als de zwarte magie alleen.'

'Wie is de drager van dat zwaard?' vroeg Cyane.

Ikor haalde zijn schouders op. 'Dat weet ik niet.'

Langzaam legde Cyane het beeldje terug in de alkoof. Ze wilde geen eind maken aan dit bijzondere samenzijn met Ikor. De Fee leunde ontspannen tegen de rotswand en sloeg rustig haar bewegingen gade. Het was een kant van hem die ze nog nooit had gezien. Het bevreemdde haar. Was Ikor niet het harteloze masker van Geronimo? Deze man was niet Geronimo, maar Ikor. Alleen Ikor had zoveel kennis over het Rijk der Duisternis. Op dit moment was de koele meesterspion bijna aardig.

Plotseling klonk er gestommel op de houten trap en kwam Tiron het hol binnen. Ikor verstarde. Hij sloeg zijn bruine mantel met een soepel gebaar om zich heen. Zonder Tiron ook maar een blik waardig te keuren, wilde hij langs hem heen het hol uit lopen.

Tiron greep de Fee stevig bij zijn pols. 'Wat wilde je van haar, rat?' siste hij.

'Laat hem los,' riep Cyane en ze sprong naar het tweetal toe.

Tiron negeerde haar. 'Wacht je op een kans om haar te doden?' vroeg hij.

Ongelovig staarde Cyane naar de man die vanaf haar vroegste jeugd zoveel voor haar betekend had.

'Als ik haar had willen doden dan had ik dat al veel eerder kunnen doen, nietwaar Tiron?' zei Ikor zacht en nadrukkelijk.

Cyane wist dat hij doelde op hun ontmoeting bij het kasteel van haar ouders, jaren geleden.

'Je was toen geen partij voor mij en dat ben je nu nog niet.' Hoewel de stem van de Fee onmiskenbaar dreigend klonk, deed hij geen moeite zich los te rukken.

'Ik weet dat je iets van plan bent, Ikor,' zei Tiron verbeten. 'Je hebt je niet voor niets bij ons aangesloten.'

'Dat geldt dan voor ons beiden, Tiron.' Ikors zwarte ogen leken zich dwars door Tirons zo zorgvuldig opgebouwde muur te boren.

Tot Cyanes verbazing werd Tiron lijkbleek. Snel liet hij Ikor los en deed wankelend een stap naar achteren. Ze keek naar Ikor. Wat had hij met deze woorden bedoeld? Waarom reageerde Tiron er zo heftig op?

Ikor wierp een minachtende blik op Tiron. 'Laat me voortaan met rust,' beet hij hem toe, waarna hij de trap af liep.

Ongerust bleef Cyane achter met Tiron, die een paar keer

27

diep ademhaalde om zichzelf te herwinnen. Langzaam kwam er weer kleur op zijn gezicht.

'Wat bedoelde hij, Tiron?' vroeg ze met een benepen stemmetje.

Hij keek haar doordringend aan. 'Wie zal het zeggen?' zei hij sarcastisch. 'Die man is levensgevaarlijk.'

'Je hebt hem nooit een kans gegeven,' zei ze. Ze herinnerde zich hoe hij haar alleen had laten worstelen met Ramart. 'Als het aan jou had gelegen, had Ramart hem gedood. Je deed niets om hem te helpen.'

Met één stap was Tiron bij haar. Hij pakte haar ruw bij de schouders. 'Ikor moet je geen enkele kans geven; die zal hij benutten om je te vernietigen.'

Cyane staarde naar zijn verbeten gezicht. Tirons reactie riep veel vragen bij haar op. Ze pakte zijn handen en duwde hem van zich af.

'Wat heb je toch met hem?' vroeg Tiron.

Ze beet op haar lip. Kon ze hem maar vertellen over Geronimo. Dat zou het allemaal een stuk gemakkelijker maken. Aan de andere kant begon het meer en meer tot haar door te dringen dat Tiron ook het een en ander voor haar verborg. 'Ik was even met Ikor aan het praten over wat we hier zagen,' zei ze waardig. Trots gooide ze haar hoofd naar achteren waardoor haar blonde haren over haar rug golfden.

Tiron grinnikte.

Ze keek boos om. 'Wat nu weer?'

'Dat deed je vroeger ook altijd,' merkte Tiron op. 'Ik ben blij dat er nog iets van die nuffige jonkvrouw in je zit.'

'O jij,' snauwde Cyane, maar terwijl ze de trap af denderde kwam er een warme glimlach op haar gezicht. Misschien komt er een tijd dat niets meer tussen ons in staat, dacht ze.

Drie

Eenmaal beneden ontdekte Cyane dat Ikor was vertrokken. Aarzelend liep ze naar Iss, die met stevige halen
zijn paard aan het roskammen was. Ze had tot nu toe weinig met de veerman gesproken. De mismaakte man voelde
zich alleen prettig in het gezelschap van Mekaron of Ikor.

'Hij is weg,' zei Iss met zijn zachte stem zonder dat ze ook
nog maar iets gevraagd had.

'Waarheen?' vroeg ze.

'Kan dat je wat schelen?'

'Zou ik het anders vragen?'

Iss reageerde niet. Onverstoorbaar ging hij door met roskammen. Cyane wilde het net opgeven en weglopen toen
hij haar plotseling aankeek. 'Ikor vertrouwt je. Hij kan bij
jou zichzelf zijn.'

Verbaasd keek Cyane naar het afschrikwekkende gezicht
voor haar. Het was een muur waar nooit iemand doorheen
zou dringen. Toch begon ze aan dat gezicht te wennen. Ze
begon de persoon in dat vreselijke lichaam te zien.

Instinctief voelde ze dat Iss haar geen compliment
maakte of zijn waardering uitsprak. Hij wilde iets zeggen
wat betrekking had op hemzelf. Ze wenste niet voor het
eerst dat ze de wijsheid van Meroboth of Melsaran bezat.

Onderzoekend keek Cyane in de vragende, ongelijke ogen van de veerman. Toen zei ze langzaam: 'Ik wil ook dat hij zichzelf is. Nu is hij slechts een masker. Daaronder zit een van de bijzonderste personen die ik heb ontmoet.'

'Er zijn meer mensen die een masker dragen,' merkte Iss op.

'Ik hoop dat die mensen bij mij ook hun masker kunnen afleggen,' zei Cyane.

Iss knikte. Toen ging hij door met het verzorgen van zijn paard. Wat hem betreft was het gesprek ten einde.

Ze had het idee dat ze iets nader tot Iss was gekomen. Waar Ikor heen was, wist ze echter nog steeds niet. Hij kwam die dag ook niet meer terug.

'Ach, daar ben je,' riep Mekaron toen Cyane naar het vuur liep. 'Kom mee.' Hij pakte haar hand stevig vast en nog voordat ze kon protesteren trok de magiër haar naar de hoek met de waterbron. Hij overhandigde haar een tinnen beker. 'Ik wil graag iets drinken.'

Meteen begreep ze dat dit haar volgende les was en dat ze het water niet uit de bron mocht scheppen.

Ze zag niet dat Tiron de trap af was gekomen en vlak bij hen was gaan staan. Hij hield zijn hand voorzichtig om de hoorn van Domarin, die de luchtmagie bevatte.

Cyane staarde naar het donkere water. Ze moest het willen. Ze moest het water haar wil opleggen. Maar hoe?

Toen zag ze de structuren van het water, de miljoenen kleine deeltjes die samen één geheel vormden. Die deeltjes moest ze in beweging zetten. Ze concentreerde zich. Haar wezen sloot zich om de watermoleculen. Ze verzetten zich, maar zij was sterker. Moeizaam kwam het water in beweging.

Trots keek ze naar de bron. Een kleine rimpeling gleed

over het wateroppervlak. Was dat alles? Teleurgesteld liet ze haar schouders hangen.

'Ik zal het zelf maar pakken, zeker?' zei Mekaron. Hij reikte haar de hand. 'Voor je je van alles in je hoofd haalt. Wij hebben dertig jaar bij Delamar in de leer gezeten.'

'Dertig jaar,' echode Cyane. De moed zonk haar in de schoenen.

'Maak je maar geen zorgen,' zei Mekaron. 'Het komt wel goed.'

De watermagiër liep terug naar het vuur. Ze volgde hem gedwee. Tiron staarde hen na en met de punt van de hoorn stevig in zijn hand sloot hij zijn ogen.

Het werd een aangename avond in de grot. Mekaron, Meroboth en Sirus disten een hoop sterke verhalen op uit hun gezamenlijke tijd op het kasteel van Delamar. In die verhalen speelden Melsaran en Melsasser nauwelijks een rol. Cyane herinnerde zich dat de twee oudste broers ook de meest serieuze studenten van Delamar waren geweest. Mekaron en vooral Meroboth en Sirus hadden nogal eens de bloemetjes buitengezet.

'Weet je nog die keer dat die Dwerg ons achtervolgde na die onverkwikkelijke ruzie in de kroeg?' vroeg Meroboth.

Sirus grijnsde. 'Je gebruikte je basismagie om ervoor te zorgen dat hij geloofde dat de stadspoort gesloten was.'

'Volgens mij staat hij nu nog steeds te wachten tot die poort eens een keer opengaat,' zei Meroboth lachend.

Het was laat toen iedereen ging slapen. Ver boven hen, door het gat in het plafond, zagen ze heldere sterren aan de hemel.

De volgende ochtend was er nog steeds geen spoor van Ikor. Meroboth vroeg zijn broer om raad. De grot mondde uit in drie even grote gangen. Niemand had gezien in welke Ikor verdwenen was.

'Ik denk dat we verder moeten gaan. Ikor vindt ons wel weer,' zei Mekaron.

Iss knikte instemmend.

Op goed geluk liepen ze naar een van de gangen. Plotseling zoefde er iets langs Cyanes hoofd. Een vlammende hitte schampte haar gezicht. Ze slaakte een kreet en dook ineen.

'Allemachtig,' siste Sirus.

Er knetterde iets boven Cyanes hoofd. Voorzichtig hief ze haar gezicht op. Een vlammende pijl ontstond uit het niets en schoot de gang in. Het heldere licht stierf ten slotte een zachte dood in de duisternis. Onmiddellijk verscheen er een nieuwe pijl die zijn voorganger achterna snelde.

Meroboth en Mekaron wierpen elkaar een bezorgde blik toe.

'Geen geschreeuw dit keer,' merkte Meroboth op.

'Dat is al een hele vooruitgang. Anders waren we aan het eind van de reis allemaal stokdoof,' zei Mekaron.

Het was duidelijk dat geen van beiden raad wist met de situatie. Cyane begreep wel waarom. Hoewel dit een staaltje van vuurmagie was, hoefde dat niet te betekenen dat Melsaran hen de weg wees. Het kon ook de zwarte magie van Adanar zijn, die hen op het verkeerde spoor probeerde te zetten.

Meroboth hakte de knoop door en volgde het spoor van de pijlen. Meteen stopte de pijlenregen. Cyane volgde hem met kloppend hart. Wat als hij de situatie verkeerd had ingeschat? Wat als deze magie van Adanar kwam?

De lange gang kronkelde weer alle richtingen uit. Af en toe kwamen ze in een grot die ooit bewoond was geweest, hoewel geen enkele grot zo groot was als degene waar ze de eerste nacht hadden doorgebracht.

Zo zwierven ze drie lange dagen door het gangenstelsel. Al die tijd was er geen spoor van Ikor te bekennen. Cyane begon zich zorgen te maken. Iss maakte zich echter niet druk om de verdwijning van zijn vriend. De zwijgzame veerman kwam vaak naast haar rijden als Mekaron het gezelschap van een van de anderen opzocht. Praten deden ze nauwelijks, maar ze zag zijn aanwezigheid als een blijk van vertrouwen en daar was ze trots op.

Aan het eind van de derde dag trok een verblindend licht hun aandacht.

'Eindelijk,' mompelde Sirus.

'Is dat de uitgang?' vroeg Cyane hoopvol.

'Vast wel,' zei Sirus.

Ze spoorden hun paarden aan sneller te gaan. De tunnel die ze die ochtend in waren gereden, was ongekend lang geweest en leek nergens te eindigen. Nu was er aan het eind dat verblindende licht.

De hoeven van de paarden klepperden opgewekt. Het licht was felgeel en dat was een vreemde kleur voor daglicht.

De gang kwam uit in een enorme grot. Het was de grootste grot die ze tot nu toe hadden gezien. Het licht dat hiervandaan kwam deed pijn aan de ogen.

De overkant van de grot kon Cyane niet zien. Het zicht werd haar ontnomen door een enorm bouwwerk dat in het midden stond. Het gevaarte was van goud. Het licht dat hierin werd weerspiegeld veroorzaakte de pijnlijke stralen. Sirus en Cyane reden voorzichtig dichterbij, gevolgd door de anderen.

'Nee maar,' mompelde Sirus, 'die Trollen. Ze waren blijkbaar erg rijk.'

'Wat is het?' vroeg Cyane nieuwsgierig.

'Het lijkt wel een tempel,' merkte Meroboth op.

'Het is een tempel.'

Cyane schrok van de afschuw in Mekarons stem. Ze volgde zijn blik en zag voor de tempel een groot altaar staan. Ook dit altaar was van goud, maar daar had ze geen oog voor. Ze zag alleen maar de honderden schedels die eromheen lagen.

'Dit is walgelijk,' verwoordde Sirus hun gevoelens.

'Trollen zijn atheïstisch,' zei Meroboth verbaasd. 'Ze geloven in geen enkele god.'

'Blijkbaar hebben ze het licht gezien,' merkte Mekaron cynisch op.

Meroboth schudde zijn hoofd. 'Er klopt iets helemaal niet hier.'

Iss was naar voren gekomen en onderzocht de schedels die om het altaar lagen. 'Dit zijn geen beesten,' zei hij.

'Dat is ze geraden ook,' brieste Giffor. 'Je kunt geen onschuldige dieren afslachten voor een god.'

Verdwaasd staarde iedereen naar Giffor, die blijkbaar niet doorhad wat Iss werkelijk had willen zeggen.

'Het zijn merendeels Trollen, maar er zitten ook mensen en Feeën tussen,' vervolgde Iss met zijn blik strak op de Dwerg.

Giffor week niet voor de ongelijke ogen van de veerman. 'Ik vind toch dat je geen dieren mag offeren,' hield hij stug vol.

Ongelovig schudde Meroboth zijn hoofd. 'Ik begrijp hier niets van.'

Zwijgend stonden ze voor de enorme gouden tempel, alsof ze daar alle antwoorden van verwachtten. Tussen de pilaren door liepen ze naar binnen. Net als bij alle Trolse kunst was de opzet van het bouwwerk eenvoudig en effectief. Achter de pilaren vonden ze een eenvoudig vertrek dat ook opgetrokken was uit goud. In het midden van het vertrek stond iets wat meteen hun aandacht trok. Een enorm gouden beeld domineerde de ruimte en keek vanuit een grote hoogte op hen neer.

Tot Cyanes verbazing viel Meroboths mond open van ongeloof en ook Sirus staarde verbijsterd naar het beeld voor hen. Ze voelde dat iemand langs haar liep. Ze keek op naar het verbeten gezicht van Tiron.

Het beeld stelde overduidelijk een Fee voor. Ze herkende de slanke gestalte, de puntige oren en de pupilloze ogen. Het gezicht van het tot god verheven wezen was hard en koud. In zijn handen, die hij in een kommetje gevouwen voor zich hield, lag de zwarte diamant. Ergens was hij bekend. Cyane had deze man vaker gezien, zij het niet in levenden lijve.

'De slang,' mompelde Mekaron, die naast Cyane was komen staan. 'Die achterbakse slang.'

'Wie is het?' vroeg ze. Eigenlijk wist ze het antwoord al.

Meroboth draaide zich naar haar om. 'Kijk goed naar deze man, Cyane. Onthoud hem. Dit is de man die verantwoordelijk is voor al deze ellende.'

'Adanar?' vroeg ze.

'Precies, Adanar.' Nog nooit had Meroboths stem zo vol haat geklonken.

Ze rilde. Dit was de beruchte Fee. Ze wist dat Meroboth hem meer dan Tronador alle gebeurtenissen toedichtte. Adanar was het brein achter het Rijk der Duisternis. Op deze wereld was niemand zo gevaarlijk als hij. Niemand die zo gevreesd en gehaat werd als hij.

De Fee had het voor elkaar gekregen dat een heel volk hem aanbad als een god. Walgend staarde ze naar de schedels om het altaar. De Trollen hadden hun eigen familie en vrienden geofferd aan Adanar in de hoop dat hij hen betere tijden zou brengen. Ze waren misleid en uiteindelijk bijna helemaal vernietigd.

Wie was deze man, dat hij daartoe in staat was?

Cyane liep naar voren tot aan de sokkel van het standbeeld, waar ook Tiron stond. Zijn groene ogen schitterden en zijn handen waren tot vuisten gebald. Alleen Cyane hoorde de woorden die hij fluisterde: 'Ik vermoord je als ik je in handen krijg, Adanar. Ik zweer het hier bij dit afschuwelijke beeld van je. Ik vermoord je voor wat je mijn vader en mij hebt aangedaan.'

Cyane herkende Tiron bijna niet meer. Plotseling zag ze het verdriet en de pijn in zijn ogen. Hij had haar niet in de gaten en vlug deed ze enkele passen naar achteren. Pijnlijk duidelijk drong het tot haar door dat Tiron hier niet alleen was om Meroboth te helpen. Hij had een eigen rekening te vereffenen. Maar waarom? Wat was er met hem gebeurd? Waarom had hij haar of Meroboth daar nooit over verteld? Voor het eerst zag ze hem echt. Wie was Tiron? Waar kwam hij vandaan?

Ze slikte moeizaam. Daar stond de verpersoonlijking van het kwaad. Dit was de man die hele volkeren had vernietigd of verscheurd. Dit was de man die het leven van de drieling had geruïneerd en Melsasser in zijn macht had gekregen. Hij was verantwoordelijk voor de melancholieke blik in de ogen van Melsaran. En hij was dus ook de man die Tirons leven kapot had gemaakt.

Zwijgend sloot ze zich bij Tirons woorden aan. Adanar zou boeten voor zijn daden.

'Laten we hier weggaan,' klonk plotseling de stem van Meroboth. 'Ik word misselijk van de aanblik van dat monster.'

De anderen knikten zwijgend. Snel verliet iedereen de tempel.

Sirus wachtte tot Cyane naast hem liep. 'Ik kan nauwelijks geloven wat ik hier zie,' merkte hij op.

'Die man is het brein achter het Rijk der Duisternis,' zei Mekaron, die zijn woorden had opgevangen. 'Zelfs Tronador is een slachtoffer van hem en dat zeg ik niet omdat hij mijn broer is. Zoals jullie waarschijnlijk wel weten was ik niet dol op Melsasser.'

'Melsasser wordt door hem gebruikt.' Meroboth draaide zich naar hen om. 'Adanar had een welwillende, op macht beluste zwarte magiër nodig, dus Melsasser was uitstekend geschikt. Adanar had al vrij snel door dat hij bij Melsaran nooit iets zou bereiken. Het enige wat hij toen nog moest doen was ervoor zorgen dat Melsasser de zwarte magiër zou worden en niet Melsaran. Onze Melsasser at praktisch uit zijn hand en we weten allemaal wat er toen is gebeurd.'

Mekaron bleef plotseling staan. Zijn gezicht stond ernstig. 'Bijna alles wat er de afgelopen tientallen jaren gebeurd is, schrijf ik toe aan Adanar, maar er is één ding dat ik niet op die vervloekte Fee kan schuiven. Ik zal het Melsasser nooit vergeven dat hij zijn broer zo doelbewust en ijskoud liet vallen die dag.'

'Melsaran was dol op hem. Het is onvergeeflijk wat Melsasser hem heeft aangedaan,' zei Meroboth. 'Ik denk er precies zo over.'

Vier

Meroboth spoorde iedereen aan de grote grot waar de tempel stond zo snel mogelijk te verlaten. De sfeer in de groep was gespannen. De enige die schijnbaar niet onder de indruk was, was Iss. Zwijgend reed hij naast Cyane. Vreemd genoeg had zijn aanwezigheid iets troostends. In zijn gruwelijke leven had hij waarschijnlijk al heel wat meer staaltjes van onmenselijkheid meegemaakt. Hij had zich daartegen gewapend.

Voor het eerst voelde Cyane zich moedeloos en bang. Het volle besef van de verwoestingen die waren aangericht, drong tot haar door. Zelfs al zouden ze Adanar en Tronador verslaan, dan zou dat al het leed dat was ontstaan, toch niet meer ongedaan maken. Het leven zou nooit meer worden zoals voorheen. Voor niemand.

De grot was enorm. Het kostte een halve dag om eruit te komen, en de gehele weg lagen er her en der nog schedels verspreid. Er waren hier geen holen of andere tekenen van bewoning. Blijkbaar durfden de Trollen niet zo dicht bij hun god te wonen.

Er was maar één gang die uit de grot leidde. De gang was hoog en breed. Ze konden gemakkelijk met vier paarden naast elkaar rijden. De gang leek eindeloos en na een paar uur besloot Meroboth dat er weinig anders opzat dan hier te overnachten.

Cyane was uitgeput door alles wat ze had gezien en na het eten ging ze vermoeid naast het kampvuur liggen. Sindra liep naar haar toe en krulde zich tegen haar aan. Verrast aaide ze de zwarte pels van het dier. Toen ze nog een kind was, sliep de kat heel vaak bij haar, maar tegenwoordig gaf Sindra de voorkeur aan Giffor, zoals elk dier. Cyanes ogen vielen dicht en algauw was ze diep in slaap.

Ze werd wakker van een zacht gejammer. Een kopje werd steeds tegen haar lichaam aangedrukt. Langzaam opende Cyane haar ogen. Sindra stond naast haar en nam een punt van haar kleding in haar bek. Zo probeerde ze haar mee te trekken. De anderen sliepen allemaal. Zelfs Sirus, die de wacht had, was ingedommeld.

Cyane stond op. Eén keer eerder, in het paleis van Dwergenkoning Vélar, had Sindra geprobeerd haar mee te krijgen. Dat had een ontmoeting met Melsaran tot gevolg gehad. Ze stond er niet eens meer van te kijken dat de kat zich anders gedroeg dan katten zouden moeten doen.

Sindra liet haar kleding los en liep naar Horizon. Cyane pakte haar zwaard en een fakkel en volgde het diertje. De kat keek trouwhartig naar haar op.

'Wil je dat ik hem meeneem?' vroeg Cyane verbaasd.

Sindra gaf een kopje tegen een van de voorbenen van het paard.

'Nou, vooruit dan maar.' Ze maakte Horizon los.

Sindra keek nog een keer om om er zeker van te zijn dat Cyane haar volgde en zette het toen op een rennen, de gang in.

Cyane sprong op de rug van Horizon en volgde de kat in een vliegende galop. De gang was nog steeds donker. Hij werd slechts verlicht door haar flikkerende fakkel. Grillige schaduwen dansten naast haar terwijl ze probeerde de kat bij te houden. Het kwam Cyane voor dat Sindra voor een kat wel heel snel liep. Zelfs een raspaard als Horizon kon haar niet bijhouden. Het duurde dan ook niet lang of Cyane was Sindra uit het oog verloren.

Plotseling bevreesd liet ze Horizon halt houden. Waar was ze mee bezig? Ze volgde een kat op totaal onbekend terrein. Ze rilde. De gang was koud, kil en donker. Ze was helemaal alleen en kon maar beter teruggaan. Sirus zou ongetwijfeld wakker geworden zijn van het geklepper van de hoeven. Ze zouden zich wel afvragen wat er in haar gevaren was.

Ze wendde Horizon in de richting van het geïmproviseerde kamp, maar aarzelde opnieuw. Ze draaide haar hoofd weer in de richting waarheen Sindra verdwenen was. De vreemde kat had iets met Melsaran te maken. Steeds als ze een ontmoeting had met de Tovenaar van Goed en Kwaad was Sindra in de buurt geweest. Een keer had de kat haar zelfs letterlijk meegetrokken, naar de spiegel waarin Melsaran was verschenen. Wat als hij haar nodig had? Cyane voelde haar hart bonzen. Ze had een band met Melsaran die ze niet kon ontkennen. Ze was niet langer op weg voor Meroboth of om te vluchten uit de beknellende banden die haar adellijke leven met zich mee zou hebben gebracht. Ze was op weg naar Tronador om Melsaran te wreken. De zwarte magiër moest boeten voor het leed dat hij zijn broer had aangedaan. Ze kon het niet verklaren, maar voor Melsaran zou ze alles doen. Hij had haar nodig. Plotseling was ze overtuigd. Weer liet ze Horizon draaien. Nog een keer keek ze om. Toen gaf ze het paard de sporen en spoedde zich in de richting waarheen Sindra verdwenen was.

De vrouw van de vuurmagiër

Vijf

C yane wist niet hoelang ze al alleen in de duisternis reed. Het moesten inmiddels uren zijn. Haar handen lagen gespannen om de teugels van Horizon. Haar hart klopte in haar keel. Het naargeestige Steengebergte was in de groep goed te verdragen geweest. Nu ze alleen was voelde ze zich onrustig en angstig. Misschien was het Rijk der Trollen niet zo verlaten als iedereen dacht.

Ze luisterde of er geluiden waren die er niet hoorden te zijn. Maar het geluid van Horizons hoeven op de stenen was het enige wat tot haar doordrong. Ze sloeg haar mantel dichter om zich heen en rilde. Somber reed ze verder. Had ze hier wel goed aan gedaan?

Opeens hoorde ze een ander geluid dat het hoefgeklepper langzaam overstemde. Ze spitste haar oren. Het was geen verbeelding. Ver in de gang klonk een zacht geruis dat luider werd naarmate ze verder trok. Bovendien gloeide in de verte een lichtpuntje. Zou daar het eind van dit ondergrondse gangenstelsel zijn?

Met hernieuwde moed gaf Cyane Horizon de sporen. Het geluid klonk als vallend water. Het licht werd feller. Een zonnige warmte drong tot haar door. De muren van de gang weken uiteen en liepen uit in een grote grot. Aan de zijkant kletterde een waterval naar beneden in een meertje met helder blauw water. De wanden waren begroeid met klimop dat beschenen werd door de stralen van de zon, die ver boven de grote grotopening aan een strakblauwe hemel stond.

Cyane ademde opgelucht de schone lucht in. Eindelijk daglicht. Ze blies haar fakkel uit en sprong van Horizons rug. Land spreidde zich uit achter de uitgang van de grot. Ze vroeg zich af of het Morfia of Nudor was dat daar lag. En waar was Sindra heen gegaan?

'Dat is Morfia,' klonk plotseling een stem.

Verbaasd draaide Cyane zich om. Op een steen bij het water zat Ikor. Ze glimlachte en liep naar hem toe. 'Ik was op zoek naar Sindra.'

'We vinden haar wel,' zei Ikor.

Opeens klonk er een steeds luider wordend hoefgetrappel vanuit de gang waaruit Cyane was gekomen. Met grote snelheid kwam een bruin paard met daarop een man met wapperende mantel en een bedekt gezicht de grot uit. De gestalte liet zijn paard halt houden en sprong lenig op de grond. Hij haalde de doek van zijn gezicht. Bij wijze van groet knikte hij. Het was Iss. Cyane begreep er steeds minder van.

'Meroboth is woedend om Cyanes vertrek,' zei Iss met zijn zachte stem.

Ikor haalde zijn schouders op. 'Het is beter dat hij het niet weet.'

'Dat hij wat niet weet?' vroeg Cyane.

Ikor stond op en ging vlak voor haar staan. 'Adanar heeft Melsaran gevangengenomen.'

Cyane voelde al het bloed uit haar gezicht wegtrekken. 'O nee,' stamelde ze. De tranen sprongen in haar ogen. Een verlammende hulpeloosheid overspoelde haar. Alles was voor niets geweest. Alles was verloren. Verslagen boog ze haar hoofd. Ze voelde hoe ze ruw bij haar schouders werd gepakt. Toen ze opkeek boorden Ikors fel schitterende ogen zich in die van haar. 'Waag het niet,' beet hij haar toe. 'Je geeft het niet op.'

'Maar...' begon Cyane.

Een blik van Ikor legde haar het zwijgen op. 'Wij gaan hem bevrijden,' deelde hij haar mee.

Ze wist dat het geen enkele zin had om hem tegen te spreken. Voor Ikor had het woord gevaar al lang geen betekenis meer. Voor hem stond de uitkomst van de strijd toch al vast. Overleven zou hij het hoe dan ook niet. Hij kon net zo goed alles geven.

Even plotseling als hij Cyane had vastgegrepen, liet hij haar los. Hij wendde zich tot Iss en zei: 'We vertrekken. Mekaron is een sterke man, maar ik vraag me af of hij de hele groep kan tegenhouden zonder al te veel te verraden.' Hij gebaarde Cyane dat ze haar paard moest bestijgen.

Zwijgend deed ze wat hij vroeg. Toen herinnerde ze zich plotseling iets. 'Maar ik was Sindra aan het zoeken.' Smekend keek ze naar Iss, omdat ze van de Fee geen enkele hulp hoefde te verwachten.

'Kom maar mee,' zei de veerman, 'Ikor weet wat hij doet.'

Bang en ongerust volgde ze de twee mannen de grot uit, het heldere zonlicht in. Ze vroeg zich af wat Ikor zou doen als ze zich omdraaide en in galop terugkeerde naar Meroboth, Sirus en Tiron. Plotseling voelde ze zich niet veilig meer in Ikors gezelschap. Ze had op dit moment geen enkele moeite om zich voor te stellen hoe hij het Rijk der Duisternis veroverde.

Iss kwam naast haar rijden. Zijn houding was niet veranderd. Hoewel Cyane wist dat de mismaakte man de kant van Ikor zou kiezen, werkte zijn gezelschap geruststellend.

'Speel het spel mee, Cyane,' zei Iss zacht.

Verbaasd keek ze hem aan.

Hij herhaalde zijn woorden: 'Speel het spel mee, wat er ook gebeurt. Het is de enige kans die we hebben.'

Ze knikte, ook al had ze geen idee waar hij het over had. De hele situatie kwam haar onwerkelijk voor.

Ze reden door drassig moerasland. Laaghangende nevels ontnamen hen het zicht. Ondanks de zon was het hier kil.

'Dit is Morfia,' vertelde Iss in een poging haar meer op haar gemak te stellen.

Dit was het land waar Ramart vandaan kwam. Sirus en Meroboth hadden af en toe over Morfia gesproken. Veel viel er blijkbaar niet over te zeggen. Cyane wist dat Morfia ooit aan de Morfen was toegewezen. Het stuk land behoorde vroeger tot het Moeras van Agis. Het vormveranderende volk wilde echter ook een thuisland bezitten. Meer als een soort toevluchtsoord dan dat ze er daadwerkelijk gingen wonen. De paar Morfen die besloten hadden het land te betrekken, woonden vlak bij de grens met Nudor.

De Morfen werden met uitsterven bedreigd. Omdat ze vaak onder andere volkeren woonden en met hen kinderen kregen, verdwenen hun bijzondere krachten. Er waren nauwelijks meer volbloed Morfen. Meroboth had gezegd dat Ramart ook geen volbloed Morf was. Volbloed Morfen konden desnoods een heel leven een vorm behouden. Ramart was daar niet toe in staat geweest.

'Hier heb ik mijn jeugd doorgebracht,' merkte Iss plotseling op.

Natuurlijk, bedacht ze zich verschrikt, Iss was opgegroeid in het Moeras van Agis tot hij daar door Geronimo uitgehaald werd. Voordat ze kon reageren wenkte Ikor Iss naar voren te komen. De Fee hield halt en wachtte op Iss, die de koppositie overnam. Daarna zakte hij af naar Cyane.

Zwijgend wees hij op iets wat naast hun pad lag. Het was het geraamte van een paard met daarnaast de schedel van een mens.

'Zo willen we tenslotte niet eindigen.' Ikors stem klonk cynisch.

'O nee?' vroeg Cyane. 'Ik dacht dat jij het leven zo moe was?' Ze wist niet wat haar bezielde om deze opmerking te maken. Ergens was ze kwaad over de manier waarop Ikor haar behandelde.

Hij keek haar koel aan. Dit keer weerstond ze de harde blik. Het ogenblik leek eeuwig te duren.

Toen zei Ikor met vaste stem: 'Dat kun je me nauwelijks kwalijk nemen.'

Cyane zweeg. Dat kon ze inderdaad niet.

'Ik verlang naar de dood, Cyane,' zei Ikor. 'Dan heb ik eindelijk rust.'

Ze slikte moeizaam, niet wetend wat ze moest zeggen.

'Maar eerst moet ik mijn taak afmaken, anders is alles voor niets geweest,' vervolgde hij.

Ze had al spijt van haar woorden.

Ikor wendde zijn blik af naar het nevelige landschap. 'Met de hele groep zouden we te veel opvallen in het Rijk,' zei hij. 'Bovendien is Meroboth niet voor rede vatbaar als een van zijn broers in gevaar is. Mekaron weet wat we gaan doen. Het is goed, Cyane. Je hoeft je niet schuldig te voelen.'

Ikor had feilloos zijn vinger op de zere plek gelegd. Ze wist dat hij gelijk had, want daarvoor kende ze Meroboth inmiddels te goed. Zwijgend reden ze verder. Er viel niets meer te zeggen.

Cyane vroeg zich af hoe ze het Rijk der Duisternis binnen moesten komen, maar ze durfde er niet naar te vragen. Ikor zou vast wel een plan hebben.

Zes

Uren gleden voorbij zonder dat het sombere landschap veranderde. De stemming in het kleine groepje paste bij de sfeer van het land. Alleen het hoognodige werd gezegd en dat was niet veel.

Iss leidde hen zelfverzekerd door het zompige landschap. Cyane kon zich nauwelijks voorstellen dat hij hier zijn hele jeugd had doorgebracht. Het zei veel over de overlevingsdrang van de veerman. Het verlangen naar de dood van zijn vriend Ikor was hem vreemd. Ondanks alles was hij aan het leven gehecht.

Pas toen het schemerig begon te worden hield Iss halt. 'We kunnen beter niet in het donker reizen.'

'Wat je wilt.' Ikor steeg af. De plek waar ze de nacht zouden doorbrengen verschilde niet van wat ze de hele dag al hadden gezien. Nevels hingen laag om hen heen. Riet en gras bedekten de grond. Alleen Iss kon zeggen of het veilig was om erop te staan. De veerman verzamelde dood hout en maakte een vuurtje. Ikor ging bij het vuur zitten. Hij leek verloren voor zijn omgeving.

Cyane liep naar Iss, die de paarden verzorgde. 'Zitten er echt monsters in het Moeras van Agis?' vroeg ze nieuwsgierig.

'Ach, wat zijn monsters?' Iss keek niet op van zijn werk. 'Ben ik een monster?'

'Natuurlijk niet,' riep ze meteen.

De veerman draaide zich naar haar om en haalde zijn vale doek van zijn gezicht. 'O nee? Kijk naar mijn gezicht, Cyane.'

Ze keek naar zijn doorzichtige huid, de ongelijke ogen, de mismaakte neus. Het deed haar niets meer. Ze was eraan gewend geraakt.

'Er zaten daar meer zoals ik.' Iss roskamde rustig verder. 'Monsters zijn wezens die verstoten zijn door de mensheid, omdat ze afwijken van wat gangbaar is.'

'Omdat ze gevaarlijk zijn,' weerlegde Cyane.

'Hun omgeving maakt ze gevaarlijk,' legde Iss uit. 'Want we hebben één ding gemeen. We doen alles om te overleven. Alles. We gaan niet ten onder aan de haat van anderen. Dat verdienen ze niet. Wij hebben ook recht op leven. Hoe belabberd dat leven ook is; we hebben er recht op.'

Het was de langste preek die Cyane ooit van Iss had gehoord. Hij had de woorden langzaam en intens gesproken. Nu was hij buiten adem. Hij aaide Horizon over zijn neus en liep naar het vuur.

Ze staarde hem na, niet wetend wie van de twee mannen die haar vergezelden, ze het meest bewonderde. Het leven had hen gemaakt tot wie ze waren. Beider bestaan was voorgoed verwoest. De een verlangde na dit harde bestaan naar de rust van de dood, terwijl de ander zich ten koste van alles aan het leven vastklampte.

Ze liep ook naar het vuur en sloeg een deken om zich heen. Langzaam doezelde ze weg.

Een plotselinge hitte schoot door haar lichaam. Ze wilde gillen van pijn, maar er kwam geen geluid over haar lippen. Haar ogen sperden zich open naar het vuur. Ze hapte naar adem. In het vuur zag ze een kasteel, gebouwd tegen zwarte rotsen. Uit een van de ramen van het kasteel stak een hand. Hij werd groter en groter tot het leek of hij Cyane kon oppakken. De vingers strekten zich naar haar uit.'Help me.'

Het was slechts een fluistering, maar Cyane herkende de stem van Melsaran. Bibberend van angst en wanhoop liet ze het visioen tot zich doordringen. De hand werd weer kleiner tot hij verdween in het kasteel. Even later waren er alleen nog maar de dansende vlammetjes van het kampvuur. Ze draaide zich weg van de warmtebron. Had ze het zich verbeeld of had Melsaran haar daadwerkelijk geroepen? Wat voor vreselijks zou Adanar hem aandoen? Wat als ze niet op tijd waren? Die vragen kwelden haar de hele nacht.

De volgende dag verruilden ze het sombere moeras voor de dorpen en steden van Nudor. De eerste keer dat ze dit land hadden aangedaan was onder leiding van Sirus en het bezoek was aangenaam verlopen. Nu was de sfeer in het kleine groepje anders. Iss had zijn omslagdoek voor zijn gezicht geslagen zodat alleen zijn ogen zichtbaar waren. Hij zat ineengedoken op zijn paard en ontweek de onderzoekende blikken van de joviale Nudoren.

Bezorgd vroeg Cyane zich af of dit de eerste keer in zijn leven was dat Iss in zo'n dichtbevolkt gebied kwam. De mismaakte veerman had heel zijn leven in betrekkelijke eenzaamheid doorgebracht. Hij had zijn gezicht alleen maar aan Mekaron en Geronimo laten zien. Het was slechts nieuwsgierigheid wat de Nudoren dreef, maar wat als hij de doek van zijn gezicht haalde? Ze kon de spot en de hoon al bijna horen. Daar gaat het monster. Langzaam begon ze te begrijpen wat Iss dreef.

Ikor reed voorop; ijzig en waardig zoals ze hem in eerste instantie had leren kennen. De Nudoren wisten wie hij was. De blikken die ze hem toewierpen spraken boekdelen. De Fee trok zich er weinig van aan. Maar Cyane wist dat dat uiterlijke schijn was. Ze moesten eens weten. Daar reed niet een kille moordenaar, maar de man die hen redde uit de handen van de zwarte magiër. Misschien zou Ikor ooit het respect krijgen dat hij verdiende.

Ze zag ook de vragende blikken die de Nudoren naar elkaar wierpen als ze haar zagen. Wat deed zo'n jong meisje in het gezelschap van twee heel bedenkelijke lieden? Er was ook veel aandacht voor het zwaard dat ze op haar rug droeg. De twee diamanten schitterden in het zonlicht. Hier en daar ving Cyane de naam 'Meroboth' op. Ikor hoorde het ook en hij verhoogde het tempo. Meroboth was in deze omstreken zeer geliefd en het was niet moeilijk te raden wat er in de hoofden van de Nudoren omging. Dit strijders-volk zou wel eens kunnen denken dat Ikor Meroboth iets had aangedaan.

Zo reden ze uren achtereen zwijgend door het dichtbevolkte gebied. Ikor weigerde een rustpauze in te lassen. Tegen de avond bereikten ze Nudoria. Daar zocht hij naar een plaats om te overnachten. Doelbewust reed hij een smal, duister straatje in waar een enkele fakkel een wanhopige poging deed de donkere muren te verlichten.

Ikor hield stil voor een deur waar een heel klein bordje boven hing met het woord HERBERG erop. Krachtig bonkte hij op de deur. Vrijwel onmiddellijk werd de deur opengedaan door een kleine, dikke Nudoor die angstig om het hoekje keek. Toen hij zag wie er voor zijn optrekje stond viel hij op zijn knieën. 'Ikor, mijn meester,' stamelde hij.

'Hou op met dat geslijm, Heffel,' zei Ikor koel. 'Ik wil drie kamers.'

'Natuurlijk, meester.' Heffel stond moeizaam op. Met een pijnlijk gezicht wreef hij over zijn knieën. 'Mijn meester zal me vergeven. Ik ben niet zo jong meer.' Nieuwsgierig nam hij de twee personen achter Ikor op. Zijn kleine bruine oogjes, die nauwelijks opvielen in het vadsige gezicht, bleven lang op Cyane rusten. Ze begonnen verdacht te schitteren.

Ze voelde zich plotseling opgelaten en bang onder de vreemde blik van de herbergier.

Ikor had het ook gezien. In één beweging haalde hij een werpmes onder zijn mantel vandaan en duwde de dikke Heffel met een klap tegen de muur. Hij zette hem het mes op de keel. Het had hem nauwelijks moeite gekost. 'Als je haar met ook maar één vinger aanraakt, vermoord ik je,' zei hij.

Heffels ogen werden groot van angst. Het bloed trok uit zijn gezicht weg. 'Natuurlijk meester, ik bedoel...' piepte hij angstig. 'Ik dacht alleen maar...'

'Ik weet wat je dacht, Heffel,' onderbrak Ikor hem ruw. 'En het staat me niet aan.'

'Het spijt me, meester,' piepte Heffel met een hoge stem.

Ikor liet hem los en verborg zijn mes weer onder zijn mantel.

Heffel probeerde ondertussen naarstig zijn waardigheid te herwinnen. 'Drie kamers dus voor u en uw...?' begon hij.

'Heffel!' De dreiging die van Ikor uitging was meer dan Heffel kon verdragen. Hij stormde naar binnen, het aan de anderen overlatend hem te volgen.

Ikor draaide zich naar Iss en Cyane om. 'Hij zal niets proberen uit te halen zolang ik in de buurt ben. We vertrekken morgenochtend vroeg als Heffel nog slaapt.'

De drie kamers die Heffel hen toewees waren beter dan Cyane had verwacht na wat ze van de herbergier had gezien. Ze was te moe om lang rond te snuffelen in haar kamer. Ze wilde zich net op het bed storten toen er op de deur geklopt werd. Haar hart maakte een sprongetje van schrik. Wat als het die vreselijke herbergier was die toch iets wilde proberen nu Ikor het niet zag?

'Ik ben het, Cyane.' Het was de stem van Ikor.

Ze deed meteen open.

Snel kwam hij binnen en sloot de deur. 'Ik wil dat je weet dat we morgen het Rijk der Duisternis binnenrijden via het Land der Gnomen.'

Ze knikte, zich afvragend wat er van haar verwacht werd.

Dat maakte hij haar snel duidelijk. 'Zolang we in het Rijk zijn doe je precies wat ik zeg zonder daar met mij over in discussie te treden. Heb je dat begrepen?'

Ze keek in de koele zwarte ogen en wist dat ze geen keus had. Ze wist niet wat Ikor van plan was, maar op momenten als deze zag ze hem liever gaan dan komen. Dan begreep ze plotseling heel goed waarom mensen sidderden als ze hem zagen.

Opeens speelde er een vage glimlach om zijn lippen. 'Ik ken je zo langzamerhand,' voegde hij eraan toe. Zijn stem klonk niet meer zo koel als even tevoren. Toen draaide hij zich om, opende de deur en liet haar alleen.

Cyane sloot de deur meteen en draaide hem op slot. Ze was opeens klaarwakker. Eindelijk zou ze het Rijk der Duisternis in gaan. Ze pakte haar zwaard en raakte de diamanten aan. Voor het enige raam in haar kamer stond een klein plantje naast een kan met water.

Vastbesloten ging ze voor het plantje staan met het zwaard in haar handen. Als ze in het Rijk was, moest ze zich kunnen verdedigen. Ze bande al haar gedachten uit haar hoofd en concentreerde zich op het plantje. Groene stromen, zich traag voortbewegend, werden zichtbaar.

'Ik wil het, groei!' fluisterde ze.

Ze fronste haar voorhoofd in opperste concentratie. De stromen versnelden. Haar hart klopte verheugd. Het lukte. Het plantje groeide.

Plets!

Een golf koud water sloeg in haar gezicht. Cyane slaakte een gil en sprong naar achteren. Over de rand van de kan sloeg het roerige water. Niet te geloven. Beschaamd beet ze op haar lip. Ze had het water in beweging gebracht in plaats van de plant. Ze zag Mekarons sarcastische blik al voor zich. Met een sprong landde ze op bed. Het verdedigen moest ze voorlopig nog maar aan Iss en Ikor overlaten.

Zeven

Het was Iss die Cyane de volgende ochtend vroeg wakker maakte met een klop op de deur. Het was nog donker buiten. 'We moeten hier weg voordat Heffel opstaat. Ikor laat een beetje goud voor hem achter,' legde Iss achter de gesloten deur uit.

Ze stond al naast haar bed. Haar hart klopte wild. Vandaag zou ze de grens met het Rijk der Duisternis oversteken. Nu ze uitgerust was, kwam haar angst in volle hevigheid bovendrijven.

Ikor stond al buiten met de paarden. Zwijgend overhandigde hij haar de teugels van Horizon en drukte haar een stuk brood met kaas in de handen. Hij had overduidelijk haast.

Snel verlieten ze de duistere steeg. Het was stil op de straten. Cyane was bang dat het luide hoefgetrappel van hun rijdieren heel Nudoria zou wekken, maar dat viel mee. In de schemer keek niemand naar hen om. Toen de zon eindelijk opkwam, lag de herberg van Heffel ver achter hen.

Weer reden ze bijna een dag lang door de drukke straten van Nudoria. Aan het eind van de middag maakten de huizen plaats voor bebossing die steeds dichter werd.

'We zijn niet ver van de grens,' vertelde Ikor.

Cyane keek verwachtingsvol rond. Om de een of andere reden verwachtte ze dat onmiddellijk na de grensstreep allerlei gevaren zouden opdoemen. Dat ze meteen zouden zijn omgeven door duistere machten en dat Adanar vanachter een boom te voorschijn zou springen. Het bos zag er echter nog net zo uit als in Nudor. Frisse dennenlucht kwam haar tegemoet. Boven haar hoofd zongen de vogeltjes.

Ikor leek haar gedachten te raden. 'Je krijgt je deel nog wel,' beloofde hij grimmig. 'Dit is het Land der Gnomen en Gnomen leven 's nachts. Helaas is hier de enige plek waar we de Zwarte Rivier over kunnen steken.'

Cyane had spijt van haar gedachtesprongen. Dit was geen plezierreisje. Vooral voor Ikor was het bittere ernst. Voor het eerst sinds zijn verraad aan Tronador was hij terug in het Rijk der Duisternis, waar het Land der Gnomen een onderdeel van was. Nu ze erover nadacht had ze Meroboth en Sirus nooit over Gnomen horen spreken. Ze had er geen idee van wat ze zich daarbij moest voorstellen.

'De Gnomen zijn Tronadors poortwachters,' vertelde Ikor. 'Overdag zijn ze nutteloos, want ze kunnen slecht tegen licht, maar in het donker zijn ze gevaarlijk en geducht. En je zult hoe dan ook altijd minimaal één nacht in dit land moeten doorbrengen.' Meer wilde hij er niet over kwijt.

Cyane keek vragend naar Iss. Die haalde zijn benige schouders op. 'Ik ben nooit verder geweest dan Dryadenland en het Feeënrijk.'

Ze vroeg zich af of Iss na al de verschrikkingen die hij al had meegemaakt nog terugdeinsde voor dat wat ze hier zouden aantreffen. De veerman was rustig en kalm als altijd.

Ikor hield stil op een kleine open plek. 'Als we nog wat willen rusten moeten we dat nu doen. Vannacht rijden we door.'

Terwijl Ikor voor de paarden zorgde, verzamelden Iss en Cyane wat hout voor een vuurtje waarop ze een eenvoudig maal bereidden. Toen ze alle drie om het vuur zaten zei Ikor:'We zijn bijna bij de plek waar de Zwarte Rivier de bergen in het noorden van het land ontmoet. We zullen nog even langs de rivier moeten trekken voor we bij de oversteekplaats zijn. Het is een gevaarlijk stuk. Met aan de ene kant de rivier en aan de andere kant de bergen, hebben we geen vluchtmogelijkheden.'

Cyane rilde. Hij had de Gnomen de poortwachters van Tronador genoemd. Waarom dacht hij dat ze hem zouden laten passeren? Wat was hij van plan? Het nieuws van zijn verraad zou toch inmiddels ook tot hier moeten zijn doorgedrongen. Maar Ikor zei niets meer en ook Iss deed er het zwijgen toe.

Verlangend dacht ze terug aan de avonden met Meroboth en Sirus, die altijd erg hun best hadden gedaan de boel op te vrolijken met hun sterke verhalen. Waar zouden ze zijn? Zouden ze naar haar zoeken of had Mekaron hen tegen weten te houden? En Tiron... Ze miste hem erg. Ze kon alleen maar hopen dat ze elkaar ooit terug zouden zien.

Plotseling grinnikte ze. Giffor, de opvliegende Dwerg, zou wel woest zijn om haar vertrek met zijn kostbare zwaard. Hopelijk wist Sindra hem te kalmeren. Kouwelijk sloeg ze haar armen om zich heen. Ze miste zelfs die onredelijke Dwerg. In de loop der tijd was ze veel om haar reisgenoten gaan geven. Ja, ook om Ikor en Iss, maar dat maakte hen niet makkelijker in de omgang. Erg gezellig waren ze in ieder geval geen van beiden.

Cyane besefte ook wel dat het egoïstische gedachten van haar waren. Iss had het waarschijnlijk graag anders gehad. Hoe kon je gezellig zijn als je nauwelijks wist wat het woord inhield? Natuurlijk had hij een lange tijd doorgebracht met Mekaron, maar die was zo heel anders dan zijn broer. Ze was erg gesteld op de watermagiër. Ze was echter ook niet blind voor zijn cynisme en zwartgalligheid. Warmte verspreidde hij niet om zich heen.

Stilletjes staarde Cyane voor zich uit. Ze wist niet hoelang ze zo had gezeten toen Ikor plotseling opstond. 'We moeten verder.'

Het was schemerig geworden. Kille nevels stegen op van de bemoste grond als fijne, gesluierde gestalten.

Ikor overhandigde Iss en Cyane elk een fakkel. 'Ik hoop dat het niet nodig is, maar als het moet gebruik je dit als wapen,' instrueerde hij hen. Cyane hoopte dat hij niet suggereerde dat ze met het vuur enkele Gnomen in brand moest steken.

Zwijgend besteeg Ikor zijn grote zwarte paard. Hij wachtte tot Iss en Cyane ook op hun rijdier zaten. Er lag een grimmige en verbeten trek om de mond van de Fee. Langzaam maar zeker drong het gevaar van deze missie tot Cyane door. Nooit had ze Ikor betrapt op angst. Waar waren ze in vredesnaam mee bezig? Ikor was in het Rijk der Duisternis waarschijnlijk de meest gehate persoon. Hij wist veel te veel over de plannen van Tronador en Adanar.

Toen dacht ze terug aan Ikors woorden. Hij had een taak te volbrengen en hij was vastbesloten dat ook te doen ten koste van alles wat hij ooit had liefgehad.

Met angstige voorgevoelens reed ze achter hem aan. Iss sloot de gelederen op uitdrukkelijk bevel van de Fee.

Het bos werd dunner. De grimmige pieken van een gebergte domineerden de omgeving. Vanuit de verte klonk een aanzwellend geruis. Ze naderden de Zwarte Rivier.

Plotseling zoefde er iets rakelings langs Cyanes hoofd en het viel met een doffe plof naast haar op de grond. Verschrikt keek ze om. Het was een groot stuk steen. Ze zag er nog een komen. Het miste Ikor op een haar na.

'Doorrijden,' beval hij.

Cyane klemde de teugels stevig in haar handen en volgde Ikor op de voet. Opeens raakte iets hards haar in de zij. Een felle pijn laaide op. Cyane onderdrukte een kreet en beet op haar lip tot ze bloed proefde. Horizon steigerde onrustig en ze had grote moeite hem in bedwang te houden.

Een andere steen kwam tegen het benige lijf van Iss aan. Die was pijn duidelijk gewend. Hij gaf geen krimp, maar haalde in plaats daarvan de doek van zijn gezicht.

Een laag gebrul uit meerdere kelen steeg om hen heen op. Het bleef opeens rustig. De verborgen wezens gooiden geen stenen meer. Bevreemd wierp Cyane een blik op Iss. Het gebrul verstomde weer, deels overstemd door het woeste ruisen van de rivier. Het werd donker en het zicht was slecht. Cyane voelde zich begluurd door honderden ogen. Hoewel de wezens hun aanval hadden gestaakt, wist ze zeker dat ze nog om hen heen waren.

Ikor draaide zich plotseling om. 'Wat je ook doet, kijk niet in hun middelste oog.'

'Wat?' vroeg Cyane. Ikor reed echter alweer verder.

Ze keek even naar Iss. Hij haalde zijn schouders op en leek zich niet druk te maken om middelste ogen. Huiverend keek ze om zich heen.

Het pad dat ze volgden werd smaller en de zachte aarde maakte plaats voor een glibberige, harde steengrond. Naast hen kolkte de Zwarte Rivier. Donker en angstaanjagend probeerde het water het licht van hun fakkels te vangen. Aan hun rechterkant schoten de bergen omhoog.

Ze begreep meteen waarom hun tocht zo gevaarlijk zou worden. Het pad tussen de rivier en de bergen was smal. Ze zouden geen kant op kunnen.

Ikor wendde zonder te aarzelen zijn paard het pad op. Cyane en Iss volgden hem. Snel en heftig bruiste het water plotseling naast hen en er kwam een donkere schim uit de rivier te voorschijn. Dreunend klom hij het pad op en blokkeerde hen de weg.

Met moeite hield Cyane een kreet binnen. Zelfs Xar, het vreselijke monster in het Dryadenmeer, had er niet zo afschrikwekkend uitgezien als dit wezen. Het monster had een huid van mos die schilferig langs zijn lichaam hing. Het stond op twee gespierde benen met enorme klauwen aan het eind. Zijn armen hingen slungelig langs zijn lichaam en straalden een enorme kracht uit. Het ergste was zijn kop. Die was bedekt met tientallen ogen met in het midden een groot rood oog. Ze herinnerde zich de waarschuwing van Ikor en bijtend op haar lip hield ze haar blik strak op de buik van het gevaarte gericht.

'Rot op, Nargar.'

Ze schrok van Ikors stem, die ijzig en zelfverzekerd klonk.

'Verrader.' Nargar klonk als een onweersbui. Cyane sloeg haar handen voor haar oren. Het monster verroerde geen vin. Ikor ook niet. Trots en fier stond hij voor Nargar. Zelfs zijn paard gaf geen krimp.

'Ik zal je doden.' Nargar deed een stap naar voren met zijn enorme poot.

'Terwijl ik Tronador de overwinning kom brengen?' vroeg Ikor. 'Dat lijkt me niet zo'n slimme zet.'

'Je hebt onze meester verraden,' zei Nargar.

Hoewel Cyane haar oren stevig dichtduwde kon ze hem nog duidelijk horen.

'Ik kom hem een grote dienst bewijzen,' verbeterde Ikor hem kalm. Plotseling draaide hij zich om en wees naar Cyane. 'Dit is ze, Nargar, de draagster van het zwaard en ze is van mij.'

Verdwaasd hief Cyane haar hoofd en ving zo Ikors dwingende blik op. Slechts enkele seconden had ze nodig om hem te begrijpen. Natuurlijk, dat ze dat niet eerder had bedacht. Ikor, de zogenaamde verrader, kwam terug in zijn Rijk met de grootste buit die Tronador zich maar kon wensen: Cyane en haar magische zwaard. Dat was zijn plan. Het was zo eenvoudig dat ze daar niet eens aan had gedacht. Onmiddellijk sloeg ze haar ogen neer in deemoedige verslagenheid.

'Je bent een leugenaar, Ikor.' Nargar liet zich niet zomaar misleiden.

'Let op je woorden, Nargar.' Ikors stem klonk gevaarlijk. 'Je hebt het nog steeds tegen mij.' Kort knikte hij naar Iss.

De veerman kwam vlug dichterbij en rukte het zwaard uit de halster die Cyane altijd op haar rug droeg. Ze boog haar hoofd nog verder. Ze moest het spel meespelen, al hield ze er niet van van haar wapen gescheiden te worden.

Ikor nam het zwaard over. Hij hield het voor de ontelbare ogen van het monster terwijl hij zelf langs Nargar heen keek. 'Zie de krachten van Meroboth en Mekaron. Het zit al in de diamanten gevangen. Jij zult ze zeker moeten herkennen.'

Nargar boog zijn enorme kop over het wapen en bestudeerde de diamanten. 'Ja, dat is de magie van de aardmagiër en de watermagiër,' gaf hij onwillig toe.

'Denk je dat ze die aan mij hebben gegeven omdat ik opeens hun beste vriend ben?' vroeg Ikor spottend.

Nargar aarzelde. De tweestrijd waarin het monster zich bevond, was duidelijk zichtbaar. Hoe sterk hij zelf ook was, hij vreesde Ikor. Als die inderdaad was overgelopen, had hij het recht zich te verdedigen. Maar stel dat het niet zo was? Dan was het aanvallen van Ikor zoiets als het tekenen van je doodvonnis. Cyane begon nu pas een idee te krijgen van de manier waarop de ijzige Fee hier had huisgehouden. Nargar, die toch van niemand iets te vrezen had, sidderde voor Ikor.

'Ik heb niet de hele nacht de tijd, Nargar,' zei Ikor geïrriteerd. Onverschillig zwaaide hij met het zwaard heen en weer.

Onmiddellijk deed Nargar een stap naar achteren. Hij nam het gezelschap nog eens aandachtig op en knikte naar Iss. 'Wie is hij?'

Ikor wierp een terloopse blik op zijn vriend en zei koeltjes: 'O, hij. Ach, die heb ik gevonden in het Moeras van Agis. Ik dacht dat hij me van pas kon komen.' De woorden waren kwetsend, maar Iss gaf geen krimp.

'Moeras van Agis?' Haast onmerkbaar knikte Nargar Iss toe. Het was de vreemdste gebeurtenis van die avond. Het was alsof Nargar zwijgend een verbond sloot met de mismaakte veerman. De aanwezigheid van Iss, een wezen met wie hij zich om wat voor reden dan ook verbonden voelde, gaf de doorslag voor Nargar. Onverwachts liet hij zich in het water van de rivier vallen. 'Ga, Ikor,' bulderde hij. 'Maar weet dat wij je in de gaten houden.'

Woest klotste het water tegen de kant. Een regen van druppels spatte over hen heen toen Nargar in de diepte verdween.

Ikor liet het zwaard zakken en gaf het terug aan Cyane. Zonder verder nog een woord aan het gebeuren vuil te maken gaf hij zijn paard de sporen.

Cyane en Iss hadden geen andere keus dan hem te volgen. Ze draaide zich naar de veerman om. 'Was dat een Gnoom?' vroeg ze, nog steeds van top tot teen bevend.

'Het waren er meerdere,' zei Iss.

Ze rilde. 'Hoe weet je dat?'

'Dat voelde ik,' antwoordde Iss.

Ze besefte dat ze nog steeds niet wist hoe deze opmerkelijke man in elkaar stak.

Ikor wilde een volgende ontmoeting blijkbaar voorkomen. Hij liet zijn rijdier snel draven op het glibberige pad. Zowel Iss als Cyane was een uitstekende ruiter, toch hadden ze moeite hem bij te houden. Plotseling hield Ikor stil. Hij wachtte tot ze bij hem waren en wees naar het water. 'Hier steken we de rivier over.'

Cyane bekeek de plek, maar kon geen verschil ontdekken met de rest van de rivier waar ze langs waren gereden. Het was hier nog net zo diep en wild als even tevoren.

'Voel je het niet, Cyane?' vroeg Ikor.

Ze haalde niet-begrijpend haar schouders op. Wat moest ze voelen?

'Kijk eens naar de diamanten,' zei Ikor.

Ze haalde het zwaard uit de houder. De diamanten straalden heftig en fel. Het leek wel of er stralen wilden wegspringen uit de stenen om zich in de rivier te voegen.

'Ooit waren ze één,' zei Ikor. 'Ze zoeken elkaar altijd.'

Opeens begreep Cyane het. Daar, in de Zwarte Rivier, was zwarte magie aanwezig. Verrast keek ze de Fee aan. Ze had niet geweten dat hij ook in staat was magie op te sporen.

'Ik heb wel wat kennis van Tronador opgedaan, maar ik gebruik het zelden,' zei Ikor. Hij wees naar het water. 'Ga je gang.'

Ze aarzelde. Moest ze het water oversteken? Voorzichtig porde ze Horizon in de flanken. Hij liep tot de waterkant en bleef toen staan. Ze spoorde hem nog een keer aan, maar Horizon bleef staan waar hij stond. Aan paarden was magie niet besteed. Ze zuchtte en sprong van zijn rug. Vastbesloten pakte ze hem bij de teugels en zette een voet in de rivier. Hij werd niet nat. Het water klotste er wel overheen, maar drong niet door tot haar huid.

Ze keek om naar Ikor, die haar bemoedigend toeknikte. Ze haalde diep adem en trok de angstige Horizon mee het water in. Of beter gezegd, mee het water door. Het water was er wel, overal om haar heen. Het raakte haar echter niet en ze kon ademhalen. Het was alsof ze door een bewegende, klotsende zwarte muur liep. Steeds verder en dieper liep ze de rivier in. Vreemd genoeg was ze niet bang. Het was zwarte magie en toch maakte het haar niet angstig.

Cyanes rust straalde ook over op Horizon, die haar nu iets zelfverzekerder volgde. Ze herinnerde zich iets wat Melsaran ooit had uitgehaald om bij haar te komen in het paleis van Vélar, de dwergenkoning. Hij was één met de spiegel geweest net zoals zij nu één was met het water. Had vuurmagie misschien iets te maken met zwarte magie?

Natuurlijk, ooit waren ze één geweest. Had de ene vorm niet kunnen bestaan zonder de andere in de vijfkleurige diamant? De zwarte magie bevatte elementen van de vier andere vormen.

De rivierbodem steeg weer en haar omgeving werd zichtbaar. Droog en een stukje wijzer was ze aan de overkant gekomen. Ikor en Iss volgden haar samen. Even waren ze helemaal verdwenen totdat ook zij de overkant bereikten.

'We zijn nu in het land van Fodan en Gir,' zei de Fee. 'Voorlopig zijn we veilig.'

Veel bijzonders kon Cyane er niet aan ontdekken. In het donker van de nacht leek het veel op Morfia. Ikor leidde hen voor de zekerheid weg van de Zwarte Rivier en stelde voor te rusten. Daar had Cyane wel oren naar. Ze was moe en onder de indruk van wat ze had meegemaakt. Iss maakte een vuurtje terwijl Ikor de paarden verzorgde. Ze ging zo dicht mogelijk bij de vlammen zitten. Langzaam doezelde ze weg.

Acht

'Opstaan, wakker worden!' klonk opeens een vrolijke stem. 'Kom op, Cyane, slaapkop.'

Verschrikt sloeg ze haar ogen open. Het was al licht. Het vuur was gedoofd en Ikor en Iss zadelden gezamenlijk de paarden op. Ze sloegen geen acht op de vrouw die naast Cyane stond.

'Goedemorgen.' De vrouw stak een hand naar haar uit en hielp haar omhoog.

Cyane was te beduusd om te weigeren. Onderzoekend nam ze de vrouw op. Waar kwam zij zo plotseling vandaan? Hoewel ze vrij zeker wist dat ze de vrouw nooit eerder had ontmoet, kwam ze haar vaag bekend voor. Ze was gekleed in een fleurig gewaad. Ze had lange, ravenzwarte haren, die ze in een knot had gebonden. Een paar pieken waren losgeraakt en dansten om haar gezicht. De vrouw leek al iets ouder, al het was moeilijk te zeggen wat precies haar leeftijd was. Ze had een krachtig gezicht waarin de groene ogen direct opvielen. Er was iets met die ogen. Ze had die vaker gezien.

De vrouw kende haar blijkbaar ook. Ze deed geen moeite zich voor te stellen. Ze draaide zich om naar de mannen. 'Ze is wakker, hoor. We kunnen gaan.'

Cyane speurde de gezichten van Ikor en Iss af naar tekenen van verrassing maar die waren er niet. Ikor bracht Horizon bij haar en negeerde haar vragende blikken.

De vrouw liep van haar weg naar haar eigen rijdier. Pas toen zag Cyane de eenhoorn die een eindje verder stond te wachten. Haar mond viel open van verbazing toen de vrouw zonder enige moeite het prachtige witte dier besteeg. 'Cyane, dit is Miran,' zei de vrouw.

Cyane knikte onbeholpen. Hoe bijzonder de eenhoorn ook was, ze was meer geïnteresseerd in de vrouw van wie ze het gevoel had dat ze haar moest kennen.

'Miran zegt dat ze blij is je eindelijk te ontmoeten,' zei Ikor onwillig.

Ze herinnerde zich de moeizame relatie tussen eenhoorns en Feeën. Ironisch dat juist de Feeën, afgezien van tovenaarszonen, de enigen waren die met hen konden communiceren. 'Ze had van Melsaran al veel over je gehoord.'

'Van Melsaran?' Ze begon er steeds minder van te begrijpen.

'Miran is het rijdier van mijn man,' legde de vrouw uit.

Cyane, die net op Horizon geklommen was, viel bijna van haar paard af.

Vragend keek Ikor haar aan. 'Je wist toch wel dat Sindra de vrouw van Melsaran is?'

De vrouw kwam ook naar haar toe. 'Och, meisje. Ik dacht dat je dat inmiddels wel begrepen had. Ik ben een Morf, zie je. Een volbloed Morf.'

De puzzelstukjes vielen langzaam op hun plaats. Natuurlijk, die ogen waren de ogen van Sindra. Ze waren ook van de vrouw die haar uit het tumult had getrokken in de Burcht van Orion tijdens die vreselijke veldslag. Sindra, die altijd in de buurt was geweest als ze Melsaran ontmoette.

Sindra, die op een dag Meroboth had gevonden en met hem was meegegaan. Sindra, die voor een kat een eeuwig leven leek te hebben. Ze was dan ook geen kat, ze was een Morf en ze was de vrouw van de vuurmagiër. Ze had nooit geweten dat Melsaran getrouwd was. Meroboth blijkbaar ook niet. Verbijsterd staarde ze naar de vrouw die in een heel andere vorm haar jeugdmaatje was geweest. Waar zij ging, ging Sindra. Hoe hard ze ook had gegaloppeerd met Horizon, de kat had hen altijd weten bij te houden.

'Cyane, is alles goed met je?' Sindra legde bezorgd een hand op haar arm. 'O, het spijt me zo. Je bent zo intelligent. Ik dacht dat je het wel wist.'

Ze schudde haar hoofd. 'Ik wist het niet.'

'Ze heeft er recht op alles te weten voor we verdergaan,' zei Ikor.

Sindra knikte. Ze steeg weer van Miran af.

Cyane zag dat het dier ongezadeld was en ook geen teugels droeg. Plotseling drongen zich visioenen aan haar op van Sindra, op Miran galopperend over de groene heuvels van het sprookjesachtige Elfenland. Het paste bij haar. Deze vrolijke, open vrouw was dus de levenspartner van de melancholieke Melsaran.

Iss leidde de andere paarden weer weg. Miran bleef in de buurt, hoewel ze Ikor openlijk negeerde. De vier gingen rond het gedoofde vuur zitten. Vragend keek Sindra naar Ikor alsof ze zijn toestemming vroeg. Haast onmerkbaar knikte hij.

'Het is een lang verhaal. Ik zal maar bij het begin beginnen.' Ze glimlachte Cyane warm toe en begon te vertellen.

'Ik ben, zoals ik al zei, een volbloed Morf. Ik ben geboren in Morfia, vlak bij de grens met Nudor. Net als mijn soortgenoten ontdekte ik, toen ik eenmaal volwassen was, al snel hoe geliefd Morfen zijn bij andere volkeren. Ik had de betrekkingen voor het uitkiezen. Ik was een meisje met veel ambities. Dus ging ik in op het aanbod van de koning der Feeën, de vader van Geronimo, om voor hem te werken. Geronimo was een kind toen en het waren gelukkige tijden. Het Feeënrijk was een welvarend land. Afgezien van het conflict met de eenhoorns wisten ze de vrede te bewaren.

Alles veranderde toen Geronimo in het huwelijk trad met zijn nichtje Elenia. Het was een gearrangeerd huwelijk, maar Geronimo hield oprecht van zijn vrouw. Zij niet van hem. Elenia was hard en ambitieus. Ze had grootse plannen. Elke gelegenheid gebruikte ze om haar volk erop te wijzen dat ze hun macht kwijt waren geraakt toen ze hun magie verloren met het vertrek van de eenhoorns. Ze wilde voor de Feeën nieuwe magie vinden. Ze was ervan overtuigd dat het herwinnen van hun kracht lag bij Tronador, wiens macht snel groeide.

Elenia was een charismatische vrouw. Ze speelde uitstekend in op de sluimerende onrustgevoelens van haar volksgenoten. Algauw had ze een grote aanhang. In een kort tijdsbestek is er toen veel gebeurd. Tronador kwam het Feeënrijk bezoeken op uitnodiging van Elenia. Geronimo wenste de magiër niet te ontmoeten en vertrok met Iss voor een reis naar het buitenland.

We zullen nooit weten of het anders zou zijn gelopen als hij was gebleven, maar Elenia had door zijn vertrek vrij spel. Ze trok met Tronador haar rijk door om zieltjes te winnen. Tijdens die reis vergat ze voor het gemak dat ze getrouwd was. Ze begon een relatie met de magiër. Elenia had nooit van Geronimo gehouden en ze hield ook niet van Tronador. Haar partners waren een middel om hogerop te komen.

Ik woonde nog steeds op het kasteel aan het Meer van Kirwa. Daar ontmoette ik Melsaran voor het eerst. Hij had gehoord van Tronadors zegetocht en hij wilde er het fijne van weten. Ik had al veel over Melsaran gehoord maar ik had altijd begrepen dat hij zich zo veel mogelijk buiten de strijd hield. Ik wist op dat moment ook niet dat Tronador zijn broer was.

Melsaran kon niet veel meer doen. De Feeën kozen massaal voor Tronador. Hij en Elenia zijn nooit meer teruggekomen naar het paleis. Na hun zegetocht zijn ze meteen doorgereisd naar Néfer à Tagalet waar Elenia haar eigen rijkje kon gaan opbouwen. Ze verwachtte op dat moment een kind van Tronador.

Geronimo was ontroostbaar toen hij terugkwam. Hij kon het zichzelf niet vergeven dat hij zijn volk alleen had gelaten met zijn vrouw. De schuld knaagde steeds meer aan hem en op een dag was hij verdwenen. Pas jaren later, toen Melsaran hem een keer toevallig tegenkwam in het Rijk der Duisternis, wisten we wat er van hem geworden was.

Ik ben bij Melsaran gebleven. We zijn van elkaar gaan houden. Zijn strijd werd mijn strijd. Melsaran wist al langer van de komst van een meisje dat het magische zwaard zou dragen. Hij heeft lang geaarzeld over wat zijn taak was. Hij vond het van levensbelang dat een magiër het meisje tegen de krachten van Tronador zou beschermen, maar zelf had hij de rust niet om jaren in een kasteel te wachten.

Toen vernam hij via Vélar dat Meroboth ook wist van de voorspelling en dat hij wel bereid was het meisje in het oog te houden. Hij heeft mij gevraagd die tijd met Meroboth door te brengen. Dat heb ik gedaan. Het viel me zwaar, want ik wist dat Melsaran het Rijk der Duisternis in zou trekken om daar de vijfkleurige diamant te zoeken, zodat die niet in handen zou vallen van Tronador.

Melsaran heeft bijna heel jouw leven door het Rijk gezworven. Hij heeft de vijfkleurige diamant nooit gevonden. Na een aantal jaren vond hij wel Geronimo, die zich als Ikor had opgewerkt tot een van de twee meesterspionnen van Tronador en zo ook in het bezit was gekomen van kennis over de zwarte magie.

Ikor en Melsaran beschermden elkaar in het Rijk. Door stom toeval is Elenia achter Ikors ware identiteit gekomen. Hij kon nog net op tijd uit het land vluchten. Vanaf dat moment was Melsaran op zichzelf aangewezen, terwijl Adanar nu ook wist dat hij in de buurt was. Er is niemand op deze wereld die Adanar zoveel angst aanjaagt als mijn man. Adanar is de feitelijke machthebber in het Rijk. Tronador is niet sterk genoeg om tegen hem op te kunnen. Adanar weet als geen ander dat Melsaran de achilleshiel van Tronador is. Adanar mag alles doen, maar als hij Melsaran een haar krenkt zal Tronador zich tegen hem keren. Adanar begint dus wanhopig te worden, want zolang hij de Tovenaar van Goed en Kwaad niet kan verslaan, zal hij nooit zeker zijn van zijn positie. Zijn geluk is het feit dat ook Melsaran maar beperkte krachten bezit en noodgedwongen weinig met zijn magie kan doen. Alles zal Adanar eraan doen om te voorkomen dat Melsaran zijn krachten aan het zwaard geeft. Hij heeft Tronador van het gevaar van Melsaran weten te overtuigen en hem gevangen gezet in zijn paleis. O, hij wordt goed verzorgd op uitdrukkelijk bevel van Tronador, maar het paleis is omgeven door zwarte magie en Melsaran kan geen kant uit.

Adanar weet dat Meroboth en Mekaron onderweg zijn. Hij is van plan hen te doden en dan zal hij vast nog wel een oplossing voor Melsaran vinden.' Sindra hapte naar adem en staarde opeens stil voor zich uit. Het was duidelijk dat ze zich grote zorgen maakte om het lot van haar man.

Cyane had geboeid geluisterd. Weer was er een tipje van de sluier opgelicht. Ze keek naar Ikor. Zijn trekken waren weer hard en afstandelijk. Het moest pijnlijk voor hem zijn dit allemaal aan te horen. Toen gleden haar ogen weer naar Sindra. Ze kon zich nog steeds moeilijk voorstellen dat zij de kat was die haar haar hele leven had vergezeld. Het was waar wat Melsaran ooit tegen haar had gezegd. Iedereen in de groep die haar omringde, waarvan sommigen al vanaf haar vroegste jeugd, had een taak in het verslaan van Tronador. Niets was toeval. Alles was uitgedacht door de drieling, al dan niet onafhankelijk van elkaar.

Het was duidelijk dat Melsaran de enige was die het totaalbeeld overzag. Mekaron en Meroboth opereerden op basis van de weinige informatie die ze vaak elders vandaan hadden gehaald. Melsaran was dan ook de Tovenaar van Goed en Kwaad, de machtigste man op deze wereld. En nu zat hij gevangen in het paleis van Adanar.

Sindra legde een hand over de hare. 'Ikor heeft een plan bedacht om Melsaran te bevrijden. Het is gevaarlijk en niemand kan garanderen dat het werkt.'

'Met dat plan heb ik inmiddels kennisgemaakt.' Cyane glimlachte beverig toen ze terugdacht aan hun ontmoeting met de Gnoom.

Sindra trok haar tegen zich aan. 'Meisje, je bent zo ontzettend moedig.' Bezorgd streelde ze Cyanes verwarde blonde haar dat in een paardenstaart op haar rug hing. 'Je bent als een dochter voor mij, weet je dat? Ik heb je zien opgroeien en ik ben trots op je. Je hebt je kranig geweerd tegen de invloeden van Gondolin.'

'Gondolin meende het goed. Ze houdt van mij,' verdedigde Cyane haar afwezige gezelschapsdame.

'Ze was een doorn in mijn oog, eerlijk gezegd.' Sindra zei wat ze dacht. 'Ik ben blij dat Sirus haar afleidt van al die idiote huwelijksplannen. Ik was bang dat je zoals zij zou worden, maar gelukkig ben je uit heel ander hout gesneden. Melsaran had er altijd het volste vertrouwen in, weet je. Je bent alles voor hem. Hij heeft je ontwikkeling op de voet gevolgd vanaf het moment dat je in de wieg lag.'

'Via jou,' zei Cyane begrijpend.

Sindra knikte. 'Ach, en onze Ikor is ook nog een keer langs geweest, nietwaar Ikor?' Ze glimlachte stralend.

Cyane kon zich niet herinneren dat iemand de Fee ooit zo hartelijk had benaderd. Meestal kaatste iedereen onmiddellijk af op zijn ijzige houding. Daar trok Sindra zich niets van aan.

'Dat herinner ik me nog wel,' zei Cyane.

'Nu dit allemaal uitgepraat is, kunnen we misschien verdergaan.' Ikor stond op.

'Ja, dat is een goed idee.' Sindra wenkte Miran, die onmiddellijk dichterbij kwam.

'En houd alsjeblieft dat beest uit mijn buurt,' verzocht Ikor koeltjes.

Sindra keek hem bestraffend aan.

Onverschillig haalde hij zijn schouders op. 'Ik ben de achterkleinzoon van de man die eenhoorns als feestdis gebruikte. Ik ken hun wraakzuchtige natuur.' Hij zweeg en luisterde. Toen knikte hij naar Miran. 'Goed, we zullen elkaar moeten leren verdragen. Ik ben Melsaran wel het een en ander verschuldigd.'

Cyane was benieuwd wat Miran had gezegd, maar de kwestie had wat Ikor betreft afgedaan.

Ze stegen in het zadel en reden verder het Rijk der Duisternis in. De stilte die het eerste deel van de reis had gekenmerkt, was verdwenen. Sindra praatte honderduit. Cyane warmde zich aan haar hartelijke persoonlijkheid. Het verwonderde haar nog steeds dat dit de vrouw van de vuurmagiër was. Ze was zo anders dan hij. Maar ze hield veel van hem, dat merkte ze duidelijk aan de manier hoe ze over hem sprak. Ze kon alleen maar hopen dat het hen lukte de vuurmagiër uit het paleis van Adanar te bevrijden.

De Wachters van Garmera

Negen

De zon liet het afweten op deze dag. Zachte motregen viel uit de grijze lucht boven het reisgezelschap. Ze reden in de richting van de grens met Akonia naar het Woud der Tangen en de tweede stad van het Rijk der Duisternis, Néfer à Tang. Ikor wilde bij kennissen achterhalen wat Adanar van plan was.

Cyane vroeg zich af wat Ikor onder 'kennissen' verstond. Vragen durfde ze het niet. Ze had het vermoeden dat ze aan het eind van deze reis precies wist tot wat voor gruwelijke dingen Ikor in staat was. Dit was zijn land, zijn leven. Hier had Geronimo niets mee te maken.

Vooralsnog reden ze door het verlaten Land van Fodan en Gir. Af en toe kwamen ze kleine, uitgestorven nederzettingen tegen. Hier hadden de aanhangers van Fodan en Gir gewoond in de hoop dat hun meesters hen een betere toekomst konden bieden dan in Elfenland. Het was niet eens vergane glorie te noemen, daarvoor zag het er allemaal veel te armoedig uit. Cyane dacht aan de prachtige burcht van Orion, opgebouwd uit kristal. Hoe waren Fodan en Gir er ooit toe gekomen hun vaderland voor dit in de steek te laten? Hun geloof in de zwarte magie of in Tronador moest erg groot zijn geweest. Ze hadden zelfs niets gedaan om te voorkomen dat hun oudste broer Dinang werd vermoord. Uiteindelijk hadden ze beiden de prijs betaald. Arme Orion. Ze rilde en sloeg haar mantel dichter om zich heen.

Sindra leek haar gedachten te raden. 'Die twee hebben hun verdiende loon gehad,' zei ze.

Cyane raakte eraan gewend dat Sindra alles zei wat in haar hoofd opkwam. Ze knikte.

'De wereld is beter af zonder hen. Ik heb gehoord dat Wananka het aardig doet als koningin. Veel Elfen keren terug naar hun land.'

Cyane was daar blij om. Dan was het offer dat Dinang had gebracht in ieder geval niet voor niets geweest.

Door het drassige grasland reden ze verder. Ikor wees naar de horizon waar langzaam maar zeker bos zichtbaar werd. 'Dat is het Woud der Tangen.'

'O jee, nu gaat de pret beginnen,' zei Sindra.

'Wat zijn Tangen?' vroeg Cyane.

'Bosgeesten,' vertelde Ikor. 'Ze leven in bomen.'

'O.' In gedachten zag Cyane al een Tang in een nest op een tak zitten. Ze kon zich er niets anders bij voorstellen. 'Zijn ze gevaarlijk?' vroeg ze.

'Dat ligt eraan hoe je het bekijkt,' zei Ikor. 'De Tangen zijn onafhankelijk. Niemand heeft ze ooit kunnen verdrijven, hoe graag Tronador dat ook wilde. Ze hebben niet echt de kant van de zwarte magie gekozen, maar ze geven ook geen zier om de andere vormen van magie.'

'Het is een beetje afhankelijk van hun bui of ze ons door zullen laten,' vulde Sindra aan.

Bij deze woorden knikte Ikor grimmig. 'Ze kunnen mensen soms wekenlang in hun woud vasthouden.'

'Ze bedoelen het niet kwaad,' zei Sindra. 'Ze vervelen zich.'

'Die verveling gaan ze dan nu maar op iemand anders

botvieren.' Ikor kneep zijn smalle lippen samen.

'Wat gaan we doen in Néfer à Tang?' informeerde Cyane voorzichtig.

'Fabian verblijft daar momenteel,' zei Ikor.

'Fabian?' Ze had die naam nog nooit gehoord.

'Hij is een Elf die zich in de hoogste kringen van het Rijk ophoudt. Ik heb nog iets van hem te goed.' De dreiging in Ikors stem bezorgde haar koude rillingen.

Niet lang daarna reden ze het Woud der Tangen binnen.

Onmiddellijk begreep Cyane waarom de Tangen zich niet hadden laten verjagen. Het bos was prachtig. De bomen waren hoog en waarschijnlijk al eeuwenoud. Hun groene kronen gaven de heerlijkste geuren af. Ook vanaf de grond, waar vele soorten kleurige bloemen stonden, bereikten frisse geuren haar neus. Vogels met verenkleden in alle kleuren van de regenboog schoten langs hen heen. Ze zag ook herten en andere grotere zoogdieren, zoals vossen en zwijnen.

Cyane haalde diep adem. Intens nam ze dit prachtige stukje natuur in zich op. Wat was het hier mooi. Het leek net een paradijs. Zo vredig en rustig, zo ver weg van alle ellende in de wereld. Als ze de rest van haar leven hier moest blijven, zou ze daar geen enkel probleem mee hebben. Misschien moest ze dat maar doen. Stoppen met alles, ophouden met deze idiote missie. Gewoon van haar paard afstappen en hier heerlijk in dat groene gras tussen die oude bomen rondrennen. Alles vergeten waar ze mee bezig was. Tronador, Adanar, bestonden ze wel? Hier in ieder geval niet. Ze kon hier net doen alsof ze er niet waren. Hier zou ze zelfs zichzelf volkomen kunnen verliezen. Plotseling wilde ze niets liever. Ze was zo vervuld van de pracht van het woud dat ze niet in de gaten had dat Ikor haar oplettend aankeek.

'Wat zie je, Cyane?' vroeg hij plotseling scherp.

Ze schrok op uit haar kleurige en onbezorgde gedachten. 'Bloemen en herten en zo veel kleuren,' mijmerde ze.

'Ze hebben haar,' zei Sindra.

Cyane had de plotselinge bezorgdheid van haar reisgezellen niet in de gaten. Verrukt keek ze om zich heen en bedacht hoe hemels het hier was. Nee, ze wilde niet meer weg. Ze trok aan de teugels van Horizon, zodat het dier moest stoppen. Met een diepe zucht en stralende ogen stapte ze van haar paard af. Ze kon het gras al aan haar voeten voelen. Ze hoefde alleen nog haar sandalen uit te doen. Dan zou ze hier tot in de eeuwigheid op blote voeten in dat heerlijke groen kunnen rondrennen zonder zich ooit nog zorgen te maken.

Ikor sprong van zijn paard af en rukte zijn waterkruik van het zadel. Hij schroefde de dop los. Behendig wierp hij het koude water in Cyanes gezicht.

'Hé...' sputterde ze. Proestend knipperde ze met haar ogen. Plotseling rilde ze van de kou. Ze keek boos naar de Fee op. 'Waarom doe je dat nou?'

Ikor greep haar stevig bij de schouders en draaide haar met haar rug naar hem toe. 'Wat zie je nu?' vroeg hij dringend.

Haar ogen werden groot van verbazing. De prachtige oude bomen waren weg, nergens was ook maar een groen sprietje gras te bekennen. Bloemen en vogels zouden in deze omgeving niet kunnen bestaan. Ze hapte naar adem en staarde naar de doodse takken en de dorre grond die zich voor haar uitspreidde. 'Het is weg,' mompelde ze teleurgesteld.

'Het is er nooit geweest,' verbeterde Ikor haar grimmig.

De tranen sprongen haar in de ogen. Grauwe, dode bomen stonden overal om haar heen. Een beklemmende stilte overviel haar. Ze voelde de hevige sensatie van een groot verlies. Ze draaide zich om naar Ikor. 'Waar is het gebleven?' vroeg ze.

'Het bestond alleen in je gedachten, Cyane. Laat het gaan.'

Sindra legde een hand op zijn arm. 'Ze begrijpt het niet.'

Ikor liet Cyane los en Sindra sloeg een arm om haar heen.

'Het was zo mooi,' snikte Cyane. 'Ik wilde er blijven. Het was zo rustig en vredig. Ik hoefde me nooit meer zorgen te maken.'

'Het was zinsbegoocheling, Cyane. Het werk van de Tangen. Zo houden ze soms weken mensen in hun bos gevangen,' vertelde Sindra rustig. 'Mensen die dan gelukkig en tevreden door dit doodse woud zwerven.'

'Maar dat is afschuwelijk.' Plotseling schaamde ze zich voor haar tranen.

'Het is hun vorm van vermaak,' zei Sindra en ze streelde haar haren.

Beschaamd keek Cyane naar Ikor, die zijn zwarte ogen constant op haar gericht hield. 'Waarom hebben ze geen vat op jullie?'

'Als je het een keer hebt meegemaakt, ben je immuun, om het zo maar eens te noemen,' legde Sindra uit. 'Zie het maar als een soort van kinderziekte.'

'En Iss dan?' Ze wist dat de mismaakte veerman, die alles vanaf een afstandje had gadegeslagen, ook nog nooit voet had gezet in het Woud der Tangen.

'Met Iss ligt het allemaal wat anders,' zei Sindra. 'Breek jij daar je hoofd maar niet over.'

Dit antwoord bevreemdde haar. Ze voelde instinctief dat Sindra haar bewust op een afstand hield wat Iss betrof.

'We moeten verder,' zei Ikor.

Cyane was te beduusd om nog verder te vragen. Met een onwerkelijk gevoel besteeg ze Horizon. Het was net alsof ze ruw uit een prachtige droom was ontwaakt. Een droom die ze niet los kon laten. Ze voelde zich suf, maar ze schaamde zich ook voor haar tranen, die ze niet kon verklaren.

Iss knikte haar bemoedigend toe. Waarom had hij niet hetzelfde ervaren als zij? Haar ogen gleden over het doodse landschap. Hoe had ze dit als een paradijs kunnen beschouwen? De Tangen hadden onbeschaamd met haar geest gespeeld. Weerloos was ze geweest. Ze had niets in de gaten gehad. Had ze dan zo'n zwakke persoonlijkheid? Ze had toch echt geloofd dat ze sterker was geworden de afgelopen tijd. Ze had al zoveel meegemaakt. Of was het iets anders dat ervoor had gezorgd dat zij en niet Iss het slachtoffer was geworden van de bosgeesten?

De veerman kwam onverwachts naast haar rijden. 'Je moet er niet over nadenken,' zei hij.

'Ik begrijp het niet,' zei Cyane.

'Het piekeren over mijn lot heeft me niet gemaakt tot wat ik nu ben,' zei Iss.

Ze glimlachte voor het eerst sinds haar bizarre ervaring. Hoe kon het toch dat deze man, die van zijn leven nog nooit een schoolbank had gezien, zo wijs was? Hij had gelijk. Ze moest het loslaten. Met piekeren kwam ze nergens. Het was gebeurd. En als Iss de verschrikkelijke ervaringen uit zijn jeugd had weten te overwinnen, dan kon zij toch zeker wel dit kleine incident vergeten? Haar oude vechtlust kwam boven en ze voelde zich beter. Ze knikte de man naast haar dankbaar toe. Samen reden ze Ikor en Sindra achterna.

Tien

Het dorre bos begon minder dicht te worden en tussen de boomstammen door zag Cyane al snel de contouren van een stad opdoemen. Haar hart klopte in haar keel. Dat moest Néfer à Tang zijn, de tweede stad van het Rijk.

Ikor reed stoïcijns door. Hij was wel zeker van zijn zaak.

'Hij weet wat hij doet,' zei Iss. 'Ikor weet als geen ander hoe hij angst moet uitspelen.'

Bezorgd staarde Cyane naar de stad.

Néfer à Tang was een grote ommuurde vesting in de dorre omgeving van het woud waar ze haar naam aan te danken had. De muur was opgebouwd uit ruw gevormde rotsblokken. Het leek onregelmatig en haastig neergezet.

Plotseling hapte Cyane naar adem. De stad stond in brand. Kolommen van vuur schoten de lucht in, grillig en dansend. Vlammen verzwolgen de gebouwen. Het gekrijs van talloze opgesloten inwoners galmde in haar oren. Doodsangst lag als een deken om haar heen. De fel oplaaiende rook ontnam haar het zicht. Het kronkelde en vervormde tot een gelaat. Haar ogen werden groot. Het was het gezicht van Melsaran, vragend, smekend bijna. Ze greep haar zwaard. De twee diamanten schitterden fel. Het was magie. Cyane probeerde rustig te worden.

De anderen hadden niets door en reden naar de muur. In de muur was een houten poort, die openstond. Twee poortwachters stonden ernaast. Zonder aarzelen reed Ikor naar hen toe. Cyane knipperde met haar ogen. Het visioen was weg. Angstig klopte haar hart. Was Melsaran nog veilig?

Ikor hield achteloos een werpmes in een van zijn handen. Toen de twee wachters hem herkenden, sprongen ze onmiddellijk naar voren en hielden het gezelschap tegen.

'Jij bent niet welkom hier,' bitste een van de wachters.

'Wegwezen,' siste Ikor met samengeperste lippen. 'Je staat in mijn weg.'

Angst gleed over het gezicht van de wachters. Onzeker keken ze elkaar aan.

'En zeg tegen Adanar dat hij zal boeten voor de leugens die hij over mij verspreid heeft.' Ikor hield de wachters veelbetekenend het blinkende werpmes voor.

'Maar...' begon een van de wachters.

'Ik had dit mes voor Adanar bestemd,' zei Ikor onverschillig. 'Maar ik kan me natuurlijk nog altijd bedenken.'

Meer aanmoediging hadden de wachters niet nodig. Net als Cyane beseften ze meteen dat Ikor niet zou aarzelen het wapen te gebruiken. En als ze hem werkelijk kenden, wisten ze ook dat hij nooit miste. De wachters waren niet van plan met hun leven te spelen. Hun loyaliteit aan Adanar ging niet zo ver. Ook zijn macht was uiteindelijk gebaseerd op angst. Ze stapten opzij en lieten het gezelschap de stad binnengaan. Ze zag de opluchting op hun gezichten. Ze hadden de ontmoeting met Ikor overleefd. Het maakte hen niet zo veel uit of hij nu wel of niet overgelopen was.

Cyane, die wist dat de hoofdstad Néfer à Tagalet vooral bewoond werd door Feeën, ontdekte dat Néfer à Tang een smeltkroes was van culturen. In de grauwe bakstenen huizen woonden Dwergen, Elfen, Akonezen, Nudoren en enkele Feeën. Ze zag zelfs hier en daar Varénen. Hoe verschillend de volkeren ook waren, ze hadden nu één ding gemeen. Ze zagen er verwaarloosd en sjofel uit. Tussen de onaantrekkelijke gebouwen hing een gespannen sfeer van angst en verbittering. Dit was dus wat de zwarte magie hen had gebracht. Een leven van vrees en onderdrukking. De angst die ze had gezien op de gezichten van de wachters bij het verschijnen van Ikor, zag ze ook weerspiegeld in het gelaat van een ieder die deze stad bewoonde.

Langzaam begreep ze hoe beide meesterspionnen hun heerschappij gevestigd hadden. Hun machtsstrijd hadden ze uitgevochten over de hoofden van deze bevolking. Tronador had er niets tegen kunnen beginnen. En nu lag de macht bij Adanar, die over de beoogde machthebber heen was gewalst en diens zwakheid had gebruikt om zichzelf tot god uit te roepen.

Adanars doorgedraaide en krankzinnige geest was al erg genoeg, maar Ikors terugkomst vulde de mensen met nog meer vrees. Welke strijd zou er losbarsten als Adanar dit ter ore kwam? Hoeveel levens zou dat kosten?

Cyane rilde. Ze had zich het Rijk voorgesteld als een machtige vijand, met bevlogen mensen die streden voor hun idealen. Maar ze streden uit angst. Van hun bevlogenheid was niets meer over. Ze wilden slechts overleven en zich vooral niet de woede van hun machthebbers op de hals halen.

Er was nog iets anders dat haar met afschuw vulde. Hoe was het mogelijk dat deze Ikor dezelfde was als de gevoelige, gewetensvolle Geronimo? Ze was om Ikor gaan geven. Ze had iets anders gezien dan wat haar al die tijd was voorgespiegeld. Nu zag ook zij het karakter van het wezen dat Geronimo had gecreëerd om zijn volk te redden. Hierin lag zijn macht en zijn macht kwam hij opeisen.

Ze besefte ook wel dat Ikor het deed om Melsaran te

kunnen bevrijden, maar de ogen van deze onderdrukte mensen spraken boekdelen.

Het was duidelijk dat Ikor de weg wist in Néfer à Tang. Schijnbaar zonder veel van zijn omgeving op te merken reed hij naar het centrum van de stad. Hier stonden de grotere huizen en er waren minder mensen op straat. Voor een vrijstaand huis, dat met een aantal andere om een pleintje stond, hield Ikor stil. Het huis zag er goed onderhouden uit. Aan een vlaggenmast wapperde trots de vlag met de zwarte diamant. Hier had de hopeloosheid nog niet toegeslagen.

'De stallen zijn achter het huis,' zei Ikor tegen Iss. 'We blijven vannacht hier.'

Toen iedereen was afgestegen, greep Iss de teugels van de paarden en liep achterom. Miran volgde hem vanaf een afstandje.

Ikor liep ondertussen naar de grote voordeur en beroerde krachtig de klopper. Even later gleed de deur open en het uitgestreken gezicht van een Elf verscheen om de hoek. 'Ja?'

'Breng ons bij Fabian,' gebood Ikor.

'Wat u wilt, meester Ikor,' zei de Elf gedienstig. Hij gebaarde de bezoekers binnen te komen.

De hal van het huis was groot en hing vol schilderijen. Er kwamen verschillende deuren op uit. Na zacht geklopt te hebben, opende de bediende een deur. Zwijgend wenkte hij Ikor, die langs hem heen liep.

Cyane en Sindra volgden hem aarzelend. Het vertrek waar ze terechtkwamen was groot en licht. Er stonden veel boekenkasten, die allemaal tot de laatste plek gevuld waren. Er brandde een open haard en bij het vuur stond een leunstoel met daarin een lange Elf die alleen aandacht leek te hebben voor zijn boek.

'Fabian,' groette Ikor de Elf koel.

'O, dag Ikor.' Fabian wuifde afwezig zonder op te kijken.

'Wist jij dat draken zelfstandig zijn zodra ze uit het ei kruipen? Fascinerend, nietwaar?'

Ikor zweeg.

Verbaasd staarde Cyane naar de Elf, die totaal niet onder de indruk was van zijn onverwachte bezoek.

'Tronador heeft tegenwoordig een paar van die beesten. Hij had er een paar aan Fodan en Gir gegeven. Wie weet wat er met ze gebeurd is.'

'Gedood waarschijnlijk,' zei Ikor bot.

'Ach ja, natuurlijk. Dat ik daar niet eerder opgekomen ben.' Fabian knikte en sloeg een bladzijde om. 'En wat brengt jou hier, Ikor?'

'Dat weet je heel goed, Fabian,' zei hij.

Fabian keek heel even op. Net als elke Elf had hij felblauwe ogen. 'O, dat akkefietje,' mompelde hij. 'Ik was het al bijna vergeten.'

'Maar ik niet,' zei Ikor.

'Het kan soms vreemd lopen in het leven, hè?' Fabian glimlachte, maar de lach bereikte zijn ogen niet.

Ikor wenste daar niet op in te gaan. 'We logeren vannacht hier,' kondigde hij aan.

'Ruimte genoeg,' zei Fabian schouderophalend.

Ikor gebaarde Sindra en Cyane dat ze op een van de overige stoelen bij de haard moesten gaan zitten. Onwennig voldeden ze aan zijn verzoek. Hoewel Fabian nog steeds rustig in zijn boek bladerde, was de sfeer gespannen.

Cyane nam de Elf aandachtig op. Hij was blond en hij droeg zijn lange haar los. In zijn gezicht waren scherpe lijnen zichtbaar. Zijn ogen stonden somber. Zijn huis hing daarentegen vol kunstschatten en straalde een trotse rijkdom uit. Er hing ook Akonese kunst en ze vermoedde dat hij erg bereisd was. Fabians houding was moeilijk te duiden. Ze had niet het idee dat hij bang was voor Ikor, maar het was duidelijk dat er spanning was tussen die twee.

Plotseling keek Fabian op. 'Is het waar dat Wananka koningin is geworden in mijn land?' vroeg hij gretig. Hij keek vragend naar Cyane en toen naar Sindra.

'Eh ja, dat klopt,' stamelde Cyane.

Fabian knikte en keek weer in zijn boek. 'Een vrouw, stel je voor,' mompelde hij. 'Tijden veranderen.'

'Ja, daar weet jij alles van,' zei Ikor scherp.

'Ze wilde mij, Ikor,' zei Fabian zacht. 'Ik, een oude man. Ze wilde mij.'

'Houd toch op.' Ikor draaide zich geërgerd weg.

Vragend keek Cyane naar Sindra, maar die haalde haar schouders op.

'Ik wist dat je terug zou komen,' zei Fabian.

Ikor liep naar een van de ramen en staarde naar buiten. 'Jij wordt mijn vrijgeleide.'

De Elf in de grote stoel rilde plotseling. 'Dat kun je niet van me vragen.'

Ikor draaide zich met een ruk om. 'Ik vraag het ook niet.'

Lang keek Fabian hem aan. Het was geen vrees wat Cyane in zijn ogen zag, maar wat het wel was, kon ze niet thuisbrengen.

Net op dat moment kwam Iss de kamer binnen. 'De dieren zijn verzorgd. Miran heeft een mooi plekje,' zei hij.

'Tubol zal eten voor jullie klaarmaken,' zei Fabian.

'We vertrekken morgenvroeg,' zei Ikor. 'Ik neem aan dat jij en Tubol geen plannen hadden om vanavond dit huis te verlaten.' Het was geen gewone opmerking. Het was een dreigement.

Cyane rilde. Ze haatte deze Ikor.

Sindra stond op en greep haar hand. 'Kom, Cyane, we gaan de keuken opzoeken.'

Iss en Ikor volgden hen zwijgend. In de ruime keuken

had Tubol al het een en ander klaarstaan. In een gespannen stilte aten ze het overvloedige maal.

Cyane had weinig trek. Af en toe wierp ze een korte blik op de Fee tegenover haar. Geliefd was Ikor hier nergens. Dat was natuurlijk geen wonder, maar tussen hem en Fabian was meer aan de hand.

Ikor zei geen woord meer die avond. Na het eten vertrok hij meteen naar boven. Sindra vond het verstandiger dat de anderen ook vroeg zouden gaan slapen dus volgden ze hem al snel naar hun kamers.

Cyane zat stil op het grote bed. Hoewel Fabian duidelijk een vooraanstaand man was hier in het Rijk, viel het haar moeilijk een hekel aan hem te hebben. Hij had trieste ogen en hij had plotseling zo gretig naar zijn vaderland gevraagd. Ze kon hem niet plaatsen. Ze had zijn naam nooit eerder gehoord, maar het was duidelijk dat hij met Ikor een verleden had. Haar nieuwsgierigheid kreeg de overhand. Ze wilde meer over Fabian weten. Zachtjes liep ze haar kamer uit, sloop de trap af en ging naar de kamer waar Fabian die middag had gezeten. Ze opende de deur en ontdekte dat Fabian nog steeds bij de open haard zat alsof hij niet weg was geweest. Besluiteloos bleef ze staan.

'Dag meisje,' zei Fabian warm. 'Kom maar binnen, hoor.'

Ze schuifelde naar binnen. 'Ik heet Cyane.'

Fabian glimlachte. 'Hoe minder ik weet, hoe beter het is.'

Ze knikte. Langzaam liep ze naar hem toe.

'Je lijkt op mijn dochter,' zei Fabian.

Ze ging in kleermakerszit dicht bij hem op de grond zitten. 'Woont ze ook hier?' vroeg ze beleefd. Ze had in het grote huis niemand anders kunnen ontdekken dan Fabian en zijn bediende Tubol.

'Ze is dood,' zei Fabian, en hij staarde in de vlammen.

'Dat spijt me,' zei Cyane oprecht.

'Ik had haar nog zo gewaarschuwd.' Zijn stem klonk vlak. 'Ze was eigenwijs, koppig. Ze hoefde maar te buigen voor hem. Hem de eer te geven die hem toekwam.' Fabian zweeg en Cyane wachtte gespannen af. Over wie ging dit? Hij ging zacht verder: 'Ze vond dat Feeën niets meer waren dan Elfen. Zelfs Adanar niet. Hij heeft haar ter plekke gedood.'

'Wat erg,' mompelde Cyane, meer tegen zichzelf dan tegen Fabian.

Hij had haar echter gehoord. Langzaam schudde hij zijn hoofd. 'Nee, hij had gelijk.'

'Wat?' Ze kon nauwelijks geloven wat ze hoorde.

'Adanar is de machthebber. Hij is goed voor ons en hij verdient ons respect.' Fabian klonk alsof hij een lesje opdreunde.

Haar mond viel open. 'Maar zij was uw dochter. Hoort u wel wat u zegt?' riep ze uit.

'Ze verdiende niet anders.' Fabian keerde zich langzaam in zichzelf.

Cyane vroeg zich af of hij nog wel wist dat ze er was. Adanar had zijn dochter vermoord en hij vond dat de Fee daar het volste recht toe had gehad. Zag hij dan niet in dat Adanar een krankzinnige moordenaar was?

Iets zei haar dat ze beter haar mond kon houden. Ze stond zachtjes op en liep de kamer uit. Fabian merkte het niet eens. Nu begreep ze welk leed hem had getroffen. Ze snapte echter nog steeds niet wat Ikor hiermee te maken had. Rillend vroeg ze zich af of hij tot hetzelfde in staat was.

Ze kroop onder de dekens en sloot haar ogen. Plotseling was ze bang, heel bang. Ze dacht aan Meroboth met zijn twinkelende ogen, aan de hartelijke, joviale Sirus en aan Tiron, die ze zo miste. Was ze maar bij hen, kon ze hier maar weg. Ze wilde hier helemaal niet zijn. Angst en beklemming overvielen haar.

Elf

De volgende ochtend kwam Sindra vrolijk Cyanes kamer binnen. 'Dag lieverd,' zei ze opgewekt. 'Lekker geslapen?'

'O ja, hoor. Best,' loog Cyane, die geen oog had dichtgedaan. Samen met Sindra liep ze naar beneden. Daar liep Tubol ijverig heen en weer met voedselpakketten. In de kamer troffen ze Fabian. Hij liep door het vertrek heen en bleef bij elk schilderij of voorwerp even staan. Alsof hij afscheid nam, dacht Cyane bevreemd.

'U heeft een mooie kunstcollectie,' merkte Sindra op.

'Ik was vroeger kunsthandelaar,' zei Fabian. 'Ik heb kunst uit allerlei landen verzameld.'

'Dan moet u erg bereisd zijn.' Als Sindra de gespannen sfeer al opmerkte, deed ze in ieder geval net alsof die haar ontging. Het was opvallend hoe luchtig de Morf over zaken heen stapte.

Fabian knikte afwezig. 'Ik ben overal geweest, ja.'

Op dat moment ging de deur open en kwamen Ikor en Iss binnen. Met een grimmige trek om zijn mond kondigde Ikor aan dat ze meteen zouden vertrekken.

Fabian draaide zich weg van zijn schilderij en liep naar de Fee. 'Ik neem aan dat Tubol niet mee hoeft?'

'Tubol gaat mee,' besliste Ikor koel.

In Fabians ogen verscheen een smekende blik. 'Alsjeblieft, Ikor. Tubol is mijn bediende. Hij heeft niets met deze zaak te maken.'

'Ik neem geen risico.'

Ikor wilde zich omdraaien, maar Fabian greep hem bij een arm vast. 'Laat hem gaan, Ikor,' smeekte hij. 'Toe. Hij doet alleen zijn werk.'

Cyane bekeek het tafereel met een toenemende onrust. Het was alsof Fabian iets wist wat hij zijn trouwe bediende wilde besparen. Onwillekeurig bedacht ze dat het leek of Fabian voor het leven van Tubol vocht. Ze rilde. Nee, waarom zou Ikor Tubol of Fabian iets aandoen?

De Fee rukte zich los en dacht een moment na. 'Goed dan. Hij kan hier blijven.' Zonder Fabian nog een blik waardig te keuren, liep hij de kamer uit.

De Elf slaakte een zucht van verlichting. In het vertrek was het ijzingwekkend stil geworden. Cyane schrok van de blik van Iss. In zijn ogen viel duidelijk bezorgdheid te lezen. Was het bezorgdheid om Fabian en Tubol? Of was de reden Ikor, die Cyane meer en meer angst aanjoeg?

'Goed, nu dat is geregeld, kunnen we gaan.' Sindra glimlachte dapper naar Cyane en trok haar mee. Iss volgde hen zwijgend.

Geen van hen lette meer op Fabian, die eenzaam in de kamer achterbleef. Hij liep naar een hoek van de kamer waar haast verborgen een klein schilderij hing. Het verbeeldde een meisje met blond haar, felblauwe ogen en een vrolijke lach. Fabian bleef minutenlang voor het portretje staan. Niemand zag de tranen die langs zijn bleke wangen naar beneden vielen.

De paarden stonden klaar op het pleintje voor het huis. Tubol had alle zadeltassen volgestopt. Nu stond hij te wachten met het paard van zijn meester, een merrie met een opvallende grijze kleur. Het was bijna alsof ze omhangen was met zilver. Ongetwijfeld was dit een van die Nudoorse raspaarden die naar het Rijk der Duisternis waren verdwenen, zoals Sirus verteld had.

Miran drentelde heen en weer en wierp oplettende blikken op Ikor. Die zat al op zijn grote zwarte paard en trok zich weinig van zijn omgeving aan. De onrust van Miran, die Ikor tot nu toe lankmoedig had verdragen, vergrootte Cyanes zorgen.

Fabian kwam als laatste naar buiten. In zijn handen droeg hij een klein vierkant pakketje, dat hij zorgvuldig in zijn zadeltas stopte. Hij nam zijn paard van Tubol over en steeg op. Met een ondefinieerbare blik keek hij zijn bediende aan.

Alleen Cyane, die dicht bij hen stond, hoorde de woorden die Fabian tot Tubol sprak: 'Ik onthef je hierbij van al je verplichtingen. Je bent een trouwe bediende geweest, een vriend. Daarom laat ik al mijn bezittingen aan jou na. Neem mee wat je kunt en maak dat je hier wegkomt. Wananka zal je zeker asiel verlenen. Je kunt haar vertrouwen.'

Cyanes hart klopte in haar keel. Fabian verwachtte niet terug te komen. Ze begreep zijn gedrag niet. Hij had zijn dochter gelaten aan Adanar uitgeleverd. Nu gaf hij zichzelf even gelaten over aan Ikor. Hij had al zijn vechtlust verloren. Rustig wachtte hij op dat wat blijkbaar onvermijdelijk was.

Ze hekelde Fabians houding. Want terwijl hij Ikors kille gedrag zonder meer slikte, kreeg zij meer en meer de neiging zich tegen de Fee af te zetten. Ze haatte hem. Ze kon de angst in de ogen van de bevolking hier niet vergeten en ze verloor Geronimo uit het oog. De gevoelige Feeënkoning leek helemaal niet meer te bestaan. Natuurlijk moest

Ikor zich hier anders opstellen dan ze van hem gewend was. Buiten het Rijk was hij slechts een zwijgende, koele persoonlijkheid geweest. Maar hier was hij de kille moordenaar die dood en verderf zaaide. Degene voor wie Meroboth haar altijd gewaarschuwd had. Melsaran moest bevrijd worden, maar moest dat werkelijk op deze manier?

Tubol greep de hand van zijn meester en kuste die innig. Toen deed hij langzaam een stap naar achteren. Tranen stonden in zijn ogen.

Ikor gaf onnodig hard zijn paard de sporen en verliet het plein. Iss volgde hem wat kalmer. Sindra, Cyane en Fabian hadden geen andere keus dan achter hen aan te gaan. Tubol bleef alleen achter. Hij keek hen na tot ze waren verdwenen.

Ikor was niet van plan nog veel aandacht aan Néfer à Tang te schenken. Met een vliegende vaart, zijn bruine mantel wapperend om zich heen, spoedde hij zich door de straten.

Hoewel Horizon zich over het algemeen met gemak kon meten met het paard van Ikor, had Cyane nu moeite hem bij te houden. Horizon was weliswaar kleiner, maar hij had minder gewicht mee te torsen. Toch raakte ze steeds verder achterop.

Terwijl de huizen langs haar heen schoten, werd ze steeds kwader op de Fee. Op zijn dringende verzoek was ze meegegaan. Ze had tegen haar zin haar vrienden achtergelaten, alleen om te worden afgesnauwd door de meesterspion Ikor, die er geen twijfel over liet bestaan wie er de baas was. Opeens was ze het spuugzat. Ze porde Horizon heftig in de flanken in een poging Ikor in te halen. Ze zou hem weleens even haarfijn uitleggen hoe zij over deze situatie dacht. Horizon snelde zo hard hij kon over de keien, maar hij was niet de enige. Naast hem dook een onopvallende merrie op. In een flits voelde Cyane hoe iemand de teugels van Horizon greep en haar langzamer deed rijden.

Het was Iss, die haar beslist tegenhield. 'Laat Ikor met rust,' zei hij.

Verbaasd hield ze in. Het was wonderlijk hoe snel de veerman, die toch een groot deel van zijn leven alleen had doorgebracht, een situatie wist in te schatten. 'Hij is verschrikkelijk,' brieste ze nog steeds geërgerd. 'Jij ziet het toch ook? Hij is jouw vriend.'

'Nee, Geronimo is mijn vriend,' weerlegde Iss. 'Met Ikor heb ik niets te maken.'

Cyane, die steeds meer moeite kreeg dat onderscheid te maken, begreep nauwelijks hoe hij dat zo helder kon zien. Plotseling zuchtte ze moedeloos. Het had ook geen zin daar een poging toe te doen. Ikor was ongrijpbaar. 'Misschien had hij gelijk,' zei ze zachtjes voor zich uit. Ze dacht aan een gesprek dat ze ooit, het leek eeuwen geleden, met Ikor had gevoerd. 'Misschien is Geronimo inderdaad wel dood.'

Iss schudde zijn hoofd. 'Als ik dat zou geloven, zou ik hier niet zijn.'

'Nee?' Ze keek hem vragend aan. Ze had altijd gedacht dat Iss' loyaliteit ook voor Ikor gold.

'Het waren koele, berekenende wezens als Ikor die mij mijn leven hebben afgenomen,' zei Iss.

'En het was Geronimo, die je je leven heeft teruggegeven,' zei Cyane begrijpend. 'Hoe weet je dat hij er nog is?'

'Omdat ik Geronimo beter ken dan wie dan ook. Hij is er nog, Cyane, maar hij heeft het moeilijk.' Weer was er die bezorgde blik.

Sindra en Fabian hadden hen inmiddels ingehaald. 'Wat had jij opeens?' vroeg Sindra verontwaardigd. 'Je houdt hem toch niet bij.'

Cyane besloot dat de anderen niets hoefden te weten van

haar ergernissen en angsten. 'Ach, ik kon het toch proberen?'

Sindra begon te lachen. 'Plotseling zag ik je weer als kind toen je met Tiron door de velden reed. Ik had vaak de grootste moeite jullie bij te houden.'

De naam Tiron dompelde Cyane in stilzwijgen. Iss reed met Fabian vooruit en Sindra bleef naast haar. 'Is alles goed met je?' vroeg ze.

'Ik dacht aan Tiron,' zei Cyane.

'Ach ja, Tiron,' mompelde Sindra, 'aparte jongen.'

'Waarom zeg je dat?' Cyane keek haar onaangenaam verrast aan. De toon waarop Sindra de opmerking had gemaakt, beviel haar niet.

Sindra haalde haar schouders op. 'Omdat hij dat is, neem ik aan.'

Cyane voelde zich in de verdediging gedrukt. 'Hij is altijd goed voor me geweest en hij is echt heel aardig. Je moet hem leren kennen.'

'O? Ken jij hem dan zo goed?'

Cyane was geschokt. Waarom vroeg Sindra haar dit soort dingen? Maar de vrouw van de vuurmagiër deed net alsof ze Cyanes afweer niet merkte. Zoals altijd zei ze precies wat ze dacht. 'Heb jij je nooit afgevraagd waar hij vandaan komt?' vroeg ze. 'Want als je er goed over nadenkt, is het natuurlijk een belachelijk verhaal dat hij op een dag zo bij Meroboth kwam aanwaaien. Het verbaast me dat hij nooit onderzoek naar Tirons achtergrond heeft gedaan. En dan die lange periode na de komst van Gondolin. Enig idee waar hij toen heeft uitgehangen? Vast niet.'

De tranen sprongen Cyane in de ogen. Ze vond de insinuaties van Sindra vreselijk, maar ergens begon het te knagen. Want vaag rees het besef dat ze gelijk had. Het verleden van Tiron was in nevelen gehuld. Sindra had precies datgene blootgelegd waar zij eigenlijk niet aan wilde denken. Maar Cyane was in een opstandige bui. Ze gunde Sindra het gelijk gewoon niet. Ze had al te veel moeten slikken vandaag. 'Tiron is een vriend van Meroboth,' zei ze waardig, 'Dat is genoeg voor mij, dus dat zou zeker genoeg moeten zijn voor jou.'

Als Sindra al overbluft was, liet ze het niet merken. Ze glimlachte en legde haar hand op Cyanes arm. 'Als jij van iemand houdt dan doe je dat onvoorwaardelijk, hè?' zei ze.

Cyane werd vuurrood bij deze woorden. Naarstig zocht ze naar een antwoord, dat ze niet kon vinden.

'Ik bedoelde er niets mee, meisje,' zei Sindra. 'Ik vind het een geweldige eigenschap. Ik hoop alleen dat je hierin niet teleurgesteld wordt. Er is iets met die jongen, dat moet je toch gemerkt hebben.'

Cyane knikte. Natuurlijk had ze dingen aan Tiron gemerkt. De eerste ontmoeting met Mekaron stond haar nog helder voor de geest. Tiron had zich vreemd gedragen. Vaak had ze zich afgevraagd wat hij toen had bedoeld. Ook de confrontatie met Ikor in het Steengebergte was haar bijgebleven. Tiron vertrouwde Ikor niet, maar de Fee was er ook van overtuigd dat Tiron iets te verbergen had. En nee, ze wist bijna niets van hem. Ze wist niet wie zijn ouders waren, waar hij vandaan kwam, waarom hij van huis was weggelopen en waar hij naartoe was gegaan toen Gondolin naar het kasteel kwam. Meroboth vertrouwde hem onvoorwaardelijk. Het was haar echter in de loop van de tijd wel duidelijk geworden dat de oude aardmagiër net zoveel van Tiron wist als zijzelf. En dat was bitter weinig.

In gedachten verzonken reed ze verder door Néfer à Tang. Ze had nauwelijks aandacht voor haar omgeving. Opeens stond ze voor de stadspoorten. Ikor wachtte hen daar op.

'We gaan naar mijn paleis,' kondigde hij aan. 'Dat ligt maar een halve dag reizen van het paleis van Adanar. Vandaaruit kunnen we Melsaran bevrijden.'

'Dus dat ben je van plan.' Fabian keek weifelend naar de Fee. 'Je wilt Adanars machtigste troef van hem afnemen.'

Ikor wierp Fabian een ijzige blik toe. 'Ach, het spijt me toch zo dat dat jou niet aanstaat.'

'Het zal je niet lukken,' zei Fabian. Het was de eerste keer dat Cyane de Elf een poging zag doen om tegen Ikor in te gaan.

'O ja, hoor. Dat lukt me wel,' zei Ikor koel. 'Met jouw hulp.'

Fabian haalde zijn schouders op. 'Ik heb niets meer te verliezen.'

'Je hebt je leven nog.'

Cyane haatte Ikor voor die zo onverschillig uitgesproken woorden. Ze leken Fabian echter niet te raken.

Zwijgend reden ze de poort door, de dorre uitlopers van het Woud der Tangen in. Ze reden naar het westen in de richting van het Meer van Tagalet. Al snel hoorde Cyane het gebulder van de Zwarte Rivier. Ze zouden de loop van het water volgen tot Ikors paleis. Ingespannen tuurde ze naar de overkant. Daar lag Akonia, haar thuisland. Ooit hadden ze daar aan de waterkant gelopen, vlak nadat ze Varénia hadden verlaten. Ikor had zich toen net bij hen gevoegd. Het leek al een eeuwigheid geleden. Er was inmiddels zoveel gebeurd. Ze zuchtte weemoedig. Soms was het alsof ze een heel ander meisje was geworden. Ze was veranderd. Haar jeugd op het kasteel van haar ouders leek slechts een droom. Ze was een kind, toen. Dat voelde ze zich al lang niet meer. Een zware last drukte op haar schouders en ze kon alleen maar hopen dat ze sterk genoeg was om de last te dragen.

Het begon er nu op aan te komen, hier in het Rijk der Duisternis. Tot voor kort had ze nog steun gehad van Sirus, Meroboth en Tiron, maar nu voelde ze zich alleen. Sindra was warm en hartelijk maar ook scherp en confronterend. Met een stekelig humeur bedacht Cyane dat het leven een stuk makkelijker was geweest als Sindra een kat was gebleven. Van Ikor voelde ze zich verder verwijderd dan ooit. Hij was voor hen allemaal onbereikbaar. Iss leek haar wel te begrijpen, maar zijn prioriteit lag bij Geronimo en dat kon ze hem niet kwalijk nemen. Hij bleef moeilijk te peilen. Het was haar niet duidelijk waarom Ikor hem per se mee wilde hebben.

Stilletjes reed ze achter het gezelschap aan. Ikor weigerde een rustpauze in te lassen, want hij wilde voor de nacht viel bij zijn paleis zijn. De dagen waren hier kort, dus zoveel tijd hadden ze niet. Al rijdend aten ze van het heerlijke eten dat Tubol voor zijn meester had bereid. Het ontroerde Cyane om te zien hoe zorgvuldig hij alles had klaargemaakt en ingepakt. De tocht viel de oudere Fabian zwaar. Ondanks haar afkeer van zijn houding, had Cyane diep medelijden met hem.

Twaalf

Tegen de avond bereikten ze het Meer van Tagalet. Na het Dryadenmeer was dit het grootste water ter wereld. Donkere wolken hadden zich boven het grauwe oppervlak samengepakt en het regende. Een straffe wind stak op. Golven met witte schuimkoppen sloegen tegen de oever. De overkant van het meer was niet te zien. In de verte was wel een groot en grillig gebouw zichtbaar: het paleis van Ikor.

Cyane sloeg haar mantel dichter om zich heen en volgde de Fee, die zelfverzekerd naar zijn woning reed. Ze vroeg zich af of het toeval was dat zijn paleis hier aan de oever van een meer stond. Het koninklijk paleis in het Feeënrijk lag tenslotte aan het Meer van Kirwa. Maar het waterrijke Feeenrijk was een vredige plaats geweest vergeleken met het woeste landschap dat zich voor haar uitstrekte.

De voet van het kasteel kwam tot in het water. Met kracht sloegen de golven kapot tegen de onregelmatige muur, die uit dezelfde steensoort was opgetrokken als de woningen in Néfer à Tang. Het statige en sombere gebouw torende hoog boven hen uit en was voorzien van talrijke torens waardoor het Cyane aan de Akonese architectuur deed denken. Het aantal torens van zijn kasteel gaf aan hoe belangrijk een inwoner van Akonia was.

Een metershoge poort belette hen de toegang. De poort was vergrendeld. Er waren geen wachters. Het verbaasde Cyane dat het kasteel na Ikors overhaaste vertrek niet door zijn tegenstanders geplunderd was.

Ikor hield stil en steeg af. Hij liep naar de poort en keek even omhoog. Toen legde hij zijn slanke hand tegen het slot. Het bleef stil. Er gebeurde niets. Onrustig keek Cyane toe. Het begon donker te worden. Hoe onaantrekkelijk dit gebouw er ook uitzag, ze was liever binnen de veilige muren dan erbuiten.

Plotseling hoorde ze iets piepen en knarsen. Ikor trok zijn hand weg. Het slot ontgrendelde zichzelf en langzaam gleden de poorten open. Krakend en steunend, alsof het langgeleden was dat iemand deze enorme houten deuren was gepasseerd.

Ikor wenkte de anderen hem te volgen. Ze stegen af en namen hun rijdieren bij de teugels.

Miran volgde Sindra met duidelijke tegenzin. Cyane bekeek de poorten nauwkeurig, maar kon niets bijzonders ontdekken. Hier was duidelijk magie in het spel geweest.

Ikor had haar blik gezien. 'Melsaran heeft mijn paleis met magie beschermd nadat ik was vertrokken. Ik ben de enige die het slot kan ontgrendelen,' vertelde hij. Het was de eerste keer sinds lange tijd dat hij op een normale toon het woord tot haar richtte.

Zo had Melsaran Ikors geheimen kunnen verbergen. De muren waren te hoog om de burcht in te nemen. Ze vroeg zich af welke geheimen dit grote gebouw verborg. Was het Ikor die hier geleefd had, of was het Geronimo?

Ze kwamen uit op een grote binnenplaats. In de hoge muren zaten een aantal glas-in-loodramen. Op de binnenplaats tierde het onkruid welig. Klimop schoot wild omhoog tegen de vier wanden.

'Daar zijn de stallen.' Ikor wees naar rechts.

Iss had maar een half woord nodig. Hij bracht de paarden en Miran bij elkaar en leidde ze weg.

'Volg me.' Ikor liep de andere kant uit naar een kleine deur in de muur.

Cyane bedacht dat het hier vroeger, toen Ikor nog in hoog aanzien stond, waarschijnlijk veel levendiger was geweest. Ze wist uit de verhalen van Meroboth dat hij steenrijk was.

Ikor opende de deur en liet hen binnen in een kleine gang. Hij ging hen voor naar een van de deuren.

Cyane stapte binnen in een ruim vertrek waar een grote tafel sond met diverse stoelen eromheen. Voor een gedoofde open haard lag een stoffig tapijt, ernaast een verzameling houtblokken. Ook hier waren enkele deuren. Een groot raam keek uit over het woeste meer.

'Dit was de huiskamer van mijn bedienden,' legde Ikor uit. 'Achter die deuren vinden jullie slaapkamers. Jullie verblijf hier zal comfortabel zijn.' Hij knikte zijn gasten toe en verdween door de deur waardoor ze binnengekomen waren.

'Mooi is dat,' mopperde Sindra. 'Moeten we hier nu maar afwachten tot meneer van plan is terug te komen?'

Fabian haalde gelaten zijn schouders op en ging vermoeid op een van de stoelen zitten.

Cyane liep naar de houtblokken en legde er een paar in de haard. Met twee vuurstenen, die ze in haar zak had, stak ze het vuur aan.

Sindra kwam naast haar staan en staarde in de vlammen. 'Melsaran heeft geen contact meer met me gezocht sinds hij gevangen is gezet,' zei ze somber.

Deze reis was voor Sindra net zo zwaar als voor haar, realiseerde Cyane zich. De man van wie ze hield was in handen gevallen van de krankzinnige Adanar. Ze moest zich heel veel zorgen maken.

'We zijn nu dicht bij hem,' zei Cyane troostend. 'En Ikor weet wat hij doet.' Ze hoopte dat het overtuigend genoeg klonk. Dit keer wilde zij de sterkste zijn.

Op dat moment kwam Iss binnen met het voedsel uit de zadeltassen. Samen met Cyane en Sindra maakte hij het eten klaar. Fabian bleef al die tijd uitgeteld op zijn stoel zitten.

Zwijgend aten ze hun maaltijd. Buiten was het volledig donker geworden. Cyane hoorde het klotsen van het water tegen de muur. Na het eten stond Fabian op. Hij groette en liep het vertrek uit door de deur waardoor ook Ikor verdwenen was.

'Ik denk dat we maar moeten gaan slapen. We weten niet wat ons morgen te wachten staat,' stelde Sindra voor.

In gedachten verzonken staarde Cyane naar de deur. 'Ik blijf nog even hier,' mompelde ze.

Iss keek haar even aan, maar verdween toch in een van de slaapkamers. Sindra kuste haar goedenacht en ging naar een andere kamer. Een kwartier lang bleef Cyane zitten. Toen stond ze resoluut op en pakte een fakkel, die bij de haard lag. Ze hield hem even in het vuur en liep toen door de deur de gang in. Zoals zo vaak won haar nieuwsgierigheid het van haar gezonde verstand. Ze wilde dolgraag weten hoe Ikor hier vroeger had geleefd.

Op goed geluk sloeg ze linksaf. Het was duidelijk dat dit gedeelte van het kasteel slechts een bijgebouw was voor de bedienden. Ze vermoedde dat Ikor in de hoofdvleugel had gewoond. Volgens haar berekeningen moest dat het noordelijke deel van het kasteel zijn.

De vlam van de fakkel wierp grillige schaduwen op de kale muren. Er hing een akelige stilte. Toch was ze niet bang. De enigen die ze tegen zou kunnen komen, waren

Ikor en Fabian. Die zouden haar geen kwaad doen. De magie van Melsaran had het paleis beschermd tegen indringers.

Ze passeerde meerdere deuren en trappen, maar ze bleef de gang volgen tot hij een hoek maakte. Hier was een deur die rijk versierd was met ingewikkeld houtsnijwerk. De deur stond op een kier.

Voorzichtig gleed Cyane naar binnen. Het leed geen twijfel, dit was het hoofdgebouw. De gang werd rijkelijk verlicht door fakkels, die in houders aan de muren hingen. Tussen de fakkels zag ze grote schilderijen in weelderige lijsten. Op de grond lag een dik tapijt en het plafond boven haar was voorzien van schilderingen. Het contrast met de vleugel die ze net had achtergelaten was groot.

Ademloos keek ze rond. Gondolin had haar destijds het een en ander geleerd over de Akonese kunstgeschiedenis. Ze zag zelfs enkele stukken hangen die haar gezelschapsdame had beschreven.

Onzeker vervolgde ze haar weg. Het eerste gedeelte van het gebouw was onpersoonlijk en leeg geweest. Ze had daar niet het gevoel dat ze rondneusde op een plek waar ze niet hoorde te zijn. Dit was anders. Deze gang droeg het stempel van iemand. De schilderijen waren met zorg opgehangen, het interieur nauwkeurig uitgezocht. Ze was nu in iemands leefomgeving en die persoon had haar niet uitgenodigd. Was het Ikor of Geronimo, die zijn persoonlijkheid aan dit paleis had meegegeven?

Ze herinnerde zich dat Fabian had gezegd dat hij vroeger kunsthandelaar was geweest. Kende hij Ikor daar misschien van? Het was overduidelijk dat de Fee een kunstcollectie bezat die de verzameling van Fabian ruimschoots overtrof.

De deuren die op de gang uitkwamen stonden open. De

vertrekken erachter waren donker. Nieuwsgierig liep Cyane een van de kamers binnen. Achter de zware gordijnen kletterde de regen tegen de ramen. Ze hief haar fakkel op. Opeens schoot de vlam hoog de lucht in. Een schrille kreet weergalmde in het vertrek. 'Cyane!' Een wanhopige stem riep haar naam. Cyane gilde, maar kon de fakkel niet loslaten. In de vlam zag ze het gezicht van Melsaran, vertrokken van verdriet. Zijn lippen vormden nog een keer haar naam. Geluidloos. Als versteend bleef Cyane staan. De vlam werd snel kleiner tot hij zijn normale proporties had aangenomen. Hijgend wilde ze zich omdraaien om de anderen te waarschuwen, toen haar iets opviel. Dit vertrek werd gedomineerd door een reusachtig schilderij. Het kunstwerk, dat hoog boven haar uittorende, stelde een vrouw voor, zittend op een troon. Ze was overduidelijk een Fee, met haar zwarte, pupilloze ogen. Lang, weelderig blond haar waaierde om haar heen. Een vage glimlach speelde om haar smalle, rode lippen. Ze had een fijn gezichtje, maar iets in haar ogen stond Cyane niet aan. Ze stonden kil en berekenend. Ze was slank en droeg een duur uitziend brokaten gewaad. Aan elke vinger droeg ze zeker één gouden ring en om haar enkels droeg ze gouden banden. Cyane vroeg zich af wie ze was.

In deze kamer hing of stond verder helemaal niets. Er was alleen dit opvallende schilderij, dat alle aandacht opeiste. Aan beide kanten van het schilderij ontdekte ze twee grote gouden kandelaars met kaarsen die niet brandden. Alsof de eigenaar met het kaarslicht nog eens extra de aandacht op het schilderij had willen vestigen.

'Zij is zijn vrouw.'

Cyane schrok zo van de stem achter haar dat ze bijna haar fakkel liet vallen. Verschrikt draaide ze zich om.

In de deuropening stond Fabian. Ook hij had een fakkel

in zijn handen. Hij liep naar de kandelaars en stak voorzichtig de kaarsen aan. Meer details van het portret werden zichtbaar. De versierselen op het brokaten kleed, de minuscule diamanten die in haar haren gevlochten waren. De schilder had dit werk duidelijk met veel liefde gemaakt.

Fabian staarde zwijgend naar de beeltenis. Ongetwijfeld had hij Ikor bedoeld. Dan was deze vrouw dus Elenia, de koningin der Feeën. Cyane wist niet hoe ze moest reageren. Het was duidelijk dat Fabian de ware identiteit van Ikor kende.

'Ik heb het gemaakt vlak voor ze met Tronador het Feeënrijk verliet,' zei Fabian.

Verbijsterd luisterde Cyane naar hem. Zijn bekentenis hield meer in. Een portret met zoveel liefde en aandacht geschilderd… Ze rilde. Hier klopte iets helemaal niet.

'Ze is mooi, zo mooi. Vind je niet?' Fabian wendde zijn blik niet af van het schilderij.

Cyane vermoedde dat het niet veel uitmaakte of ze antwoord gaf, dus zweeg ze. Dit was de vrouw die het leven van Geronimo had vernietigd. Veel sympathie kon ze niet voor haar opbrengen.

'Ik had alles voor haar over,' mompelde Fabian. 'Alles.' Hij leek helemaal van de wereld te zijn, zo gebiologeerd was hij door de vrouw op het schilderij.

Cyane negeerde het onaangename gevoel dat in haar opkwam.

'Ik heb je kind laten verdwijnen, liefste.' Fabian sprak in gedachten tot het schilderij alsof Elenia in levenden lijve voor hem stond.

Rillend van afschuw deed Cyane enkele stappen naar achteren. Welk kind bedoelde hij? Plotseling herinnerde ze zich dat Sindra had verteld dat Elenia een kind van Tronador verwachtte toen ze het Feeënrijk verliet.

103

'Ach, ik kon het niet doden, zoals je vroeg,' ging Fabian als in trance verder.'Hij was nog maar een baby, maar de Varénen wisten wel raad met hem. Je zult echt niets meer van hem horen, dat beloof ik je.' Hij liep naar voren en raakte de hand van de vrouw aan.'Je hoeft je toch nergens meer zorgen om te maken. Ik doe alles voor je. Ik ben zo blij dat ik je weer gevonden heb na al die jaren.'

Cyane schuifelde verder naar achteren. Ze wilde weg uit deze kamer.

'Ikor?' Fabian knikte.'Maar natuurlijk ken ik hem.'

Cyane, die al bijna bij de deur was, bleef staan.

'Meisje, je hoeft je toch geen zorgen te maken om Ikor,' mompelde Fabian.'Jij kent hem als geen ander. Wat? Weet je het dan niet?'

Het bleef even ijzingwekkend stil toen het langzaam tot Cyane doordrong wat er gebeurde.

'Hij is je man, liefste. Ikor is Geronimo,' zei Fabian triomfantelijk.

Cyane hapte naar adem en staarde verbijsterd naar de Elf. Dus hij was het. Hij had Ikor verraden. Blind van liefde voor de Feeënkoningin had hij de identiteit van Ikor prijsgegeven en zijn leven in gevaar gebracht.

'Ach, weet je...' ging Fabian verder, maar Cyane had genoeg gehoord. Ze draaide zich om en rende de kamer uit. Ze begreep waarom Fabian het had gedaan. Hij wist niet beter, hij wilde de grote liefde van zijn leven helpen. Een vrouw die waarschijnlijk handig gebruikgemaakt had van zijn liefde. Maar ze begreep Ikor nu ook. Fabians loslippigheid had heel zijn levenswerk op het spel gezet en hem bijna de dood in gejaagd.

Wat bezielde Fabian? Hij liet zich weerloos heen en weer rukken door de hogere machten. Hij verraadde Ikor aan Elenia en gaf zijn dochter over aan Adanar. Hij was een willoze speelbal in het spel van het kwaad.

Snel probeerde Cyane haar weg te vinden naar de vleugel waar Sindra en Iss waren. Ze wilde zo ver mogelijk weg zijn van Fabian wanneer hij weer bij zinnen kwam. Ze had hem betrapt op iets wat ze niet mocht weten.

Hoe makkelijk zou het voor Ikor zijn geweest om aan iedereen te verkondigen dat dit de man was die hem had geruïneerd. Maar dat had hij niet gedaan. Hijgend rende ze verder. Plotseling werd ze door twee stevige handen bij de schouders gegrepen. Ze gilde het uit van schrik.

'Houd je mond.' Het was de kille stem van Ikor.

Angstig keek ze in zijn donkere ogen.

'Wat doe je hier, Cyane?'

'Ik...' begon ze hulpeloos.

'Bespaar me je smoesjes,' beet Ikor haar toe. 'Ga terug naar de anderen en vlug een beetje. Je hebt hier niets te zoeken. Dit is mijn huis.'

Ze rukte zich los uit zijn stevige greep. Ze schaamde zich. Bang was ze ook. Ze vertrouwde Ikor op dat moment helemaal niet.

Ze glipte langs hem heen en zag de deur die deze vleugel scheidde van het bediendengedeelte. Snel rukte ze hem open en schoot de kale gang in, waarbij ze de deur met een klap achter zich dichttrok. Ze rende het hele stuk terug naar de woonkamer. Hijgend kwam ze binnen, alleen om te ontdekken dat ze ook hier niet alleen was. Iss zat bij het haardvuur.

'O, begin jij nou ook niet,' zei Cyane geërgerd, nog voordat de mismaakte man iets kon zeggen. Op dit moment wilde ze met rust gelaten worden. Ze deed vlug de fakkel uit.

'Ik wist dat je dit zou doen,' merkte Iss op. 'Ik hoop dat je er wat van hebt opgestoken.'

'Heel veel. Dank je,' zei ze uit de hoogte.

Iss trok zich niets aan van haar ergernis en schaamte. Hij stond op en porde wat in het vuur. 'Geronimo was een echte natuurliefhebber,' vertelde hij. 'Hij was vaak buiten, hechtte weinig waarde aan hoe zijn paleis eruitzag. Hij wist precies hoe hij in de wildernis moest overleven, maar van kunst had hij geen verstand.'

Cyane kon hem alleen maar aanstaren. Soms was het alsof Iss gedachten kon lezen.

Hij liep naar een van de slaapkamers. 'Ik dacht dat je dat wel wilde weten,' zei hij. 'Slaap lekker.'

Eindelijk was ze alleen. Haar gedachten tolden rond in haar hoofd toen ze op de grond bij het vuur ging zitten. De woorden van Iss hielden een betekenis in die ze nauwelijks kon bevatten. Ze was in het huis van Ikor geweest. Iemand die een enorme kunstcollectie bezat en zijn woning met zorg en smaak had ingericht. Geronimo hield niet van kunst, en over de inrichting van een paleis maakte hij zich geen zorgen.

Hoe was het mogelijk dat diezelfde Geronimo iemand als Ikor had gecreëerd? Ikor was echt iemand anders dan Geronimo. De Feeënkoning had zijn gruwelijke werk grondig gedaan. Ikor was een zelfstandig opererend persoon, die Geronimo helemaal niet nodig had om op de juiste manier te functioneren. Het beangstigde haar. Wat als Geronimo niet meer in staat was Ikor te verjagen? Wat als...?

Ze kreunde en sloeg haar handen voor haar ogen. Ze begreep het niet. Ze snapte niet hoe de geest van Ikor of Geronimo in elkaar zat en ze kreeg hoofdpijn als ze het probeerde te ontleden. Haar gedachten gleden af naar Fabian, die vermoeide oude Elf. Wat had hem bezield? Hij had alles wat hem dierbaar was verloren door zijn eigen toedoen.

Ondanks alles had ze diep medelijden met hem, al begreep ze hem net zomin ze als Ikor of Geronimo begreep.

En dan Melsaran. Hij had haar hulp nodig. Zijn noodkreet bleef maar door haar hoofd spoken. Kon ze maar iets voor hem doen.

Met een diepe zucht stond ze op. Ze wilde niet meer nadenken, daar werd ze gek van. Ze was bijna in staat om zich net als Fabian willoos mee te laten voeren door diegenen die sterker waren dan zij. Dat zou het leven in ieder geval een stuk eenvoudiger maken. Ze greep haar zwaard en liep naar een kom water die op de tafel stond. Haar hand gleed naar de blauwe diamant. Het water moest bewegen. Al die miljarden moleculen die het water vormden, moesten doen wat zij wilde. Ze legde ze haar wil op. Stuurde hen in de richting die zij wilde. Het lukte. Verheugd keek Cyane naar de kom. De glimlach gleed van haar gezicht. Het water was geen water meer, maar een doorzichtige, stroperige massa.

'Stomme magie!' foeterde Cyane. Ze smeet de kom in een hoek en sloeg de slaapkamerdeur hard achter zich dicht.

Dertien

De volgende ochtend was Cyane de laatste die zich in de woonkamer meldde.

'Goedemorgen, slaapkop,' plaagde Sindra haar luchtig. 'Je zou haast denken dat je de hele nacht op stap bent geweest.'

Cyane kleurde bij deze woorden en wierp een vlugge blik op Ikor, die tegen de deur geleund stond. Onverschillig keek hij langs haar heen. Ze zuchtte. Het werd ongetwijfeld een lange dag.

Geluidloos schoof ze naast Fabian aan tafel en at haastig een stuk brood. Niets wees erop dat hij zich haar aanwezigheid van de vorige avond nog herinnerde. Het viel haar op dat hij zijn ontbijt niet had aangeraakt.

'Vandaag gaan we Melsaran bevrijden,' kondigde Ikor aan op een toon die geen tegenspraak duldde.

Sindra was niet onder de indruk van Ikors houding. 'Heb je al een plan om langs de Wachters van Garmera te komen?' vroeg ze.

'Natuurlijk heb ik dat.' Ikor wierp een veelbetekenende blik op Fabian.

Alleen Cyane zag de doodsangst in zijn blauwe ogen. Ze gruwde van Ikor. Natuurlijk had Fabian hem iets vreselijks aangedaan, maar was het nodig de oude man zo veel angst aan te jagen?

'Iss zal de paarden nu wel opgezadeld hebben,' zei Ikor. 'We kunnen gaan.' Hij ging hen voor naar de binnenplaats waar Iss inderdaad klaarstond met de paarden en Miran.

Cyane besteeg Horizon en volgde Ikor door de poort naar buiten. Hij sloot de poort zorgvuldig en leidde hen weg van zijn thuis. Ze trokken naar het noorden. Het werd steeds schemeriger.

'In het uiterste noorden van het Rijk der Duisternis is het altijd nacht,' vertelde Sindra, die naast haar kwam rijden. 'Bij het paleis van Adanar is het maar een paar uur licht.'

'Wie zijn de Wachters van Garmera?' vroeg Cyane.

Sindra haalde haar schouders op. 'Ik ken ze alleen van verhalen. Ze schijnen vreselijk te zijn.'

'Hoe kan Fabian ons dan helpen?'

'Wat kan mij dat schelen? Als hij ons maar helpt. Mijn man heeft lang genoeg vastgezeten.' Cyane kon Sindra's houding wel begrijpen, maar ze maakte zich steeds meer zorgen over het lot van Fabian.

Ze reden over een kale grasvlakte waar lang gras wuifde in een koele wind. In de verte lagen de scherpe toppen van een bergketen. Ze leken op grote zwarte monsters in de aanhoudende schemering. Uren reden ze voort. De bergen kwamen steeds dichterbij en Cyane zag dat ze een grote rotsformatie vormden. Alsof de een of andere god hem schijnbaar argeloos in dit vlakke landschap had neergezet. Halverwege de middag stond het gezelschap aan de voet van het gebergte. De schemering was toegenomen, waardoor het gesteente bijna zwart kleurde.

Cyane tuurde omhoog langs de steile wand. Hoe moesten ze hieroverheen? Ze was zo met dat vraagstuk bezig dat ze de warme gloed op haar rug in eerste instantie niet voelde. Het was Sindra die haar erop attent maakte. 'Meisje, kijk eens naar je zwaard.'

Cyane haalde het wapen uit de schede. De beide diamanten schitterden oogverblindend. Ze dacht aan de andere keren dat de diamanten zo hadden gestraald. Hier was magie. Het kon niets anders zijn dan zwarte magie.

Ikor draaide zich naar hen om. 'Achter deze keten ligt het paleis van Adanar. Ik hoop dat jullie er klaar voor zijn.'

Vragend keek Cyane Sindra aan, maar zij schudde haar hoofd ten teken dat ze niet wist waar hij het over had. Ikor sprong lenig van zijn paard af en liep naar voren. Vlak bij de rotsformatie, die als een steile muur de lucht in schoot, hield hij stil. Toen riep hij met een krachtige stem: 'Ik wens mij toegang te verschaffen tot het paleis van Adanar.'

Het gerommel begon als een ver onweer en werd snel luider: een oorverdovend donker geluid alsof de hele bergketen in beweging kwam. Cyane zag tot haar afschuw dat dat ook inderdaad het geval was. De rots bewoog. Hoewel het in eerste instantie een egale zwarte massa had geleken, ontstonden er afzonderlijke grote stenen die bewogen. Ze stapelden zich op elkaar en naast elkaar en vervormden weer.

Vol ongeloof staarde iedereen naar het spektakel. Alleen Ikor was niet onder de indruk. Hij had het ongetwijfeld vaker gezien. Het bouwwerk dat de stenen uit zichzelf vormden, was zo groot dat Cyane in eerste instantie niet doorhad wat het voorstelde. Naarmate het geraas luider werd en de onregelmatig gevormde blokken met luide bonken op elkaar terechtkwamen, drong het pijnlijk tot haar door wat zichzelf daar schiep. Het was geen bouwwerk. Het waren twee gigantische wezens waarbij zelfs de Gnoom Nargar een kabouter leek. Vier poten van wankele rotsblokken blokkeerden de weg. De lichamen waren gevormd uit een enorm stuk steen. Blokken die armen voorstelden, slingerden langs de lijven en lieten kleinere stukken steen vallen. Ze ploften met doffe geluiden rond de reizigers neer. Het was een wonder dat ze nog niet geraakt waren. De koppen van de kolossen hadden geen gezicht, geen ogen of andere zintuigen die erop duidden dat ze hen waar konden nemen. Wankelend maar dreigend blokkeerde het tweetal de weg. Het geraas nam af en maakte plaats voor een bijna oorverdovende stilte, die alleen werd onderbroken door het ploffen van stenen in het zand. Toen klonk er uit het niets een zware, lage stem: 'Wie waagt het de Wachters van Garmera te storen?'

Ikor, die aan de voeten van de wachters meer weg had van een insect dan van een beruchte meesterspion, antwoordde zonder aarzelen: 'Ik, Ikor.'

Bevreesd keek Cyane naar de stenen gevaarten. Was het verbeelding of boog een van hen licht zijn enorme kop om te zien waar die stem vandaan kwam?

Een andere stem klonk nu, minder zwaar dan de eerste. 'Ikor, Tronadors meesterspion.'

'De man zonder verleden,' zei de eerste.

'Maar met een toekomst die hij niet onder ogen wil zien.'

De twee stemmen kwamen niet van de monsters, maar leken zich in de duistere lucht eromheen te bevinden.

'In één lichaam kan maar één geest wonen,' sprak de tweede stem.

Voor het eerst zag Cyane hoe Ikor ineenkromp, heel even maar. Toen richtte hij zich fier weer op.

'Wat wenst Ikor van onze meester?' zei de eerste stem.

'Ik wil toegang tot zijn paleis.'

'Ikor is niet welkom in het paleis,' zei de tweede stem.

'Ikor heeft onze meester verraden.'

De Fee zuchtte geërgerd. 'Bedenk toch eens wat origineels, Adanar,' siste hij tussen zijn tanden.

111

Verbijsterd vroeg Cyane zich af of hij dan echt nergens bang voor was.

Ikor wenkte Fabian. De oude Elf beefde van top tot teen toen hij langzaam naar voren kwam.

'Hopelijk ben jij wel welkom, Fabian.' Ikor boog licht en liep naar achteren. Hij overlegde zachtjes met Iss terwijl Fabian bibberend voor de Wachters van Garmera stond.

De Elf keek omhoog en schraapte zijn keel. 'Ik wens mij toegang te verschaffen tot het paleis van Adanar,' zei hij onzeker.

'Wie spreekt ons nu toe?' donderde de eerste stem.

'Ik ben Fabian, zoon van Nerrit.'

Zachtjes sloop Ikor naar Cyane. Ze schrok van zijn plotselinge nabijheid. 'Op mijn teken ga je erlangs,' zei hij.

Haar ogen werden groot. Dat kon hij toch niet menen? Maar Ikor klom op zijn paard en hield het tafereel nauwlettend in de gaten. Iss bleef wat achteraf staan.

'Dit gaat nog leuk worden,' siste Sindra haar toe.

'Fabian, zoon van Nerrit,' sprak de tweede wachter. 'Uw laatste dag is aangebroken.'

Cyane rilde van afschuw bij deze woorden. Ze zouden hem gaan verpletteren.

'Dat weet ik, heer.' Opeens klonk zijn stem rustig en gelaten.

'Wie zijn wij om de toegang te verbieden aan hen die vandaag het dodenrijk zullen betreden,' sprak de eerste stem.

Cyane werd misselijk van angst. Wat had dit allemaal te betekenen? Het leek wel of deze wezens een orakel waren.

Plotseling begon het weer te rommelen. De Wachters van Garmera bewogen op hun wankele benen. Cyane was ervan overtuigd dat ze een aanval zouden doen naar de arme Fabian, maar tot haar opluchting stapten ze langzaam opzij. Zo gaven ze toegang tot een smalle kloof in het gebergte, terwijl het steengruis aan alle kanten naar beneden viel.

'Nu!' riep Ikor en met een harde por gaf hij zijn zwarte hengst de sporen.

Cyane aarzelde geen seconde. Ze stormde hem achterna. Vanuit haar ooghoeken zag ze hoe Fabian naar zijn paard rende en hoe Sindra zich vastklemde aan de witte manen van Miran, die geen enkele aansporing nodig had. Alleen Iss bleef staan waar hij stond.

Ze voelde de regen van gruis en kiezelstenen toen ze langs de enorme poten van de wachters snelde. Horizon hinnikte angstig, maar ze gaf hem geen gelegenheid om te dralen. Het was nu of nooit.

'We zijn verraden,' donderde een stem hoog boven haar.

Cyane kneep haar ogen dicht, durfde niet te kijken naar wat zich om haar heen afspeelde.

'Verbrijzel ze,' klonk de andere stem.

Ze gilde en deed haar ogen open, doodsbang voor wat ze te zien zou krijgen. Ikor reed met wapperende mantel voor haar. Hij draaide zich om en riep met luide stem: 'Nu, Iss!'

Ze kon het niet laten. Moeizaam draaide Cyane haar hoofd om. Achter haar probeerden de twee wankele steenkolossen Fabian en Sindra te grijpen. Miran, snel en behendig, wist de vallende rotsen te ontwijken. Fabians angstige grijze merrie had veel meer moeite om weg te komen. Ze hinnikte en steigerde, waanzinnig van angst. Een van de wachters boog langzaam naar beneden, klaar om Fabian te verpletteren. Toen, als een wervelwind, verscheen Iss. Met één hand duwde hij Fabian aan de kant en met de andere raakte hij weloverwogen de poot van het wezen aan.

Een kreet als een donderslag verscheurde de hemel, en tot haar verbijstering zag Cyane enorme barsten in de poot van het monster verschijnen. Hij wankelde vertwijfeld terwijl zijn arm langzaam afbrokkelde. Zware rotsblokken vielen om Iss en Fabian heen. De veerman aarzelde geen moment. Hij greep de teugels van het weerspannige paard van de Elf en trok ze zo allebei mee de kloof in. De kloof, dat zag Cyane nu pas, was heel smal en hoog. Voor de Wachters van Garmera was het niet meer dan een kier waarin een aantal mieren verdwenen waren. Ze konden niets meer uithalen, hoewel ze woedend op de bergen bleven bonken en hun getergde kreten de nachtelijke hemel vulden.

Iss trok Fabian naar zich toe en liet toen hijgend het paard van de Elf los. Snakkend naar adem hing de veerman over de hals van zijn eigen rijdier. De man, die deels opgesloten zat in een kwetsbaar dryadenlichaam, had een gevaarlijke stunt uitgehaald om het leven van Fabian te redden.

Cyane begreep niet wat er gebeurd was. Ze zag wel heel duidelijk dat Fabian nauwelijks opgelucht was. Ze rilde toen ze aan de woorden van de Wachters van Garmera dacht. Zou het waar zijn wat ze hadden voorspeld?

Ikor wenkte hen hem te volgen. Hij gunde zelfs Iss geen rust. Cyane legde even haar hand op de benige schouder van de veerman. Toen volgde ze Ikor verder de kloof in. Daar was Melsaran. Daar was de Tovenaar van Goed en Kwaad.

De Tovenaar
van Goed en Kwaad

Veertien

De woedende kreten van de Wachters van Garmera namen langzaam af terwijl de reizigers verder de smalle kloof in reden.

Iss reed helemaal achteraan. Af en toe keek Cyane bezorgd naar hem om. Ze begon steeds meer te beseffen dat hij het niet moest hebben van zijn kracht. Het was zijn sterke wil die hem overeind hield. Als hij iets wilde, gebeurde het ook, of zijn lijf nu meewerkte of niet. Cyane had echter geen idee wat zich nu precies had afgespeeld tussen Iss en de wachter. Schijnbaar zonder bijzondere aanleiding brokkelde het wezen af. Iss had hem alleen maar even aangeraakt.

Ze keek weer naar voren waar Fabian, Sindra en Ikor reden. Fabian had de aanval overleefd en daar was ze blij om. Ze had erg met hem te doen. Hij leek zo triest en kwetsbaar. Er was niemand die zich druk maakte om hem. Zelfs Sindra, die toch altijd hartelijk was, liet hem links liggen.

Het begon steeds donkerder te worden. Cyane voelde zich vreemd opgesloten met aan weerszijden de torenhoge steile wanden. Boven zich kon ze nog net de zwarte lucht ontwaren. Er was geen lichtpuntje aan de hemel te zien.

Zou dit de enige toegangsweg tot het paleis zijn? Dan had Adanar weinig van indringers te vrezen.

Verbeeldde ze het zich of werd de kloof breder? Nee, de wanden gingen uiteen en het pad gaf hen meer de ruimte. Ze wachtte tot Iss naast haar was en volgde zo Ikor, die echter al snel halt hield. Hij steeg af en keek afwachtend naar Fabian. De Elf werd lijkbleek. Langzaam stapte hij van zijn paard af en haalde een pakketje uit een van de zadeltassen. Het was het pakketje dat hij als laatste uit zijn huis had gedragen. Beschermend hield hij het tegen zich aan toen hij naar de Fee liep. Ikor wachtte onbewogen.

De angst sloeg Cyane plotseling om het hart. Ze sprong van Horizon en wilde naar de twee toe lopen. Sindra hield haar echter vast. 'Ik denk dat je je daarmee niet moet bemoeien,' zei ze. Cyane hoorde dat haar stem trilde.

Bevend stond Fabian voor de Fee.

'Vertel me alles wat je weet,' gebood Ikor hem kort.

'Adanar is hier niet,' zei Fabian zacht.

'Waar is hij?'

'In het Gebergte van Orgor. Hij zoekt er de vijfkleurige diamant.'

'Dat was te verwachten.' Ikor haalde zijn schouders op. 'Zit Melsaran in zijn paleis gevangen?'

'Ja,' stamelde Fabian.

'En Tronador?'

'Hij is al tijden niet meer gezien,' zei Fabian. Zijn stem werd steeds zachter. 'Er zijn er die geloven dat hij dood is.'

'Juist,' zei Ikor kil. 'Maar jij weet beter, nietwaar Fabian?'

'Als Tronador dood was, had Melsaran nu ook niet meer geleefd,' meende de Elf.

'Precies.' Ikor zonk even in gedachten weg. Toen hief hij zijn hoofd op. Cyane schrok van zijn blik. Haat schitterde in de zwarte ogen. Ze was gewend aan de kilte en berekening, maar haat had ze er nog nooit in gezien. Smekend trok ze aan Sindra's mouw, maar zij had haar ogen neergeslagen.

'Ach, Fabian.' Ikor liep langzaam om hem heen.

De oude man klemde het pakketje stevig tegen zich aan. Cyane zag de angst en de smeekbede in zijn ogen. Hij zei echter geen woord.

'Je hebt me verraden,' zei Ikor. 'Jij hebt me bijna mijn levenswerk gekost. En waarom, Fabian?'

'Ze is zo mooi,' stamelde Fabian. Tranen liepen over zijn wangen.

'Houd toch op,' snauwde Ikor. 'Elenia heeft je gebruikt, Fabian, net zoals iedereen je gebruikt heeft. Je hebt je eigen dochter aan die smerige rat Adanar gegeven.'

'Ik moest wel,' mompelde de Elf.

'Je moest wel,' spotte Ikor. 'Je bent een lafaard, Fabian.'

Fabian huilde nu openlijk. Als versteend staarde Cyane naar de twee mannen.

'Ook ik heb je gebruikt, Fabian,' ging Ikor koud verder. 'En nu heb ik je niet meer nodig. Daarom…' Langzaam haalde hij een van zijn gouden werpmessen te voorschijn.

Cyane wilde schreeuwen, maar er kwam geen geluid over haar lippen.

Fabian deed geen moeite weg te komen. Hij bleef staan met het pakketje tegen zich aan geklemd. Ikor keek de Elf nog één keer recht aan. Toen ging hij vlak voor hem staan en stak weloverwogen het mes in Fabians hart. Deze zeeg op de grond met zijn ogen wijdopen.

'Nee!' Cyane rukte zich los uit Sindra's greep en rende naar het levenloze lichaam van Fabian. Het bloed stroomde uit een kleine wond in zijn borstkas. Vol afschuw keek ze in zijn gebroken ogen. Ze kon niets meer doen. Toen gleed haar blik naar het pakketje dat hij zo stevig had omklemd. Voorzichtig maakte ze het los uit zijn verkrampte handen.

Het was verpakt in bruin papier. Langzaam scheurde ze het los. Er zat een schilderijtje in: een portretje van een vrolijk lachend, blond Elfs meisje. Ze wist meteen wie het was: Fabians vermoorde dochter.

Op dat moment brak er iets in haar. Tranen van onmacht en wanhoop sprongen in haar ogen. Ze krabbelde overeind en stormde naar Ikor. Blind van woede spuugde ze de Fee in het gezicht. Met een kreet sloeg ze op hem in. 'Vuile rat!' gilde ze. 'Ik haat je! Dit was niet nodig.' Woedend bonkten haar vuisten op zijn lichaam. Ze voelde hoe een viertal handen haar van Ikor, die geen moeite deed om zich te verdedigen, probeerde af te trekken. Ze rukte zich los. Wild keek ze om zich heen. 'Blijf van me af!' gilde ze. 'Jullie hebben niets gedaan om hem tegen te houden. Hij is gek! Jullie zijn allemaal gek! Ik ga niet meer met jullie mee, horen jullie dat?' Hortend en stotend haalde ze adem. Vaag zag ze de bezorgde gezichten van Iss en Sindra, maar ze was te kwaad om daar aandacht aan te schenken. Ze kon alleen maar denken aan de arme Fabian, die zo ijskoud door Ikor was gedood. Ze haatte de Fee. Ze wilde hem alleen maar verwonden en kwaad doen. 'Jullie bekijken het maar, moordenaars!' Cyane schreeuwde haar woede uit, stormde naar Horizon en sprong op zijn rug. Toen gaf ze haar paard stevig de sporen en galoppeerde de kloof in.

In vliegende vaart stoof ze langs de steile wanden terwijl de tranen over haar gezicht stroomden. Ze wist niet hoe lang ze had gereden. Het kon haar ook niets schelen. Steeds speelde zich het afschuwelijke tafereel voor haar ogen af. Ikor, die zonder enige emotie Fabian door het hart stak. Het kon haar niet meer schelen hoeveel Geronimo's in de Fee scholen. Ze wilde hem nooit meer zien. Hij was een moordenaar. Geen haar beter dan Adanar.

Adanar.

Deze naam bracht haar plotseling terug naar de werkelijkheid. Ze trok aan de teugels en minderde vaart. Verdwaasd keek ze om zich heen. De kloof was wijder geworden. Ze keek achterom. Ze had verwacht dat Sindra en Iss haar wel achterna waren gekomen, maar er was niemand te zien. Ach nee, natuurlijk niet. Ze had zich vreselijk gedragen. Hoewel ze geen spijt had van haar uitval naar Ikor, had ze ook de twee anderen vreselijke dingen verweten.

Terug in de realiteit drong het gevaar tot haar door. Ze was hier helemaal alleen in het Rijk der Duisternis, dicht bij het paleis van de gevaarlijkste man van deze wereld, Adanar. Daar zat Melsaran gevangen. Alleen had ze niet de kracht om hem te bevrijden.

Ze had geen keus. Ze moest terug. Ze wilde Ikor niet onder ogen komen maar het gevaar was hier te groot.

Cyane wilde zich net omdraaien toen ze in de verte iets zag bewegen. Het kwam naar haar toe. Toen ze goed keek ontwaarde ze een man op een paard. De man was van top tot teen gekleed in het zwart. Ook zijn paard was zwart.

Ze aarzelde tussen blijven staan en wegvluchten. Haar kennersogen zagen echter al dat dit paard zo snel ging dat Horizon geen partij voor hem was. Zelfs al zou ze vluchten dan had hij haar zo ingehaald.

In vliegende galop kwam de man aanstormen. Zijn lange mantel wapperde achter hem aan. Toen zag hij haar. 'Hoooo!' Hij trok stevig aan de teugels en zijn prachtige rijdier hield steigerend stil. 'Maak dat je hier wegkomt,' snauwde hij haar toe. 'Dit is geen plaats voor kleine meisjes.' Zijn stem klonk gedempt omdat zijn hele gezicht in doeken gewikkeld was. Alleen zijn ogen waren zichtbaar. Die waren groen en schitterden fel.

Cyane was te beduusd om met een antwoord te komen. 'Nou, gebeurt er nog wat?' vroeg de man.

116

Opeens had ze haar besluit gemaakt. Haar oude koppigheid kwam weer bovendrijven.

'Ik ga niet terug,' zei ze hooghartig. 'Ik pieker er niet over.'

'Je hebt geen keus.' Met één beweging greep de man de teugels van Horizon met de bedoeling haar zo mee te slepen.

Cyane aarzelde niet. Ze greep haar zwaard en sloeg de teugels uit zijn handen. 'Laat me met rust.'

Maar de man had al geen aandacht meer voor haar. Hij staarde naar de twee diamanten op het zwaard.

'Wie ben je?' vroeg hij ten slotte.

'Dat gaat je niets aan,' zei Cyane nuffig.

De blik in de groene ogen werd er een van waakzaamheid en bezorgdheid. 'Luister, kind. Ik hoef niet alles te weten, maar je moet hier weg,' drong hij aan.

'Waarom?' Ze was nieuwsgierig naar de identiteit van deze man. Waarom had hij zijn gezicht bedekt? Waarom werd haar aandacht getrokken door die groene ogen?

'Het paleis van Adanar staat in lichterlaaie,' zei de man laconiek. 'Zijn helpers zijn op zoek naar de dader. Dat ben ik dus,' voegde hij er droog aan toe.

Cyane had geen aandacht voor die laatste zin. Ze werd lijkbleek. 'O nee,' riep ze. 'Dat kan niet. Melsaran is daar.' Meteen realiseerde ze zich wat ze had gezegd. Ze sloeg haar hand voor haar mond. Ze had zichzelf verraden.

De man nam haar nog aandachtiger op. 'Melsaran is veilig,' zei hij tot haar verwondering, 'Ik kan je bij hem brengen.'

Met moeite hield ze zich in. Ze had meteen toe willen happen, maar ergens vond ze dit veel te makkelijk gaan. 'Wie ben je eigenlijk?'

'Doet dat er iets toe?' informeerde de man.

'Het praat makkelijker,' antwoordde ze.

Hij haalde zijn schouders op.'Noem me maar Scar.'

'Scar,' herhaalde ze. Dit was natuurlijkniet zijn echte naam. Ze keek naar zijn paard. Haar eigen rijdier was van een goed ras en ook Mak Tarra, het paard van Sirus en het grote, zwarte paard van Ikor waren prachtige dieren. Dit paard stak echter ver boven hen uit. Zijn zwarte huid zag eruit als fluweel, zijn schoften waren hoog en sterk. Fier keek hij in het rond, zich van zijn schoonheid bewust.

'Het paard heet Ylar. Nu tevreden?' informeerde Scar.

Langzaam knikte ze. Ze wist zeker dat ze de naam Ylar eerder had gehoord, maar ze kon zich niet herinneren waar of wanneer.

'Ik...' begon Cyane, maar Scar hief gebiedend zijn hand op. Hij keek achterom. Ze hoorde onmiddellijk wat zijn aandacht had getrokken. Hoefgetrappel en luide kreten vulden de kloof.

'We moeten hier weg,' zei Scar.

Dit keer liet ze zich willoos door hem meevoeren terug van waar ze gekomen was. Ze zouden Ikor, Iss en Sindra nu wel tegen moeten komen, maar ze waren nergens te bekennen. Haar lot lag nu in de zwart gehandschoende handen van de mysterieuze Scar. Ze wist niet of hij een medestander was of een vijand. Vertrouwen deed ze hem eigenlijk niet. Toch had ze geen andere keus dan hem te volgen. Zijn achtervolgers, de wachters van het paleis van Adanar, zouden ook korte metten maken met haar.

Scar snelde de kloof in. Onverwachts hield hij stil bij een inham, de ingang van een kleine grot. Hij trok haar naar binnen.

'Hier vinden ze ons zo,' protesteerde ze.

'Welnee.' Scar ging voor de ingang staan en staarde schijnbaar in gedachten naar buiten. Toen kwam hij naast haar staan. Het hoefgetrappel kwam dichterbij. Een groep mannen verscheen bij de grot. Ze hielden stil en keken rond.

'Hij moet hier ergens zijn,' riep er een.

'Of zou hij zijn kans wagen bij de Wachters van Garmera?' vroeg een ander zich af.

'Hahaha,' lachte een derde. 'Dan is hij nu alleen nog maar wat bottengruis.'

'Dat zijn wij straks ook als Adanar terugkomt,' meende een vierde.

Deze zin veroorzaakte een beklemmende stilte in de groep. Omzichtig keken ze rond, de grot in. Cyane hield haar adem in. De mannen keken haar recht in het gezicht. Ze waren ontdekt, dacht ze. Maar de ogen van de mannen gleden verder, zonder een blik van herkenning of verrassing.

'Nou, hier is hij in ieder geval niet,' zei een van hen. Hij gaf zijn paard de sporen. De rest volgde hem meteen.

'Stelletje idioten,' siste Scar.

Cyane had nu pas tijd hem goed op te nemen. Zijn hele lichaam was gehuld in het zwart. Hij leek nogal gedrongen en gespierd. Waar kende ze hem toch van? Ze vroeg zich af hoe het kwam dat de mannen hen niet gezien hadden. Daar was vast magie aan te pas gekomen. Maar hoe kwam Scar aan magie?

'We gaan,' kondigde Scar aan. Hij nam Ylar bij de teugels en liep de grot uit. Pas nu zag Cyane de zadeltassen. Ze waren haar niet eerder opgevallen, maar een schittering trok haar aandacht. In een van de zadeltassen zat een boek met een bewerkte gouden kaft. Verwonderd staarde ze naar het boek. Dat had ze eerder gezien. In een flits schoot de herinnering voorbij. Hij was weg voor ze hem kon grijpen. Hoe ze ook piekerde, hij kwam niet meer terug.

'Waar gaan we heen?' vroeg ze. Eigenlijk wilde ze niet te lang bij Scar in de buurt blijven. Iets stond haar niet aan.

'Ik breng je bij Melsaran,' zei hij. 'Dat wilde je toch?' Zijn stem klonk ongeduldig.

'Weet je dan waar hij is?'

'Die gok moet je maar nemen,' zei Scar.

Cyane besefte dat ze niet veel keus had. Ze kon natuurlijk op zoek gaan naar Ikor, Iss en Sindra, maar dat betekende dat ze ongetwijfeld de mannen van Adanar zou tegenkomen. In deze kloof kon ze weinig kanten uit. Ze had allang spijt van haar ondoordachte vlucht. Ikors gezelschap leek opeens wat aangenamer in vergelijking met dat van Scar. In ieder geval zou de kille Fee haar nooit kwaad doen. Bij Scar was ze daar niet zeker van. Maar misschien wist hij daadwerkelijk waar Melsaran was. Van het vinden van de vuurmagiër hing hun hele missie af. Ze moest de gok nemen.

Ze klom op Horizon en gebaarde Scar haar voor te gaan. De man ging zonder aarzelen terug in de richting waarvandaan ze gevlucht waren. De kloof werd steeds breder en uiteindelijk belandden ze op een rotsachtige vlakte met daaromheen een grote bergkam. Het was een kale en grijze omgeving zonder groen. In de verte stegen rookpluimen langzaam omhoog tot ze opgingen in een donkere hemel.

'Ach, ze hebben het vuur nog niet kunnen doven,' zei Scar. 'Adanar zal woedend zijn als hij terugkomt. Heel spijtig.'

Het was Cyane duidelijk dat Scar Adanar weinig goeds gunde. Helaas maakte dat hem niet automatisch een vriend. De hele wereld haatte Adanar, ook de inwoners van het Rijk der Duisternis.

'Nou, houd je zwaard gereed, want we zullen er toch langs moeten,' vertelde Scar.

Ze volgde hem onrustig. De rookpluimen werden groter en donkerder. Al snel zag ze de resten van wat ooit het door magie beschermde paleis van Adanar was. Het was tegen een rots gebouwd en was eerder hoog dan breed. Nu vielen grote stukken steen naar beneden terwijl het gebouw afbrokkelde.

Op de grond stond een hele rij mensen die emmers doorgaven vanaf een kleine bron in de rotsen. Hun pogingen waren nutteloos, want de vlammen sloegen nog overal uit.

Scar grinnikte. 'Kijk die stumpers toch eens. Dit heeft helemaal geen zin.'

Tot Cyanes verbazing reed hij doelbewust naar de keten van mensen.

In eerste instantie hadden ze geen aandacht voor hem. Dat veranderde toen Scar luid riep: 'Hé, stelletje zotten! Bewaar dat water om die rottige Fee straks mee af te koelen.'

Als één man keken de mensen om. Gemompel en geschreeuw klonken uit de rij. Ze wezen naar Scar en mannen renden naar hun paarden, die een eind verderop stonden.

Het roekeloze gedrag van haar metgezel ergerde Cyane.

Scar duwde zijn hakken hard in de flanken van Ylar en stormde lachend weg, zijn mantel fladderend achter hem aan. Cyane moest hem wel volgen en dat deed ze dan ook, kokend van woede. Die man was krankzinnig.

Horizon galoppeerde zo hard hij kon, maar het was moeilijk Ylar bij te houden. Zijn hoeven kletterden luid op de harde ondergrond. Haar haren raakten los en de wind had vrij spel met haar mantel.

Ze keek hijgend om. De mannen hadden hun paarden bereikt en zetten de achtervolging in. Vreemd genoeg was ze niet bang. Haar woede ebde weg. Ze genoot van het vrije gevoel dat deze rit haar gaf. Hun achtervolgers kwamen niet dichterbij. Opeens kwam bij Cyane een sprankelende lach naar boven. Dit was heerlijk. Gevaarlijk en ondoordacht, maar heerlijk. Ze lachte. Het lukte haar Scar in te halen. Zijn groene ogen twinkelden en naast elkaar stormden ze verder.

Ze dacht niet meer aan de soldaten van Adanar of aan haar omgeving. Er was alleen maar deze fantastische rit, die haar terugvoerde naar haar jeugd. De wind speelde met haar haren. Horizons vacht glansde van het zweet. Het grijze landschap flitste voorbij. Scar lachte luid: een diepe, triomfantelijke lach.

Later kon Cyane niet meer vertellen hoe lang ze hadden gereden. Landschap en tijd leken samen te verglijden. Het hield even plotseling op als het was begonnen. Scar liet Ylar uitdraven. Cyane volgde zijn voorbeeld met Horizon. Nog nalachend keken ze elkaar aan. Cyane had rode wangen en haar blauwe ogen straalden. Ook Scars ogen schitterden. Ze begreep zelf nauwelijks wat er gebeurd was. Deze rit had een band tussen hen gesmeed. Alsof ze een gezamenlijke herinnering deelden. Ze wist nog steeds niet of ze hem kon vertrouwen, maar ze voelde dat er iets goeds tussen hen was ontstaan.

'We moeten uitkijken. Hier lopen aanhangers van Adanar rond,' zei Scar ten slotte.

In een rustiger tempo reden ze in de richting van de grote bergketen die de rotsvlakte leek te omringen. Cyane zag nu dat die keten ver weg lag. Tussen hen en de bergen was nog een groot bos.

'Heb je het paleis echt in brand gestoken?' informeerde ze nieuwsgierig.

Scar haalde onverschillig zijn schouders op. 'Ik had wat hulp van binnenuit, zeg maar.'

Ze vroeg zich af hoe hij dat ongezien had klaargespeeld. 'Waarom?'

'Adanar had iets wat van mij is,' antwoordde Scar.

'Maar Adanar is gevaarlijk,' zei Cyane, die zich niet kon

voorstellen dat iemand zijn leven waagde voor een gestolen goed.

'Ik ook,' zei Scar.

Hij meende het. Ergens bewonderde ze hem om zijn overmoed. Hij leek het gevaar uit te dagen en genoot er met volle teugen van. Misschien dacht hij daadwerkelijk tegen de Fee op te kunnen.

'Werk je voor Tronador?' vroeg ze. Ze wilde zo graag weten wat deze man bezielde.

Scar was echter niet erg mededeelzaam. 'In zekere zin wel,' zei hij.

Van zijn vage antwoorden werd ze niet veel wijzer. Vreemd genoeg stelde hij haar geen vragen. Hij wist niet eens wie ze was. Toch nam hij haar mee op sleeptouw. Misschien was dat voor hem een vorm van gevaar die hij graag wilde uitproberen.

'Woon je hier in het Rijk?'

'Ja, ik woon daar.' Scar wuifde naar de bergketen.

'En...' begon Cyane weer.

'Houd op, meisje,' onderbrak hij haar niet onvriendelijk. 'Je kunt beter niet te veel van mij weten. Ik breng je naar Melsaran. Daarna verdwijn ik en ik zou het op prijs stellen als je je mond hield over mij, begrepen?'

Er lag alweer een waarom op haar lippen, maar ze zag aan de blik in zijn ogen dat hij het meende. Ze knikte en klapte haar kaken hoorbaar op elkaar.

Scar grinnikte. 'Dat is beter.'

'Het spijt me,' zei ze. 'Meroboth zegt ook altijd dat ik zo verschrikkelijk nieuwsgierig ben.' Ze beet op haar onderlip. Wat een flapuit was ze tegenwoordig toch.

Scar sloeg geen acht op haar schrik. 'Zo, zegt Meroboth dat,' zei hij afwezig. 'Ach ja, zelf zal hij tegenwoordig ook wel het een en ander te verbergen hebben.'

Cyane vond dat een vreemde opmerking. Het leek net of hij Meroboth kende. Misschien was dat ook wel zo. Van de drie broers had Meroboth de meeste contacten gelegd. Maar dit was een inwoner van het Rijk der Duisternis, en daar was de aardmagiër weinig geweest.

Plotseling legde Scar een hand op haar schouder. Ze keek om. Drie mannen op paarden kwamen over de vlakte naar hen toe.

Scar kneep zijn ogen samen. 'Soldaten van Adanar. Die zitten hier overal. Die verdomde Fee claimt dit als zijn land.' Hij trok zijn zwaard.

De soldaten hielden voor hen stil. 'Wie zijn jullie en wat moeten jullie hier?' blafte één hun toe.

'O, ik heb net het paleis van jullie meester in de fik gestoken,' zei Scar. Cyane sloeg haar ogen ten hemel. De soldaten hadden niet meer aanmoediging nodig. Twee sloegen in op Scar en de derde kwam naar haar toe. Snel trok ze haar zwaard en mepte erop los. Dit waren soldaten van Adanar en ze was niet van plan medelijden te hebben. Vakkundig hakte ze op haar tegenstander in. Ze wist zijn klappen te weerstaan. Hijgend dwong ze hem op de grond en ze sprong van haar paard af om haar werk af te maken. Ze sloeg het zwaard uit zijn handen zodat hij hulpeloos was. Ze hoefde hem alleen nog maar te doden. Ze hief haar zwaard en keek in zijn angstige gezicht.

Fabian. Plotseling zag ze het gezicht van Fabian, enkele seconden voor het mes van Ikor hem doorstak. Ze begon van top tot teen te trillen. Nee, ze kon het niet. Tot zijn niveau wilde ze zich niet verlagen. Ze wilde geen tweede Ikor worden. Ze wankelde. Ze had niet door dat de soldaat langzaam naar zijn eigen zwaard kroop. Een zwarte flits snelde haar voorbij. Met een kreet stierf de soldaat voor haar ogen met de punt van Scars zwaard in zijn borstkas.

Scar trok zijn wapen terug en keek haar aan. 'Wil je voortaan wel opletten,' snauwde hij haar toe. 'Hij had je gedood.'

Verdwaasd keek ze om zich heen. De twee andere soldaten lagen een eindje verder, ook dood.

'Ik kon het niet,' stamelde ze.

'Je kon het niet?' herhaalde Scar. 'Dat had je je leven kunnen kosten, idioot.'

'Hij was weerloos,' mompelde ze.

'Hij was een soldaat van Adanar. Die kennen geen medelijden,' weerlegde Scar.

'Fabian niet.' Ze begon te huilen en sloeg haar handen voor haar ogen.

Scar trok haar handen voor haar gezicht weg. 'Wat is er met Fabian en houd alsjeblieft op met dat gejank.'

Ze droogde verschrikt haar tranen met de rug van haar hand. 'Fabian is dood,' snufte ze.

'Nou en?' vroeg Scar.

'Ikor doodde hem om niets. Ik zag zijn gezicht weer voor me,' legde ze uit.

'Fabian was ook een soldaat van Adanar. Ikor had geen keus,' zei Scar.

'Dat is niet waar,' zei Cyane fel. 'Hij had niet eens een wapen.'

Scar lachte cynisch. 'Personen zonder wapens zijn soms gevaarlijker. Fabian was net zo goed een soldaat van Adanar als deze drie. Als Ikor hem niet had gedood dan had Fabian Ikor om zeep geholpen. Zo simpel is dat.'

Ongelovig staarde ze hem aan.

'Niemand hier is wat hij lijkt te zijn, dame. Onthoud dat goed,' zei Scar. 'En laten we nu maar gaan voor we hier aangetroffen worden met drie verdacht uitziende lijken.'

Cyane begreep steeds minder van deze man. Hij sprak

over Ikor en Fabian alsof hij hen kende. Was Scar misschien ook een hooggeplaatste inwoner van het Rijk, zoals Ikor en Fabian? Had hij de waarheid gesproken over de vermoorde Elf? Had Ikor echt geen keus gehad?

Vragen, ontelbare vragen. Ze hees zichzelf in het zadel en reed haar metgezel blind achterna. De antwoorden leken verder weg dan ooit. Ze was afgedwaald van haar vrienden en zwierf nu in het Rijk der Duisternis met een vreemde man. Ze kon alleen maar hopen dat hij haar bij Melsaran bracht.

Vijftien

Langzaam maakte de rotsachtige bodem plaats voor donkere, zachte aarde waarin de hoeven van de paarden wegzakten. Cyane en Scar bereikten het bos. Het werd steeds donkerder en Cyane realiseerde zich dat ze al geen echt daglicht meer had gezien sinds ze het paleis van Ikor had verlaten. Ze naderden het uiterste noorden van het Rijk der Duisternis, waar het eeuwig nacht was.

'Laten we hier gaan slapen voor we het bos in gaan,' stelde Scar na verloop van tijd voor. 'Heb je een vuursteen voor me?'

'Heb je die dan zelf niet?' vroeg ze verbaasd.

Even flitsten de groene ogen. 'Die ben ik verloren toen ik dat vervloekte kasteel in brand stak.'

Ze wist dat hij loog, maar ze gaf hem haar steen. Scar zocht wat dor hout bij elkaar en maakte een klein vuurtje terwijl ze hem gadesloeg.

Ze wikkelde zich in een deken en doezelde weg in een onrustige slaap. Steeds maar weer droomde ze over de laatste ogenblikken van Fabian. Nu zag ze niet langer het gezicht van de Elf, maar dat van Ikor: ijskoud. In de verte riep iemand haar. Ze had de stem eerder gehoord maar ze kon hem niet thuisbrengen. 'Help me, help me.'

Ze wilde Ikor verlaten en naar die stem rennen, maar ze kon niet wegkomen. De Fee hield haar tegen. 'Zonder ons kom je niet bij hem,' zei hij. Ze wist dat hij gelijk had. Toch verzette ze zich ertegen. Badend in het zweet werd ze wakker.

Scar keek haar bezorgd aan. 'Alles goed?' vroeg hij kortaf.

'Eh... ja hoor. Naar gedroomd. Dat is alles,' mompelde Cyane.

'En zo'n meisje als jij moet ons redden.'

Ze schrok op. Had ze dat goed verstaan?

Scar trok haar overeind. 'We gaan,' zei hij. 'Melsaran is hier in de buurt en ik moet ook weer verder.'

Het duizelde haar terwijl ze in het zadel klom. Ze had het zich vast verbeeld. Ze verloor haar verstand. Ze hoorde dingen die er niet waren en ze droomde vreemde gebeurtenissen die nergens op sloegen.

Ze reden het bos in. Ook hier was het schemerig. Ondanks het gebrek aan licht groeiden de bomen hoog de lucht in en hadden ze volle kruinen. Op de grond groeide weinig. Cyane kon ver tussen de stammen door kijken. Daarom zag ze het vuurtje in de verte al snel. Scar stopte. Hij draaide zich naar haar om. 'Daar moet je zijn,' zei hij. 'Daar zijn je vrienden.'

'Mijn vrienden?' Cyane aarzelde. 'Je zou me bij Melsaran brengen.'

'Ga nu maar,' zei Scar.

'Ga je niet mee?'

'Ik denk niet dat ik daar welkom zal zijn.'

'Wat ga je doen?'

'Ik ga op zoek naar een kostbaar kleinnood,' zei Scar. 'Bedankt voor alles.'

'Ik hoop dat je je deze uren nog weet te herinneren als we elkaar ooit weer tegenkomen.' Hij knikte haar toe.

Ze vond zijn woorden vreemd, maar ze wist dat het geen zin had om ernaar te vragen.

Scar plantte zijn hielen stevig in de flanken van Ylar en galoppeerde weg. 'Vaarwel, Cyane. Het ga je goed.'

Hij was al uit het zicht verdwenen toen ze zich realiseerde dat ze hem haar naam nooit had verteld.

Ze sprong van Horizons rug en pakte hem bij de teugels. Langzaam liep ze in de richting van het vuurtje dat tussen de bomen zichtbaar was. Ze kwam steeds dichterbij en zag verschillende mensen rond het vuur zitten. Ze praatten zachtjes met elkaar.

Ze wilde net naar hen toe gaan toen er een woeste oorlogskreet klonk. Een klein, driftig mannetje sprong vanachter de bomen te voorschijn. Wild zwaaide hij met zijn zwaard onder het uiten van de vreselijkste verwensingen. 'Ik hak je in de pan, ploert van de duisternis. Ik zal je...' Plotseling hield hij stil. 'O, ben jij het,' eindigde hij een stuk tammer.

'Dag Giffor.' Cyane had niet gedacht dat ze ooit zo blij zou zijn de opvliegende Dwerg te zien. Hij dacht daar duidelijk anders over. Zijn rode kleur kwam weer terug om algauw plaats te maken voor paars. 'Waar denk jij verdomme te zijn geweest met mijn zwaard?' schreeuwde hij. 'Hoe haal je het in je hoofd om... mmff.' Giffor had opeens een grote hand voor zijn mond en hij werd zonder meer aan de kant gezet door een breed lachende Sirus, die op het lawaai was afgekomen.

'Sirus!' Cyane verdween tussen sterke armen en werd bijna platgedrukt tegen de brede borstkas van de Nudoor.

'Dag, meid. Waar heb je toch al die tijd gezeten?' Hij zwierde haar in het rond en zette haar daarna op de grond.

Ze lachte en huilde tegelijk. Wat had ze iedereen gemist.

'Cyane, kind toch.' Gondolin was de volgende die bij haar was. 'Ik heb doodsangsten uitgestaan, weet je dat wel?'

'Ach, zo te zien kan ze prima voor zichzelf zorgen.' Dat was Meroboth, die Cyane gemoedelijk op de schouder klopte.

'Jij doet ook alles om onder je lessen uit te komen, hè?' Mekaron knipoogde vanaf een afstandje naar haar.

Cyane knikte lachend. Haar ogen zochten de enige persoon die ze nog niet had gezien en naar wie ze erg verlangde. Tiron zat nog bij het vuur. Hij deed geen moeite om naar haar toe te komen. Een steek van pijn schoot door haar hart. Ze begreep niet waaraan ze dit had verdiend. Hij wilde haar niet eens begroeten.

Smekend keek ze naar Meroboth. 'Jullie zijn toch niet kwaad op me?'

Voordat de oude man daar antwoord op kon geven klonk een bekende stem: 'Dat zou hij eens moeten proberen.'

Ongelovig draaide Cyane zich om. Ze had die stem al een aantal keren gehoord, maar nooit zo dichtbij en zo echt als nu.

Achter haar stond Melsaran. Zijn ogen straalden warm en ernstig. Zijn rode kleding zag er vaal uit. Om zijn hals schitterde de rode diamant.

'Melsaran.' Ze kon het nauwelijks geloven. Langzaam liep ze naar hem toe. Het was vreemd hem plotseling in levenden lijve voor haar te zien staan. Ze had altijd geloofd dat er onmiddellijk een band tussen hen was ontstaan. Dit was echter de eerste keer dat ze hem zag zonder vlammen, een spiegel of andere zaken tussen hen in. Hij spreidde zijn armen en ze aarzelde niet meer. Ze omhelsden elkaar met tranen in de ogen.

'Eindelijk dan toch,' zei Melsaran.

'Hoe kan dat?' vroeg Cyane.

Melsaran glimlachte. 'Ze begint meteen weer met vragen.'

Ze lachte. 'U heeft gelijk.'

'Ik ben zo blij je te zien.' Melsaran bekeek haar van top tot teen.

Cyane op haar beurt nam hem aandachtig op. Hij zag er moe en toch strijdbaar uit. Ook zonder dat hij iets zei, wist ze dat hij de afgelopen tijd veel had meegemaakt.

'Ahum,' zei Meroboth terwijl hij naar hen toe liep. 'Het spijt me om dit roerende weerzien te onderbreken, maar waar is de rest?'

'De rest?' Cyane keek de oude man niet-begrijpend aan.

'Ikor, Iss en Sindra, weet je wel?' Zijn stem klonk een tikje sarcastisch.

Ze haalde haar schouders op. 'Hoe moet ik dat weten?'

'Mooi is dat,' zei Meroboth en hij schudde zijn hoofd.

'Laat dat, Meroboth.' Melsaran pakte Cyane bij de schouders. 'Wat is er allemaal gebeurd?'

Tot Cyanes verbazing droop Meroboth meteen af na de opmerking van de vuurmagiër.

'Ik weet niet waar Ikor is en het kan me ook niet schelen,' zei ze tegen Melsaran.

De vuurmagiër keek vragend naar Mekaron, die nu pas dichterbij kwam.

'Ikor zou je nooit iets aandoen, Cyane,' zei de watermagiër ernstig.

'Nee, mij niet nee.' Ze voelde weer die machteloze woede in zich opkomen. 'Maar anderen doodt hij zonder reden.'

Mekaron slaakte een zucht. 'Wat heeft hij nu weer gedaan?'

'Hij heeft Fabian gedood.'

'Wie is in vredesnaam Fabian?' vroeg Mekaron.

'Fabian is dood?' zei Melsaran slechts een fractie later.

'Aha,' zei Mekaron. 'Ik laat dit graag aan jou over, broer.' Hij draaide zich om en liep weg. Melsaran sloeg een arm om Cyane heen en leidde haar weg van de groep. Haar kwaadheid ebde snel weg. De Tovenaar van Goed en Kwaad straalde een serene rust uit. Ze voelde zich wonderbaarlijk op haar gemak bij hem, alsof ze hem al jaren kende.

'Kende u Fabian?' vroeg ze.

'Maar al te goed,' zei Melsaran toonloos. 'Kom mee, meisje. Er is iets wat ik je wil laten zien.'

Zestien

Ze liepen verder het bos in tot een kleine open plek. Mel-saran sprokkelde wat hout bij elkaar en legde dat op een hoop. Hij streek even met zijn vinger over de diamant om zijn hals. Onmiddellijk sloegen de vlammen uit het hout. 'Ga zitten en kijk naar het vuur,' gebood hij. 'Je zult door mijn ogen zien wat ik heb meegemaakt de afgelopen tijd.'

Cyane gehoorzaamde hem zonder vragen. Ze staarde naar het dansende rood voor haar en voelde haar ogen zwaarder worden. Met een schok realiseerde ze zich dat ze wakker moest blijven. Ze keek op en ontdekte dat alles anders was.

Haar lichaam om te beginnen. Verschrikt stond ze op. Ze droeg een rood gewaad en ze voelde zich vreemd. Met afschuw keek ze naar haar handen. Ze waren ouder geworden. En haar haar. Ze slaakte een kreet. Het was wit en ze had een lange baard. Toen zag ze de rode diamant om haar hals.

Er werd stevig op de deur geklopt. Verwilderd keek ze om zich heen. Ze was in een slaapkamer. Ze was hier eerder geweest. Het was een kamer in het huis van Fabian.

'Binnen,' zei ze tot haar verbazing. Het was niet haar eigen wil om te spreken en het was niet haar eigen stem die ze hoorde.

Opeens begreep ze het. Ze zat opgesloten in het lichaam van de vuurmagiër. Ze maakte mee wat hij had meegemaakt. Ze keek door zijn ogen naar de gebeurtenissen die hadden plaatsgevonden.

De deur werd opengegooid en Ikor kwam naar binnen. 'We moeten hier weg, Melsaran.' zei hij.

'Waarom?' vroeg de stem van Melsaran.

'Fabian gedraagt zich vreemd.' De Fee was als altijd ijzingwekkend kalm, maar hij scheen haast te hebben om weg te komen.

'Het komt wel goed, Geronimo,' zei Melsaran.

'Ik zou het zeer op prijs stellen als je me hier niet zo noemde,' zei Ikor.

Cyane voelde hoe het lichaam waarin ze opgesloten zat de schouders ophaalde. 'Voor mij ben je Geronimo. Ikor is slechts een façade.'

'Is dat zo?' Ikor keek indringend naar Melsaran. 'Soms twijfel ik daaraan.'

Op dat moment klonk beneden de klopper. Ikor liep naar de deur en keek langs de balustrade van de hal naar beneden. Het lichaam waarin ze zat volgde hem. Ze had geen keus. Het was alsof ze de rol van vuurmagiër speelde in een toneelstuk. Ze hoefde echter niets te doen. Ze hoefde alleen maar te kijken.

Haar angst en afschuw maakten plaats voor nieuwsgierigheid. Melsaran wist wat hij deed. En ze wilde heel graag weten wat zich hier afspeelde.

Tubol, Fabians trouwe bediende, schuifelde naar de deur en opende die. In de opening stond een in het zwart geklede man. Hij zag er hetzelfde uit als de mannen die haar en Scar hadden achtervolgd.

'Verdomme,' siste Ikor naast haar. Zijn slanke handen klemden zich om de balustrade.

'Adanar wenst Fabian te spreken,' zei de soldaat.

'Zeker, heer,' mompelde Tubol. Hij gooide de deur wijder open en liep naar de woonkamer. Toen hij naar binnen ging hoorde Cyane de klaterende lach van een meisje. Er klonk gemompel van stemmen. Maar voordat het tot Cyane doordrong wat er werd gezegd, werd ze ruw van de balustrade weggeduwd.

Ikor trok Melsaran achter een pilaar. Door de ogen van de vuurmagiër zag ze waarom. Lang, statig en kil liep Adanar de hal binnen.

Cyane wist niet zeker van wie het hart was dat zo tekeerging. Ze had Adanar alleen nog maar in het visioen van Meroboth gezien en toen was hij jonger geweest.

Adanar was mager. Zijn gezicht werd ontsierd door scherpe lijnen. Zijn kin was puntig, zijn smalle lippen nauwelijks zichtbaar. Hij had een neus als de snavel van een havik. Zijn halflange blonde haar hing los, het viel steeds voor zijn linkeroog. In zijn zwarte ogen lag geen enkel gevoel. Deze man leek niet te leven en het was alsof de omgeving onmiddellijk bevroor toen hij binnenkwam.

'Ik had het kunnen weten,' siste Ikor. In zijn ogen schitterde de blik die Cyane zo vaak had gezien als hij naar Fabian keek.

'Het zal me niets verbazen als Fabian je aan Elenia verraden heeft,' merkte Melsaran op.

Cyane kon Melsarans gedachten niet lezen en zijn gevoelens niet voelen, maar wel zag ze alles door zijn ogen.

Ikor zag er plotseling moe en verslagen uit. 'Alles is voor niets geweest.'

'Nee, Geronimo. Dat is het niet,' zei Melsaran dwingend.

Op dat moment kwamen Fabian en een blond meisje de hal binnen. Cyane herkende haar van het portret dat Fabian bij zich had gedragen. Zijn dochter. Cyane rilde. Ze vond het luguber de Elf opeens weer levend en wel voor zich te zien.

Fabian knielde voor de Fee neer, maar Adanar reageerde niet. Met een stalen blik keek hij naar het meisje. 'Kniel!' gebood hij. Zijn stem was koud en afgemeten.

'Waarom?' Het meisje keek hem trots aan.

'Dit gaat fout.' Bezorgd keek Melsaran naar beneden.

'Doe wat hij vraagt, Liselore,' zei Fabian.

'Ik pieker er niet over. Hij is gewoon een Fee.' Liselore wendde haar blik geen seconde van Adanar af.

'Ik ben Adanar. Ik ben jouw heer.' De blik in de ogen van de Fee veranderde niet. Dat maakte Cyane angstig. Ze wist wat er ging komen. Ze wilde het meisje waarschuwen, maar het lichaam van Melsaran bewoog niet.

'Orion is mijn koning,' zei Liselore fier. 'Hij en niemand anders.'

'Liselore!' Fabians stem klonk smekend.

Adanar keek minachtend naar de Elf op de grond. 'Is dat de opvoeding die je haar hebt gegeven?'

'Nee, heer. Absoluut niet,' haastte Fabian zich te zeggen.

'Dat mag ik hopen, ja,' zei Adanar. 'Ik kan haar niet in mijn aanwezigheid verdragen, Fabian.'

'Nee, heer,' stamelde Fabian. 'Dat begrijp ik.'

'Mooi zo.' Het knikje dat hij met zijn hoofd gaf was nauwelijks te zien.

Het volgende ogenblik slaakte Liselore een indringende kreet. Ze viel op de grond, kronkelend van de pijn. Een dierlijke angst verscheen in haar blauwe ogen en het schuim stond op haar mond.

Fabian staarde in afgrijzen toe, maar deed niets om zijn dochter te helpen. Het leek minuten te duren. Het geschreeuw van het meisje hield even plotseling op als het was begonnen. Toen lag ze stil voor de voeten van Adanar.

Haar ogen gebroken, het jonge leven verdwenen. Liselore was dood.

Verbijsterd staarde Cyane naar het tafereel beneden haar. Melsaran bewoog niet en ze kon daarom haar blik niet van deze gebeurtenis afwenden.

Fabian stond op. Trillend keek hij naar het lichaam van zijn dochter. Toen zei hij: 'Hoe kan ik u dienen, heer?'

Cyane kon haar oren niet geloven. Melsaran leek er net zo aan toe te zijn. Hij hapte naar adem.

'Ik kom net van Elenia, Fabian,' zei Adanar. Hij stapte over het lichaam van Liselore heen. 'Zij vertelde dat je interessant nieuws had over Ikor.'

'Ja, heer. Dat klopt.' Fabians stem klonk onvast.

'Ik zit beslist niet te wachten op een Feeënkoning die zijn land probeert te redden, net zo min als ik zat te wachten op jouw dochter,' zei Adanar.

Cyane merkte dat Ikor zich schrap zette. Wat Adanar betrof was Ikors doodvonnis getekend.

'Je moet hier weg, Geronimo.' Melsaran was nu degene die de leiding nam.

'Dit huis uitkomen wordt waarschijnlijk al een groot probleem,' zei Ikor, die zichzelf snel bij elkaar had geraapt.

'Welnee, je hebt mij.' Melsarans lakonieke opmerking deed Cyane heel erg denken aan zijn beide broers, die ook niet vies waren van een zekere arrogantie. Hij stapte achter de pilaar vandaan. 'Goedemorgen, Adanar,' zei hij.

Als door een adder gebeten keek de Fee omhoog. Het was duidelijk dat bij hem denken en doen één waren. 'Grijp hem,' blafte hij zijn soldaten toe. Drie mannen stormden naar de trap, alleen om te ontdekken dat daar de vlammen uit sloegen. Verschrikt hielden ze in.

'Stelletje idioten. Het is magie.' Adanar verhief zijn stem nauwelijks, maar de drie mannen keken alsof ze plotseling in doodsnood waren. 'Aan jullie heb ik niets,' snauwde de Fee. Het volgende ogenblik stortten de drie dood ter aarde.

'Zo houd je er niet erg veel over,' merkte Melsaran op. Hij leunde over de balustrade.

Cyane stond duizend angsten uit toen ze naar het van woede verwrongen gezicht van de Fee keek. Adanar aarzelde niet. Lenig beklom hij de trap, dwars door de vlammen heen.

'Nu,' siste Melsaran Ikor toe.

In de chaos van het ogenblik wist Ikor langs Adanar de trap af te glippen. Daar stond alleen nog Fabian. Hij durfde Ikor niet tegen te houden.

Adanar besefte toen pas wat er gebeurde en slaakte een woedende kreet. Hij wilde Melsaran grijpen, maar trok schielijk zijn hand terug toen hij zich aan hem leek te branden.

'En dat, mijn beste Adanar, is dus ook magie.' Melsaran keek hem recht aan. Voor het eerst zag Cyane het van haat vertrokken gezicht van de Fee vlak voor zich. Ze rilde. 'Ik ben blij te zien dat mijn broer je nog niet alles verteld heeft.'

Toen liep Melsaran langs Adanar naar beneden. Hij wierp een korte blik op Fabian en schreed de deur uit. Daar stond Ikor al klaar met zijn paard en een lelijke schimmel.

Melsaran klom moeizaam op de rug van het witte dier. Hij greep naar zijn hoofd. 'Vlug, Geronimo,' smeekte hij plotseling met een zwakke stem. 'Ik kan zijn magie niet lang meer tegenhouden.'

Ikor gaf zijn paard de sporen en en greep de teugels van het andere dier stevig vast. Zo reden ze snel uit de buurt van Adanar.

Melsaran kreunde. Het leek wel of hij pijn had en Cyane bedacht dat hij probeerde Adanars aanval af te slaan. Nu pas besefte ze hoe sterk de Fee was.

Ikor raasde genadeloos verder. De schimmel kon het tempo nauwelijks bijhouden maar het beest had geen keus, want Ikor hield de teugels stevig vast.

Cyane hoefde niet na te denken over het doel van de reis. In hoog tempo reden ze naar het paleis van Ikor aan het Meer van Tagalet.

Toe ze daar aankwamen hing Melsaran uitgeput in het zadel. Er waren uren vetreken. Ikor hielp Melsaran van het paard af. Cyane zag dat de binnenplaats van het paleis er nu heel anders uitzag. Er liepen mensen af en aan. Een bediende kwam zijn meester onmiddellijk helpen.

'Breng ons iets te eten,' snauwde Ikor. Hij vertrouwde Melsaran niet toe aan een ander. Moeizaam begeleidde hij hem naar het hoofdgebouw. Hij opende een grote deur die uitkwam in een hal vol met schilderijen. Er waren een trap naar boven en verschillende andere deuren. Ikor sleepte de vuurmagiër naar een van die deuren en duwde hem naar binnen. De kamer waarin ze zich nu bevonden, was een zitkamer met dure stoelen en ligbanken. Ook hier hingen overdadig veel schilderijen en er stond een aantal beeldhouwwerken. De kamer van een kunsthandelaar.

Cyane herinnerde zich de woorden van Iss: Geronimo had nooit om kunst gegeven. Ze voelde hoe Ikor het uitgeputte lichaam van Melsaran op een van de banken neerlegde. Ze keek toe hoe hij het voedsel van een van zijn bedienden overnam en het voor de magiër neerzette. Melsaran had echter geen oog voor de maaltijd. 'Je moet hier weg, Geronimo, en snel.'

Ikor liep naar een van de ramen van het vertrek en staarde naar buiten. 'Waar moet ik heen, Melsaran?' vroeg hij. 'Ook in de Rijken van het Licht ben ik niet veilig.'

'Ga naar Mekaron. Iss is bij hem. Hij zal je helpen.'

'Weet je inmiddels waar hij is?' Ikor draaide zich om.

'In Dryadenland,' zei Melsaran.

Een spottende lach verscheen op het gezicht van de Fee. 'Als ik niet beter wist, zou ik nu denken dat ook jij me wilt vermoorden.'

'Ik ben blij dat jij dit zo amusant vindt, Geronimo,' zei Melsaran streng. Moeizaam ging hij rechtop zitten. 'Je zit goed in de problemen, weet je.'

Ikor haalde zijn schouders op. 'Ik kan me de tijd niet meer heugen dat ik dat niet zat.'

'Je mag het nu niet opgeven,' zei Melsaran dringend.

'Ik kom Dryadenland nooit in,' zei Ikor.

'Tenzij iemand je onder zijn hoede neemt,' zei de vuur-magiër.

'Ik zie aan die pretogen van je dat je een geweldig plan hebt, dus zeg het maar.' Ikors stem klonk zowaar luchtig.

Cyane vond het een vreemde gewaarwording hem zo op zijn gemak te zien. Zijn koele houding had hij laten varen. Plotseling realiseerde ze zich dat het Ikor helemaal niet was die daar bij het raam stond maar Geronimo, de Feeënko-ning. Ze had hem zo af en toe gezien tijdens hun reis door het Feeënrijk.

'Zoek Meroboth op en reis met hem mee,' stelde Melsa-ran voor.

'Prima.' Geronimo's stem droop van sarcasme. 'Die Nu-door die met hem reist, hakt me meteen in mootjes en dan is alles voorbij.'

'Ik weet zeker dat Ikor daar wel een oplossing voor heeft,' merkte Melsaran op.

'Vast wel.' De wanhoop in de zwarte ogen was van Gero-nimo en Cyane had diep medelijden met hem. 'Hij heeft overal een oplossing voor.'

'Je zult met hem moeten leren leven.' Melsaran stond langzaam op van de sofa en liep naar de Fee toe.

'Dat kan ik niet,' zei Geronimo zacht. 'Ik heb een monster gecreeërd, Melsaran.'

'Je hebt een effectief wapen geschapen,' weerlegde de magiër. 'Zonder Ikor waren we nooit zover gekomen en dat weet je heel goed. In deze strijd is alles geoorloofd.'

'Maar jij hoeft niet met hem te leven. Ik wel.'

'Als dit alles voorbij is, kun je Ikor laten gaan,' zei Melsaran.

Geronimo keek weer naar buiten. 'Hoe kan ik iets laten gaan wat een deel van mij is geworden?'

Melsaran zweeg. Cyane wist dat ook hij geen antwoord had op het verschrikkelijke dilemma van Geronimo.

Toen de Fee zich omdraaide was zijn blik verhard. Geronimo had plaatsgemaakt voor Ikor. 'Ik zal naar je broer op zoek gaan,' zei Ikor koel en zakelijk.

'Mooi zo.' Melsaran leek opgelucht dat de Fee zijn twijfels weer wist te verbergen.

'Je zult het hier in je eentje moeten redden, Melsaran,' vervolgde Ikor. 'Ik kan niets meer voor je doen. Uiteraard staat mijn paleis geheel tot je beschikking.'

'Als ik hier wegga zal ik het met magie beschermen om plunderingen te voorkomen,' beloofde Melsaran.

Cyane kon niet ontdekken of Ikor blij was met dit voorstel. In de jaren die hij hier had doorgebracht had hij met zorg een kunstcollectie aangelegd, maar ze wist niet of hij daaraan gehecht was.

Opeens werd er ruw op de deur gebonsd en voordat iemand 'binnen' kon roepen vloog een van Ikors bedienden de kamer in. 'Adanar komt eraan,' hijgde hij.

'Wegwezen,' gebood Melsaran Ikor onmiddellijk. 'Je redt je hier wel uit.'

'Natuurlijk,' zei de Fee zelfverzekerd. Hij knikte de magiër kort toe. 'Het ga je goed, Melsaran.'

Ikor snelde de deur uit. Melsaran keek hem lang na. Gevoelens van onzekerheid en machteloosheid hingen als een tastbare deken om hem heen. Cyane wist dat de vlucht van Tronadors machtige spion een belangrijk keerpunt was in het leven van Melsaran. Ze hadden elkaar beschermd tegen Adanar. Nu was hij overgeleverd aan de haat van deze aan grootheidswaanzin lijdende Fee, die bovendien over onnatuurlijke magische krachten beschikte.

Plotseling werd de stilte doorbroken door angstig gegil en gekrijs. Melsaran liep de hal in en gluurde door de halfopenstaande deur naar de binnenplaats. Daar moordden soldaten van Adanar het personeel van Ikor systematisch uit. Melsaran balde zijn vuisten en leek in tweestrijd te staan. Cyane begreep zijn probleem. Het moest een koud kunstje voor hem zijn de slachtpartij te stoppen, maar dan zou de kracht van de rode diamant afnemen en dat was waar Adanar op uit was.

Plotseling werden de soldaten afgeleid door Ikor, die op zijn paard de poort uit stormde. Als één man vlogen de soldaten hem achterna. De binnenplaats lag er verlaten bij. Melsaran raakte vluchtig de diamant om zijn hals aan. De grote toegangsdeuren sloten en vergrendelden zich.

'O Geronimo,' mompelde Melsaran zacht. 'Ik begrijp je beter dan je ooit zult weten.' Toen draaide hij zich om en liep de kamer in. Moeizaam klom hij op de vensterbank van het raam en keek naar beneden, naar het zwarte water van het Meer van Tagalet.

Cyane kon niet gillen, maar ze zou nooit vergeten hoe het ijzige oppervlak snel dichterbij kwam toen de vuurmagiër zich resoluut naar beneden liet vallen. Met een zware plons viel hij in het water. Er was alleen zwart. Daarna was er niets meer.

Melsaran werd ruw heen en weer geschud.

'Wakkerrr worrrden, je bent niet dood,' zei een zware stem verontwaardigd.

De vuurmagiër opende moeizaam zijn ogen en keek recht in het ronde gezicht van een wezen dat Cyane niet thuis kon brengen.

Haastig schoot Melsaran overeind. Een stevige hand hield hem tegen. 'Je moet rrrustig aan doen. Je spoelde aan als een stuk hout op mijn strrrand,' zei het wezen. Hij was groot en stevig gebouwd. Alleen een grote lap, gemaakt van verschillende dierenvellen, bedekte zijn lichaam. Hij had kleine bruine oogjes die niet pasten bij zijn enorme gezicht, een grote bolle neus en dikke lippen. Hij was helemaal kaal en droeg geen sieraden.

'Jij hebt een mooie steen,' zei het wezen. Met een dikke vinger wees hij naar de steen om Melsarans hals.

Opgelucht raakte de vuurmagiër de diamant aan. 'Gelukkig,' mompelde hij.

'Dat is geen gewone steen,' zei het wezen.

'Nee dat klopt. Dit is een magische diamant. Ik ben een magiër,' zei Melsaran. Tergend langzaam probeerde hij op zijn benen te gaan staan. Hij was uitgeput.

'Ik weet dat,' zei het wezen trots. 'Trrronadorrr heeft ook zo'n steen.'

'Ach ja, natuurlijk,' mompelde Melsaran.

'Trrronadorrr is een slechte man. Ik houd niet van magierrrs.'

Enigszins verrast keek Melsaran naar het wezen op. 'Waarom niet?'

'Het is zijn schuld en die van Adanarrr dat mijn familie en vrrrienden allemaal dood zijn,' zei het wezen eenvoudig. Hij deed geen moeite Melsaran tegen te houden toen hij eindelijk overeind wist te komen. Zijn rode mantel kleefde zwaar van het water aan zijn lichaam.

'Hoe heet je?' vroeg Melsaran.

'Ik heet Tem. Ik ben een Trrrol,' zei hij trots.

De vuurmagiër knikte. 'Ik ben Melsaran.'

Het verraste Cyane dat hij de Trol zijn naam zei.

'Ik heb van jou gehoorrrd,' zei Tem bedachtzaam. Toen klaarde zijn bolle gezicht op. 'Jij vindt Adanarrr ook niet aarrrdig.'

'Dat is nog zacht uitgedrukt,' vond Melsaran.

'Ik zal jou helpen,' bood de Trol onmiddellijk aan.

'Zo te zien heb je me al geholpen,' merkte de magiër op. 'Je hebt mijn leven gered, Tem.'

'Ach, het was niets. Je spoelde zomaarrr aan.' Tem wees naar het strand.

Melsaran keek om zich heen. De oevers waren hier begroeid met bos. In de verte zag Cyane de omtrekken van een stad. 'Néfer à Tagalet,' mompelde hij. 'Wat doe jij hier, Tem?'

'Ik ben gevlucht,' zei Tem plotseling triest, 'Iederrreen is doodgemaakt.'

'Waarom?'

'Wij zochten een diamant in het Orrrgorrrgeberrrgte. Toen is Adanarrr gekomen. Hij zei dat wij de diamant wilden stelen. Het was niet waarrr, maarrr hij luisterrrde niet. Toen was errr een knal en vuurrr. Iederrreen was dood. Ik niet. Ik ben gevlucht,' vertelde Tem.

Melsaran schudde zijn hoofd. 'Allemachtig. Die man is krankzinnig.'

Cyane had diep medelijden met de Trol. Het verhaal was nog triester door de eenvoud waarmee het verteld werd. Ook zonder dat hij het expliciet had gezegd, wist ze dat zijn hele volk was uitgemoord.

'Blijf maar bij mij, Tem,' zei Melsaran. 'Je kunt niet alleen blijven. Dat is te gevaarlijk.'

'Ik zal jou helpen tot het einde,' beloofde Tem plechtig.
'Adanarrr moet gestrrraft worrrden.'

'In mijn eentje ben ik niet sterk genoeg,' zei Melsaran somber.

'Jij hebt nu mij,' zei Tem.

De magiër glimlachte. 'Was het maar zo eenvoudig, Tem.'

'Ik ben sterrrk.'

'Ja, dat zal best,' zei Melsaran. 'En er komt ongetwijfeld een dag dat je dat mag bewijzen, maar nu niet. Ik wil dat je me naar de plaats brengt waar Adanar jullie naar de diamant liet zoeken.'

Tem knikte. Hij wees met zijn grote, stevige arm naar het bos aan de rand van het meer. 'Daarrrheen.'

Plotseling werd Cyane slaperig. Ze kon haar ogen niet dichtdoen, want ze zat niet in haar eigen lichaam, maar alles om haar heen begon te draaien. In flitsen zag ze de tocht die Melsaran en Tem samen maakten. Ze waren constant op de vlucht voor soldaten van Adanar en moesten zich vaak schuilhouden. De Trol zorgde aandoenlijk goed voor de magiër. Hij bleek inderdaad ijzersterk en droeg Melsaran vaak op zijn rug door moeilijk begaanbare gebieden. Ook was hij erg handig in het vinden van voedsel. Ondanks het aanmerkelijke verschil in intelligentie, groeide er een hechte vriendschap tussen hem en Melsaran.

Wervelend tussen de beelden die langs haar heen schoten leerde Cyane dat Tem een wezen was van eenvoud. Dat was waarschijnlijk een kenmerk van zijn volk en ook de reden waarom Adanar hen als slaven had laten werken in het Gebergte van Orgor. De Trol had leiding nodig, iemand die hem zei wat hij moest doen. Dat maakte hem gelukkig en tevreden. Hij stelde geen vragen.

Naarmate de weken vergleden kreeg Cyane een goed beeld van wat de zwarte Fee de Trollen had aangedaan.

'Hij zegt dat hij een god is,' vertelde Tem op een avond toen hij samen met Melsaran bij een vuurtje zat. 'Hij heeft een tempel thuis. Met een grrroot beeld.'

Cyane dacht terug aan het gruwelijke beeld dat ze hadden gevonden in het Steengebergte, het oorspronkelijke thuis van de Trollen.

'Hij zegt dat als wij offerrren, wij gelukkig zullen zijn. We hebben veel trrrollen geofferrrd maarrr we zijn nooit meerrr gelukkig geworrden.' Tem toonde meestal niet veel emoties, maar zijn eenvoudige woorden raakten Cyane diep. Veel voorstellingsvermogen had ze niet nodig om te beseffen hoe het leven van Tem en zijn familie gelopen was.

'Adanar is geen god, Tem,' zei Melsaran. 'Hij is een krankzinnig geworden Fee.'

'Ik weet het nu,' zei Tem. 'Maarrr het is te laat.'

De magiër slaakte een zucht. 'Ik kan niets voor je doen, Tem.'

'Ik weet het. Ik zal jou helpen Adanarrr te verrrslaan.'

'En dan?'

'Ik weet het niet. Ik kan nerrrgens heen.'

Melsaran schudde moedeloos zijn hoofd. 'Dat is waar, Tem. Je kunt nergens heen.'

Beelden dansten verder. Soms in een flits, soms vertraagd als er iets bijzonders gebeurde tijdens de reis. Hoewel het een relatief kort stuk was van het Meer van Tagalet naar het Gebergte van Orgor werd de tocht flink vertraagd door de speurende Adanar. Soms moesten ze zich dagenlang schuilhouden of tientallen kilometers omlopen.

De weken gleden voorbij voor Cyanes geestesoog. Het landschap werd somberder door de voortdurende schemering. Hoe dichter ze bij het Gebergte van Orgor kwamen, hoe donkerder het werd. Op een kille dag stonden ze aan de voet van het gebergte.

'Hierrr moesten wij de diamant zoeken,' zei Tem.

'En niets gevonden dus.' Melsaran keek peinzend omhoog naar het onvriendelijke schouwspel voor hem. De bergen torenden als reusachtige schaduwen boven hen uit. 'En toch...' Melsaran keek naar de rode diamant om zijn hals. Die schitterde fel, alsof de krachten in de steen het liefst weg wilden springen naar iets wat daar in de verte lag.

'Het is gevaarrrlijk hier,' zei Tem.

'O ja?' vroeg Melsaran.

'Hierrr zijn veel rrroverrrs en drrraken,' stelde Tem.

'Draken nog wel.' Melsaran dacht na. 'Waarom?' vroeg hij zich hardop af.

'Adanarrr zei dat de drrraken bescherrrmen,' legde Tem moeizaam uit.

'Wie beschermen ze dan, Tem? Adanar heeft zelf helemaal geen bescherming nodig.'

'Ik weet het niet,' zei Tem spijtig.

'Er is hier meer aan de hand en die verdomde Fee weet dat.' Melsaran legde zijn hand om de rode steen. 'Hier ligt de oorsprong van alle magie, de vijfkleurige diamant, en de enige die daadwerkelijk zou kunnen weten waar die is, heeft nooit meer iets van zich laten horen. Hij kan aan alles een eind maken.' De magiër zuchtte diep. 'Ach, Melsasser. Waarom doe je ons dit aan?'

Tem staarde omhoog naar het gebergte. Hij kon de gedachtengang van Melsaran niet volgen, dus stelde hij er ook geen vragen over. 'Ik zal jou de berrrgen in drrragen,' stelde hij voor.

'Ik weet het niet,' zei Melsaran weifelend.

'Maar ik wel,' klonk een gevoelloze stem achter hen.

Met een ruk draaide Melsaran zich om. Daar stond Adanar met een groep soldaten. 'Jullie zetten geen stap in dat gebergte.'

Tem kwam naar voren. 'Jij blijft van mijn vrrriend af,' dreigde hij.

'Ach, wat roerend,' zei Adanar koud. 'En waar is die andere vriend van je, Melsaran? Die vervloekte Feeënkoning?'

'Buiten jouw bereik,' zei Melsaran kalm.

Adanar haalde zijn knokige schouders op. 'Ach, ik heb jou.'

'Je hebt mij nog helemaal niet, vuile rat,' zei Melsaran met de strijdbaarheid die zo kenmerkend was voor hem en zijn broers.

De Fee hief zijn hand op. Melsaran deed onmiddellijk hetzelfde. In het niemandsland tussen hen in knetterde de magie. De magische krachten hielden elkaar tegen en vochten tegen elkaar om de doorgang te forceren naar het kwetsbare lichaam van de tegenstander.

'Wat zal Melsasser zeggen als ik jou vermoord?' vroeg de Fee zich hardop af.

'Hij zal je doden, Adanar,' zei Melsaran zelfverzekerd. 'En denk eraan. Zijn zwarte magie is veel sterker dan de jouwe.'

'Dat risico moeten we dan maar nemen,' zei Adanar. 'Hij staat me al te lang in de weg.'

'Je hebt hem nodig,' zei Melsaran. 'Hij is de enige die weet waar de vijfkleurige diamant is. Hij zal het je nooit vertellen als je mij vermoordt.'

Adanar liet zijn hand weer zakken. Zijn hatelijke blik spuwde vuur. De magiër had een gevoelige plek geraakt, maar de Fee was eropuit te doden. Als hij Melsaran niet kon raken dan bleef er maar één ander slachtoffer over.

Een fractie van een seconde maakte het verschil tussen leven en dood. Tussen gevangenschap en vrijheid. Tussen magie en gewoon aards verdriet. Melsaran had net te laat door wat Adanar van plan was. De magere vinger van de

Fee schoot in de richting van Tem. De vuurmagiër probeerde tevergeefs de zwarte straal die losschoot tegen te houden. Het volgende ogenblik stortte het grote lichaam van de Trol op de grond neer.

'Nee!' schreeuwde Melsaran. Hij verloor zijn concentratie, de magie verdween. Enkele seconden was hij een gewone, oude man. Die enkele seconden waren genoeg voor Adanar. De zwarte magie overspoelde de Tovenaar van Goed en Kwaad. Hij kon zijn krachten niet meer gebruiken. Hij had er ook geen aandacht voor. Radeloos knielde hij bij het lichaam van Tem.

'Grijp hem,' snauwde Adanar zijn soldaten toe.

Maar Melsaran rukte zich los uit de handen van de mannen. Voorzichtig raakte hij het bleke gezicht van de Trol aan.

Tem opende zijn ogen. 'Ik ben de laatste,' fluisterde hij moeizaam.

Melsaran slikte.

'Jij moet anderrren verrrtellen dat wij goed waren,' smeekte Tem. 'Wij hebben dit niet bedoeld. Wij hadden geen keus.'

'Ik zal het iedereen vertellen, Tem. Dat beloof ik je,' zei Melsaran.

De Trol leek tevreden. Zijn trekken verzachtten en hij keek de magiër nog een keer aan. Toen stierf hij.

De soldaten van Adanar rukten Melsaran overeind, maar de woede kreeg de overhand bij de anders zo kalme magiër. Hoewel hij zijn magie niet kon inzetten, kreeg hij nu andere krachten. Hij rukte zich los en ging dreigend voor Adanar staan. 'Hier zul je voor boeten, rat,' siste hij. 'Je hebt een heel volk uitgemoord en ik zweer je hier en nu dat ik je dat betaald zet.'

Adanar lachte koud. 'Je bent hulpeloos, Melsaran.'

'Wil je weten waar Ikor is?' informeerde de magiër afgebeten. 'Dat zal ik je vertellen. Ikor haalt mijn broers hierheen. Dan ben jij verloren en dat weet je.'

Hoewel Adanar van nature al weinig kleur had, leek het of hij nog bleker werd.

'Je bent achter de verkeerde prooi aangerend. Alleen ben ik misschien net zo sterk als jij, maar tegen ons drieën kun je niet op. Ikor was het werkelijke gevaar, maar dat heb je nooit gezien. Je bent een stom rund, Adanar.'

'Ik kan je doden,' beet de Fee hem toe. Ergens diep in hem sluimerde de onzekerheid.

'Om met je eigen woorden te spreken: wat zal Melsasser daar wel niet van zeggen?' zei Melsaran. 'Je bent in de val gelopen, rat.'

Waanzin kroop omhoog in Adanars ogen. 'Breng hem weg,' snauwde hij. 'Sluit hem op. Niemand mag bij hem. Niemand!'

Melsaran glimlachte triomfantelijk. De soldaten voerden hem ruw mee. Weg van het lichaam van Tem, de laatste Trol.

Beelden gleden weer langs Cyanes ogen. Het paleis van Adanar, Melsarans eenzame opsluiting. Met behulp van de zwarte magie die hem omringde, zijn diamant en zijn ijzersterke wil lukte het hem een aantal noodkreten naar haar te sturen zoals de vlam in het Steengebergte en de fakkel in het paleis van Ikor. Maar de zwarte magie was te sterk om te ontsnappen. Toen was daar de plotseling losbrekende vuurzee die zijn ontsnapping mogelijk maakte.

'Die brand in het paleis van Adanar was veroorzaakt door magie,' zei de stem van Melsaran.

Plotseling had Cyane weer controle over haar lichaam. Ze opende haar ogen. Ze lag naast het kampvuur in het bos. Naast haar zat de Tovenaar van Goed en Kwaad. Ze keek naar haar handen en naar haar lichaam. Ja, die waren overduidelijk van haar.

'Het beangstigt me dat er nog iemand is die zoveel zwarte magie beheerst,' zei Melsaran.

Cyane krabbelde overeind. 'Hij heeft je wel laten ontsnappen.'

'Denk je dat hij aan onze kant staat?' Melsaran keek haar indringend aan.

Te laat realiseerde ze zich dat ze zich had versproken. 'Eh...' begon ze hulpeloos. 'Ik weet het niet, want ik weet niet wie het gedaan heeft. Ik bedacht zomaar wat.' Dat was nog niet eens een leugen, want feitelijk wist ze niet wie de mysterieuze Scar, die het paleis in vlammen had laten opgaan was.

Melsaran glimlachte, maar vroeg niet verder. Hij stond op en reikte haar de hand. 'Ik hoop dat mijn verhaal zijn doel niet heeft gemist.'

Cyane had even moeite met te bedenken waar de magiër op doelde. Het leek wel of ze weken was weggeweest in dit vreemde visioen. In werkelijkheid waren het waarschijnlijk een paar uur. Waarom had hij haar dit ook alweer laten zien?

Melsaran wees tussen de bomen. 'Kijk eens wie daar aankomt.'

Cyane herkende de lange magere gestalte van Ikor. Ze beet op haar lip.

De magiër ging zijn bondgenoot tegemoet. 'Je hebt ons gevonden.' Melsaran stak zijn hand uit.

'Iss is een uitstekende spoorzoeker,' zei Ikor. 'Cyane heeft jou gevonden, zie ik.'

'Niet precies volgens plan,' lachte Melsaran. 'Blijkbaar had ik nog een vriend hier.'

Ikor keek hem niet-begrijpend aan, maar Melsaran zei kort dat hij dat later wel zou uitleggen. 'Het belangrijkste is dat we nu allemaal bij elkaar zijn. En het zou prettig zijn als iedereen het een beetje met elkaar zou kunnen vinden.'

Cyane haalde diep adem en liep naar de Fee. 'Melsaran heeft gelijk,' zei ze. Niemand wist hoeveel moeite haar dit koste, maar omwille van de goede zaak was ze bereid verder te gaan met Ikor. Ook omdat ze wist dat Geronimo daar nog ergens in dat lichaam moest zitten. De beelden van de geweldadige dood van Fabian bleven echter door haar hoofd spoken. Ze kon het niet vergeten, al wilde ze dat nog zo graag.

'Ik had geen keus, Cyane,' zei Ikor.

'Dat weet ik nu,' zei ze. 'Het spijt me dat ik je plan in de war heb geschopt.'

'Melsaran is vrij. Daar ging het om.'

Zwijgend keken ze elkaar aan. Even leek het of Ikor iets wilde zeggen. Toen liet zijn blik haar los.

'Laten we maar teruggaan,' stelde Melsaran voor.

Gedrieën liepen ze terug naar het kamp waar Sindra, Iss en Miran inmiddels waren geïnstalleerd. Iedereen kletste luchtig met elkaar behalve Tiron, die in zijn eentje bij het vuur zat en zich afsloot voor alles en iedereen.

Giffor leek nogal van slag door het feit dat zijn maatje Sindra een prachtige vrouw bleek te zijn. Ze was druk bezig hem op zijn gemak te stellen toen ze haar man zag aankomen. Melsaran begon te stralen en bij Sindra sprongen de tranen in haar ogen. Ook Cyane voelde haar ogen vochtig worden toen het echtpaar elkaar na al die jaren eindelijk in de armen kon vliegen.

'Wat is de liefde toch mooi,' zei Meroboth met bravoure, om zijn emoties te verbergen.

'Ja, misschien kunnen we voor jou ook nog ergens een vrouw opduiken,' stelde Sirus voor met zijn arm om Gondolins middel.

'Dat kun je die arme vrouw niet aan doen,' lachte Meroboth.

Melsaran en Sindra hadden elkaar veel te vertellen. Iedereen betwijfelde of dat ook zinvolle informatie was, daar ze elkaar de hele tijd verliefd aankeken. Discreet trok de rest van het gezelschap zich terug bij het vuur.

'We zijn compleet,' zei Meroboth blij.

Cyane wist hoezeer hij naar deze dag had uitgekeken. Zijn beide broers waren gevonden en maakten het goed. Ze waren niet overgelopen en schaarden zich zonder meer aan zijn kant in de strijd tegen de zwarte magie. Een strijd tegen die andere broer van wie ze nog maar weinig vernomen hadden. Melsasser leek te zijn ondergesneeuwd door de krankzinnigheid van zijn belangrijkste medestander, Adanar.

Cyane wist dat de strijd echt zou beginnen als ze hun tocht door het Rijk der Duisternis voortzetten. Er zouden hen nog vele verschrikkingen wachten, maar deze avond voelde ze zich even gelukkig en tevreden. Ze waren allemaal bij elkaar en daar, in de verte, stond de machtige Tovenaar van Goed en Kwaad, heel even verlost van zijn zware taak nu hij na al die jaren zijn vrouw weer zag.

De drieling was herenigd en de strijd tegen Tronador en zijn medestanders kon beginnen.

Cyane raakte het zwaard op haar rug aan. Heel even was ze wensloos gelukkig. Ze zou alles geven. Dat was ze aan deze groep verplicht. Ze glimlachte naar Meroboth en staarde in de dansende vlammen.

Z DE ZWARTE MAGIËR

De erfenis van
de meestersmid

Een

Het stormde en regende. De duisternis viel in. Cyane zwierf door de lange gangen van Ikors paleis, onderweg naar haar slaapkamer. Vanuit een raam dat uitkeek over de binnenplaats zag ze een lichtje branden in de stallen. Het licht werd 's nachts vaak aan gelaten omdat Miran, Melsarans eenhoorn, niet van het donker hield. In een opwelling besloot Cyane te gaan kijken hoe de eenhoorn en haar eigen paard Horizon het maakten.

In de grote ontvangsthal liep ze de trap af naar de voordeur. Met moeite kreeg ze het gevaarte open. Onmiddellijk sloeg de regen in haar gezicht en greep de wind haar mantel. Ze sloeg de zware deur dicht en rende de binnenplaats over in de richting van het licht. De staldeur stond op een kier. Hijgend sloop Cyane naar binnen.

Ikors stallen waren ruim. Vroeger had hij een grote verzameling raspaarden gehad waarvan nu alleen zijn eigen zwarte rijdier nog over was. Het was er behaaglijk warm en Cyane snoof de geur van vers hooi op. Een geur die haar terugvoerde naar haar jeugd. Ze was als klein meisje graag in de stallen. Niet zozeer om de paarden maar meer om Tiron, de stalknecht. Toen was alles een stuk minder gecompliceerd geweest.

'Bemoei je met je eigen zaken,' snauwde plotseling een stem.

Verrast keek ze in de richting van het geluid. Het was Tiron, dat wist ze zeker, maar tegen wie stond hij te praten? Er kwam geen antwoord. Opeens zei Tiron: 'Mijn leven gaat je niets aan. Laat me toch met rust.'

Cyane voelde zich een ongewenste toehoorder, een insluiper. Voorzichtig keek ze om het hoekje van een box en ze zag Tiron bij Miran staan. Voor ze zich realiseerde wat ze zag, stootte ze met haar schouder tegen een lege kist, die kletterend op de grond viel.

'Wie is daar?' riep Tiron.

'Ik ben het, Tiron.' Vlug liep Cyane naar hem toe. Ze zag de flits van verbazing in zijn ogen.

'Wat doe je hier?' snauwde hij.

'Ik kwam even kijken of alles goed was met Horizon en Miran,' legde ze hakkelend uit. Ze durfde hem niet aan te kijken, bang voor de kille blik in zijn ogen.

'Giffor zorgt uitstekend voor hen en dat weet je.'

Ze ergerde zich aan zijn hooghartige houding. Waar had ze dit aan verdiend? Haar oude vechtlust kwam meteen bovendrijven. 'Sorry hoor,' zei ze. 'Ik wist niet dat de stallen voor mij verboden terrein waren. En waarom sta jij hier trouwens met Miran te praten?' Ze spuwde de vraag zo onverwachts uit dat Tiron er zichtbaar van schrok.

Hij wist zich razendsnel te herstellen. 'Jij praat toch ook weleens tegen Horizon?'

'Maar ik zeg geen dingen als "bemoei je met je eigen zaken" tegen hem,' zei Cyane.

'Ik weet niet waar je het over hebt,' zei Tiron afgemeten. Zijn afweer groeide en de kloof tussen hen werd nog groter.

Cyane kon het niet laten, ze ging door op de weg die ze was ingeslagen. Begrijpen deed ze zijn houding niet en ze ergerde zich er mateloos aan.'Ik praat inderdaad tegen Horizon. Maar jij praat mét Miran. Dat is een belangrijk verschil,' zei ze rustig.

Tiron was woedend. In één stap was hij bij haar en hij schudde haar door elkaar.'Ben ik nu soms een verdomde Fee?'

Het lukte Cyane met moeite haar kalmte te bewaren. Ze werd bang van zijn strakke gezicht en zijn koortsig schitterende ogen.'Vertel jij het maar, Tiron,' zei ze zacht.'Want ik weet het niet.'

Hij liet haar zo onverwachts los dat ze bijna achterov. viel. Hij keek haar strak aan. Zijn woede maakte plaats voor pijn en verdriet. Het ging haar aan het hart en ze voelde de tranen opkomen. Ze wilde huilen om datgene wat ze verloren hadden. Hun vriendschap was verkild, al wist ze niet precies waarom. Tiron was haar eerste grote liefde. Ze raakte hem kwijt en ze kon er niets aan doen.

'Wat is er toch, Tiron?' vroeg ze smekend, in een laatste poging iets te redden uit de wrakstukken van hun gezamenlijke verleden.'Je kunt mij vertrouwen. Je sluit je van iedereen af. Je doet zo koel tegen de broers van Meroboth. Dat hebben ze toch niet verdiend? Ben je dan zo jaloers op hen omdat ze Meroboths aandacht opeisen? Dat lijkt me toch niets voor jou.'

Tiron zweeg. Ze huiverde en besefte op dat moment dat er niets meer te redden viel. Ze had zo gehoopt dat hun vriendschap zou uitgroeien tot iets moois, maar alles was kapot, vernietigd door iets wat buiten haar om ging, iets waar ze geen vat op had.

Tiron draaide zich om en liep de stal uit. Vlak bij de deur bleef hij staan. Met zijn rug naar haar toe zei hij:'Mijn verleden heeft me ingehaald, Cyane. Vergeet me alsjeblieft en word gelukkig. Dan ben ik dat ook.'

Hij liep de binnenplaats op. De regen striemde zijn gezicht, maar hij voelde het niet. Even gleed zijn hand naar zijn borst. Daar, onder zijn tuniek, droeg hij een hanger met de punt van de hoorn van Domarin. De hoorn bevatte de luchtmagie, die de eenhoorns in het ongeluk had gestort. Ook zijn leven werd vernietigd, maar deze keer was het niet de schuld van de magie. Domarin had hem de hoorn gegeven om hem te beschermen. Maar zelfs Domarin had kunnen weten dat niets hem kon beschermen tegen dat wat hem boven het hoofd hing.

Cyane staarde hem na. Wat bedoelde hij met die vreemde woorden? Welk verleden? Ze keek naar Miran.

'Kon je maar met mij praten,' fluisterde ze. Ze aaide over het voorhoofd met de opvallend witte hoorn. Miran kon niet met haar praten. Dat kon ze alleen met Feeën en magiërszonen. Was Tiron dan een Fee? Hij zag er niet uit als een Fee. Een magiërszoon kon hij ook niet zijn, want de enige vier levende magiërs hadden geen kinderen. Tenminste, voor zover zij wist niet. Melsasser had wel een kind gehad bij Elenia, maar dit kind was door Fabian een zekere dood tegemoet gestuurd bij de Varénen.

Cyane herinnerde zich de vreemde reactie van Mekaron toen hij Tiron voor het eerst ontmoette. Was Tiron misschien familie van de watermagiër? Mekaron liet zich echter weinig aan Tiron gelegen liggen. Natuurlijk was hij een harde man, maar ze wist dat hij veel van zijn broers hield. Als hij een zoon had, zou hij hem zeker niet zo afstandelijk behandelen als hij Tiron behandelde.

Cyanes gedachten gleden naar de laatste momenten van het gesprek en de tranen stroomden over haar wangen. Ze rende de stal uit. Miran bleef met een blik vol medelijden achter.

Snikkend rende Cyane naar het bediendeverblijf, waar Gondolin, Sindra, Sirus en Iss bij de open haard zaten.

'Meisje toch.' Gondolin was als eerste bij haar. Beschermend sloeg ze haar armen om Cyane heen alsof ze een klein kind was. 'Wat is er gebeurd?'

'Tihihiron,' snikte Cyane met lange uithalen.

Sirus schudde zijn hoofd. 'Die jongen gedraagt zich onmogelijk.'

Dat wilde ze niet horen. Diep vanbinnen was er nog steeds de behoefte de man van wie ze hield te verdedigen. 'Hij kan er ook niets aan doen,' zei ze boos tegen de Nudoor.

'Natuurlijk niet, meisje,' zei Gondolin, en ze wierp Sirus een waarschuwende blik toe.

Sirus haalde zijn schouders op.

'Kalverliefde. Het gaat wel over,' suste Sindra in een poging de sfeer wat op te krikken.

Dat viel helemaal in verkeerde aarde bij Cyane. Ze rukte zich los van Gondolin en keek Melsarans vrouw woedend aan. 'En wat weet jij ervan?' schreeuwde ze. 'Jij was maar een stomme kat toen Tiron en ik... toen wij...' Hulpeloos begon ze te snikken en Gondolin trok haar opnieuw naar zich toe.

Iss stond op en liep naar de deur. 'Misschien moeten we eens gaan kijken hoe de anderen het maken,' stelde hij met zijn zachte stem voor.

'Goed idee,' zei Sirus.

'Maar ik...' begon Sindra.

'Melsaran zal wel op je wachten,' onderbrak Iss haar.

Zwijgend stond Sindra op.

Gondolin knikte Iss dankbaar toe alvorens hij de deur achter zich dichttrok. Ze zette Cyane bij de haard neer en hielp haar uit haar natte mantel. Toen ging ze naast haar zitten. Zorgzaam streelde ze het verwarde blonde haar van haar pupil.

Cyane snufte en staarde in de vlammen.

'Ik ben opgevoed met het idee dat een huwelijk nooit uit liefde gesloten moet worden,' vertelde Gondolin met zachte stem. 'Liefde was volgens mijn ouders een overdreven begrip waaraan je weinig waarde moest hechten. Geld was belangrijk en een rijke man trouwen was voor een vrouw het hoogst mogelijke doel.'

Ondanks haar verdriet luisterde Cyane geboeid. In al die jaren dat Gondolin bij haar was geweest, had ze nooit iets over haar eigen leven losgelaten.

'Maar geloof het of niet, vroeger was ik in veel opzichten net als jij. Ik negeerde de gangbare regels en ik werd verliefd op de erfgenaam van een rijke graaf. Hij werd geacht te trouwen met een meisje van zijn stand. Dat was ik dus niet, maar ik dacht dat onze liefde alles zou overwinnen. Dat geloofde hij ook, totdat hij erachter kwam dat hij geen cent zou erven als hij mij huwde. Toen was hij binnen enkele dagen verloofd met een dame van stand. Het brak mijn hart, maar ik wist nu wel hoe de wereld in elkaar stak. Liefde deed er inderdaad helemaal niet toe. Je moest een man kiezen met je verstand en niet met je gevoel. Vandaar ook dat ik zo aandrong op jouw huwelijk met graaf Thorvald.

Ik weet nu dat ik fout zat, Cyane. Sirus heeft me laten zien dat echte liefde wel degelijk bestaat. Je moet ervoor vechten. Ik heb mijn vooroordelen herzien. Er is niets mis met een Nudoorse huurling. Hij draagt me op handen en zou zijn leven voor me geven. En ik weet, Cyane, dat Tiron van jou houdt, want ik heb gezien hoe hij naar je keek als je het niet zag. Tiron is een gecompliceerde jongeman, die erg volwassen is voor zijn leeftijd. Ik denk dat hij heel veel heeft meegemaakt.'

'Maar hij zei dat ik gelukkig moest zijn zonder hem. Dan was hij dat ook,' snikte Cyane.

Gondolin knikte. 'Om de een of andere reden schijnt Tiron te denken dat je beter af bent zonder hem. Maar lieverd, soms betekent houden van dat je wilt dat iemand gelukkig is, zelfs als dat betekent dat dat misschien zonder jou is.'

'Ik kan niet gelukkig zijn zonder hem,' zei Cyane zacht.

Gondolin glimlachte een tikje triest. 'Dat weet ik, meisje. Maar Tiron zal eerst zijn eigen problemen moeten oplossen. Daar kun jij hem niet bij helpen. Je zult hem voorlopig los moeten laten, hoe moeilijk dat ook is.'

Cyane wist dat Gondolin gelijk had. Ze kon niets voor Tiron doen. Hij had grote problemen maar ze wist nauwelijks in welke richting ze moest zoeken. Ze moest hem inderdaad laten gaan en zich op haar eigen taak concentreren. Langzaam maakte ze zich los uit de beschermende omhelzing van Gondolin. 'Ik ben zo blij dat je mee bent gekomen,' zei ze dankbaar.

'Ik ook,' zei Gondolin. 'Ga nu maar slapen.'

Cyane knikte en verdween in haar slaapkamer.

Twee

Onrustig lag Cyane te woelen. Ze had het warm, maar wanneer ze de dekens van zich af schopte kreeg ze het koud. In haar sluimertoestand werd ze geteisterd door flarden uit het verleden.

Daar zat zij op de rug van Horizon. Haar haren wapperend in de wind. Tiron joeg haar lachend achterna. Naast Horizon rende Sindra, die toen voor haar nog een gewone kat was in plaats van een morf en de vrouw van de vuurmagiër.

Het vadsige gezicht van graaf Thorvald drong zich aan Cyane op. Meroboth, de aardmagiër, redde haar van het gearrangeerde huwelijk met hem. Vanaf dat moment was haar leven drastisch veranderd. Met Tiron en haar gezelschapsdame Gondolin ging ze met de magiër mee op zoek naar zijn twee broers Mekaron, de watermagiër, en Melsaran, de vuurmagiër.

Landschappen, vaak sprookjesachtig mooi, soms angstaanjagend lelijk, gleden aan haar voorbij. Velen sloten zich bij hen aan. De Nudoorse zwaardvechter Sirus; Giffor, de maker van het zwaard; Ikor, de overgelopen meesterspion van Tronador en diens vriend Iss. En uiteindelijk de twee andere magiërs.

Cyane zag zichzelf oefenen met de magie die ze zich eigen moest maken, wilde ze een kans maken tegen de uitverkorene van het Rijk der Duisternis. Plantjes die moeizaam groeiden, water dat in haar gezicht kletste als ze weer eens de controle verloor.

Kreunend verborg ze haar gezicht in het kussen toen het beeld van Tronador zich opdrong. Tronador was niemand minder dan Melsasser, de oudere broer van de drieling, en met name Melsaran leed erg onder het feit dat Melsasser hem had laten vallen voor Adanar. De krankzinnigheid van Adanar had al vele levens geëist. De gewelddadige dood van Fabian en Ramart herhaalde zich voor haar ogen. Nu verscheen het gezicht van Ikor, grimmig, een genadeloze moordenaar in dienst van Tronador. Meteen veranderde zijn gezicht in dat van Feeënkoning Geronimo. En weer in Ikor. Geronimo. Ikor.

Cyane schoot overeind, klaarwakker. Met bonkend hart dacht ze aan de toekomst. Bijna was het zover. Het moment naderde; het moment waarop zij met haar zwaard met de drie magische diamanten tegenover de drager van het zwaard van het Rijk der Duisternis zou staan. Niemand wist wie dat was. Om dat raadsel op te lossen was Meroboth nu op zoek naar Gontak, de meestersmid die het zwaard van Cyanes tegenstander smeedde. Die Dwerg was ook begonnen aan haar zwaard, totdat hij was overgelopen naar Tronador en Giffor het werk op zich had genomen. Nu wachtten ze in het paleis van Ikor op de enige man die hen meer informatie kon geven over Gontak: Dwergenkoning Vélar.

Cyane voelde de spanning stijgen en keek toe hoe de schemer, die hier doorging voor daglicht, de duisternis probeerde te verdrijven. Misschien zou ze er morgen achter komen wie haar tegenstander zou zijn.

De volgende dag arriveerde Dwergenkoning Vélar met een klein gevolg in het paleis.

Tot Cyanes opluchting had hij zijn zoon Varanan, die een oogje op haar had gehad tijdens hun verblijf in Dwergenland, thuisgelaten.

De drieling, Sirus, Giffor en zijzelf waren naar de binnenplaats gekomen om Vélar te begroeten. Meroboth en de koning omhelsden elkaar enthousiast.

'Nooit gedacht dat ik hier nog eens zou staan,' zei Vélar, terwijl hij nieuwsgierig om zich heen keek.

'Je went eraan,' zei Mekaron droog en hij stak een hand naar de Dwerg uit. 'Het is me een eer.'

'Ongetwijfeld, ja,' antwoordde Vélar, die de sarcastische ondertoon feilloos had opgepikt. Hartelijk schudde hij de watermagiër de hand. Toen wendde de koning zijn blik naar Melsaran, die hem glimlachend toeknikte.

'Dus dit is de man van wie al die spionnetjes waren,' zei Melasaran.

'Dat ben ik, ja.' Vélar lachte zijn tanden bloot en zwaaide naar Cyane, die wat achteraf stond. 'Je moet de groeten hebben van mijn zoon,' kon hij niet nalaten op te merken.

De Dwergenkoning kon onmogelijk weten wat zich de vorige avond had afgespeeld dus Cyane glimlachte dapper.

'Ha, die Sirus.' Vélar gaf hem een joviale klap ter hoogte van zijn elleboog en draaide zich toen naar Giffor om.

De smid maakte een korte buiging. 'Het is goed u te zien, majesteit.' Het klonk belachelijk beleefd uit de mond van de opvliegende Dwerg.

'Ja, ja. Al goed, hè. Doe nu maar weer normaal.' Vélar kende zijn onderdaan blijkbaar ook.

Giffor mompelde iets over de paarden verzorgen en maakte zich uit de voeten.

'Ik hoop dat hij te verdragen was tijdens de reis?' vroeg Vélar.

'Ach, dat ging best. We zijn inmiddels wel wat gewend,' zei Meroboth.

'Dat zou ik denken,' zei Vélar, doelend op de afwezige Ikor. 'Ontmoet ik die Fee straks bij het diner?'

'Als hij zin heeft en dat heeft hij meestal niet,' zei Meroboth onverschillig.

'Jammer. Met zo'n verhaal kun je nog eens thuiskomen,' grapte de koning. 'Mijn voltallige leger wacht aan de overkant van de Zwarte Rivier op een teken van mij, Meroboth. Wananka is ook onderweg, met in haar kielzog de Nudoren en Akonezen.'

'Dat is mooi, maar op dit moment hebben wij een dringender kwestie met je te bespreken, vriend,' zei Meroboth.

'En dat is?'

'Gontak.'

Op het gezicht van de koning verscheen een ernstige blik. 'Ach ja, de smet op mijn koningschap. Kunnen we ergens rustig zitten?'

Meroboth bracht de hele groep naar de zitkamer van de drieling in het hoofdgebouw. Cyane was nieuwsgierig naar wat Vélar te vertellen had. Ze ging in een van de leunstoelen zitten en haalde haar zwaard uit zijn schede zodat ze achterover kon leunen. De groene en blauwe diamant schitterden in hun houders.

De Dwergenkoning voelde zich wat ongemakkelijk onder de vragende blikken van de magiërs. 'Ik kan het maar beter meteen vertellen,' zei hij ten slotte. 'Ik heb een misrekening gemaakt.'

'Wat bedoel je?' vroeg Meroboth.

'Ik was zo druk bezig met onderzoeken wat zich in andere landen afspeelde dat ik nauwelijks oog had voor wat er onder mijn neus gebeurde,' vertelde Vélar. 'Kort geleden kwam ik achter de reden van Gontaks nogal onverwachte vertrek.'

'We luisteren,' zei Mekaron grimmig.

'Gontak was een gerespecteerd burger van onze maatschappij,' vervolgde de koning. 'Met zijn vele vrouwen en kinderen was hij een gelukkig en tevreden man. Hij sprak altijd vol trots over hen. Zijn eerste zoon, Dona, was zijn oogappel. Toen de knaap oud genoeg was, stuurde Gontak hem naar een vriend in Nudoria om er het smeden te leren. Dona is er nooit aangekomen. Wat er precies is gebeurd, is lang een geheim gebleven. De oudere Dwerg die hem begeleidde, leek net als Dona van de aardbodem te zijn verdwenen. Een aantal jaren later is zijn lichaam gevonden in het Land der Gnomen. Het lot van Dona bleef onzeker. Gontak leek zijn verdriet goed te verwerken en hij begon aan zijn meesterwerk, het magische zwaard. Tot hij op een dag zomaar verdwenen was en Adanar niet veel later aankondigde dat Gontak nu een vooraanstaand lid van zijn Rijk was. Ik had toen al de waarheid moeten achterhalen, maar ik was gekrenkt in mijn trots. Gontak was mijn vriend, en hij had mijn vertrouwen geschonden. Ik probeerde hem te vergeten. Zijn andere kinderen bleven echter volhouden dat hun vader hen nooit zomaar in de steek zou laten. Pas jaren later heb ik een paar van mijn beste spionnen op de zaak gezet. Onlangs zijn zij achter de waarheid gekomen.' Vélar stopte even.

'En die is?' Mekaron hield er niet van lang te wachten.

'Dona is destijds door Adanar ontvoerd en gevangengezet in het Gebergte van Orgor. Adanar dreigde hem te doden als Gontak niet uit vrije wil, zeg maar, voor hem kwam werken. Gontak besefte uiteraard dat zijn andere kinderen veilig waren. Dus is hij naar het Rijk gegaan om zijn oudste zoon uit de handen van Adanar te redden.'

'Laat me raden,' zei Meroboth. 'Gontak heeft zijn zoon nog steeds niet gezien.'

'Waarschijnlijk weet hij niet eens of Dona nog leeft,' zei Vélar.

'Nee, laat dat maar aan die verdomde Fee over,' meende Sirus.

'Pas als het wapen dat Gontak voor Tronador maakt af is, zal hij zijn zoon mogen ontmoeten.' Melsaran, die tot nu toe opvallend stil was geweest, knikte begrijpend.

Weifelend keek Vélar hem aan.

Melsaran glimlachte triest als antwoord op de onuitgesproken vraag van de koning. 'Nee, Vélar. Ik weet dat Dona dood is. Ikor vertelde me ooit dat Adanar hem gevangen had gezet in de Tempel van Orgor. Geen enkel wezen overleeft dat lang. Dona is dood. Gontak weet dat uiteraard nog niet, want hij zou onmiddellijk gestopt zijn met werken.'

'Ja, dat zou hij,' zei Vélar stellig. 'Gontak is een goede man. Dit heeft hem waarschijnlijk gebroken. Hij heeft nooit mee willen werken aan de strijd van het Rijk. Integendeel: hij was trots op het wapen dat hij voor Cyane maakte. Ik schaam me diep dat ik dit niet heb gezien.'

Meroboth zette de toppen van zijn vingers tegen elkaar. 'Het is een triest verhaal, maar het verklaart niet waarom Gontak opeens verdwenen is,' zei hij.

Er viel een lange stilte.

Afwezig streelde Cyane over de diamanten. Een vaag geroezemoes drong langzaam tot haar door. De blauwe steen brandde onder haar vingers. Toen schoot in een flits een beeld door haar hoofd. Een kleine man in een kerker, verborgen onder zwart water. 'Hij is niet verdwenen,' riep ze uit.

De anderen keken haar verbaasd aan.

'Hij is niet verdwenen,' herhaalde ze een stuk zachter. 'Hij is hier vlak bij.'

Meroboth keek haar aan alsof ze haar verstand verloren had. Met een stap was Mekaron bij haar.

'Water...' stamelde Cyane. 'Hij is in het water. Hier in het Meer van Tagalet.' Ze vond zelf dat het belachelijk klonk, maar het beeld was zo helder geweest. Iets had het haar verteld.

Mekaron keek naar de blauwe diamant en toen weer naar haar. Cyane verwachtte dat de cynische watermagiër elk ogenblik in lachen uit zou barsten. In plaats daarvan draaide hij zich naar Melsaran om. 'Weet jij of Ikor hier ergens een wijnkelder heeft of zoiets?' vroeg hij.

Blijkbaar gunde Melsaran zijn broer het voordeel van de twijfel. Hij dacht even na en knikte toen. 'Ja, er zijn hier kelders. Ikor zal je er meer over kunnen vertellen. Ik weet wel dat er vanuit de kelders een gang loopt, die als vluchtroute dient naar de landerijen buiten het kasteel. Die heeft hij laten bouwen voor het geval hij eens onverwachts zijn koffers moest pakken.'

'En gezien de bouw van het kasteel ligt een deel van die kelders dan onder het meer, nietwaar?' vroeg Mekaron.

'Ik ben er nooit geweest,' zei Melsaran.

Langzaam drong het tot Cyane door dat de blauwe diamant, zo verbonden met het water, haar iets wilde vertellen. Mekaron wist dat. 'Gontak is in die kelders,' zei ze verrast.

Mekaron knikte grimmig.

Meroboth aarzelde. Een blik van zijn broer hielp hem beslissen. Hij keek Cyane aan en vroeg: 'Zou je alsjeblieft Ikor voor ons willen zoeken? Ik wil meer weten over die kelders van hem.'

Cyane sprong meteen op. Ze voelde zich vreemd blij. Ze

had het gevoel dat ze een overwinning had behaald in het omgaan met de magie. Ze had er open voor gestaan. Zo open dat ze had begrepen wat de watermagie haar had willen vertellen. Nu wilde ze weten of het klopte. Ze rende de deur uit naar de centrale hal. Ikor woonde in het andere gedeelte van deze vleugel, wist ze, al was ze er nog nooit geweest. Slechts één deur in de hal gaf toegang tot zijn vertrekken. De deur zat niet op slot.

Ze glipte naar binnen en keek verbaasd rond. Wat ze ook verwacht mocht hebben, dit niet. Elders in deze vleugel waren de muren bezaaid met de kunstcollectie van de Fee en elke kamer was weelderig ingericht. Hier was geen schilderij te bekennen. Wel zag ze veel planten en bloemen die in vazen op sierlijke tafeltjes stonden. De veelkleurige bloemenpracht was goed verzorgd. Het rook er heerlijk. De meubels die in de vertrekken stonden, waren eenvoudig en functioneel. Er waren veel ramen die het weinige licht uitnodigden naar binnen te komen.

Onrustig stond ze stil. Het maakte niet uit dat Meroboth haar voor een boodschap had gestuurd, ze mocht hier niet zijn. Hier mocht ze niet aankomen. Dit gedeelte van het paleis toonde openlijk het karakter van de man die Ikor uit alle macht verborgen probeerde te houden. Ongeneerd gluurde ze naar binnen en daar had ze het recht niet toe.

Ze draaide zich om en liep terug naar de hal. Zorgvuldig sloot ze de deur. Besluiteloos keek ze om zich heen naar de weelderige luxe die haar hier weer omringde. Hoe kon ze Ikor dan bereiken? Alsof de goden met haar speelden, werd de grote buitendeur geopend en kwam de Fee met wapperende mantel binnen.

'Cyane,' groette hij kort.

'Meroboth wil je graag spreken,' zei ze.

'Natuurlijk.'

Cyane had er nog steeds moeite mee bij hem in de buurt te zijn. Ze zag alleen nog maar Ikor. Hij bleef koel en afstandelijk. Nooit was hij op de dood van Fabian teruggekomen. Geronimo leek helemaal verdwenen te zijn, ondanks het feit dat de kamers die ze net had gezien, zijn karakter leken uit te stralen.

Ikor volgde haar naar de zitkamer van de drieling, waar Sirus net van Mekaron los probeerde te krijgen hoe het in vredesnaam mogelijk was dat iemand met water kon praten.

'Ja, daar zullen jouw barbaarse hersentjes nooit bij kunnen,' zei Mekaron. 'Ach, Ikor, kom binnen en vertel ons over je kelders.'

'Mijn kelders?' Ikor wist zijn verbazing goed te verbergen. 'Het waren kerkers, vroeger.'

'Ja, de details kun je achterwege laten,' zei Melsaran vrij scherp met een waarschuwende blik naar de Fee.

'De details ben ik vergeten,' zei Ikor koeltjes.

'Dat zou je wel willen,' mompelde Melsaran, net hard genoeg voor Cyane om het te horen.

'Hoe groot waren die kerkers, Ikor?' vroeg Meroboth.

'Heel groot. Het Rijk had veel vijanden,' zei Ikor. 'Ze lopen tot diep onder het Meer van Tagalet. Ze zijn al jaren buiten gebruik. Ik geloof dat een deel onder water staat.'

'Is het mogelijk om vanuit het paleis in de kelders te komen?' vroeg Mekaron.

'Niet meer. Ik heb de toegang afgesloten,' zei Ikor. 'De enige toegang is via de uitgang van de vluchtroute die ik heb laten aanleggen. Die ligt hier enkele kilometers vandaan.'

'Mijn broer schijnt te denken dat Gontak zich in jouw kelders verbergt,' legde Melsaran hem uit, hoewel Ikor geen enkele interesse had getoond voor de aanleiding van deze vragen.

'We zouden er een kijkje kunnen nemen,' stelde Meroboth voor.

'Als dat echt moet,' zei Ikor.

'Ja, dat moet,' zei Mekaron beslist. Hij stond op. 'Haal Iss en Giffor. We gaan meteen.'

Ikor maakte geen aanstalten de twee te gaan zoeken. Hij liet zich nog steeds niet commanderen. Cyane realiseerde zich echter dat dat niet het enige probleem was waarmee hij worstelde. Ikor wilde niet terug die kelders in.

Mekaron had geen oog voor zijn gevoelens, maar Melsaran merkte dat er iets mis was. Hij nam de Fee bezorgd op en liep toen naar hem toe. 'Je hoeft niet mee,' zei hij.

Ikor schudde zijn hoofd. 'Jullie weten de weg niet. Ik red me wel, Melsaran.'

Sirus liep het vertrek uit om Iss en Giffor te zoeken. Het drong tot Cyane door dat Mekaron niet om Tiron had gevraagd. De verhouding tussen die twee was gespannen. Het was duidelijk dat Mekaron liever geen gebruik maakte van Tirons hulp. Dat ze Gondolin en Sindra niet mee zouden vragen was voor iedereen vanzelfsprekend, maar Tiron had hen tot nu toe altijd trouw bijgestaan in gevaarlijke situaties. Zelfs Meroboth vroeg niet naar hem. Lieten ze hem bewust allemaal vallen of beeldde ze zich dingen in?

Drie

Sirus kwam terug met de Dwerg en Iss, de veerman. Ze droegen fakkels. Vélar stond erop mee te gaan, tot groot ongenoegen van zijn persoonlijke bedienden, die niet mee mochten. Zo vertrok een negenkoppig gezelschap zonder paarden door de grote poort in de richting die Ikor aanwees. Het miezerde zachtjes, wat de toch al sombere omgeving van het Meer van Tagalet nog naargeestiger maakte. Ze liepen langs de oevers van het nu bijna rimpelloze meer.

'Wat zegt het water nu, Mekaron?' informeerde Sirus plagend.

De watermagiër deed alsof hij luisterde en knikte toen begrijpend. 'Het zegt dat jij je kop moet houden, want je verstoort zijn rust.'

Cyane grinnikte en Sirus lachte met haar mee. 'Je bent en blijft onverbeterlijk,' zei de Nudoor.

Mekaron knipoogde naar Cyane.

Vélar liep wat achteraan. De Dwerg was duidelijk niet gewend aan langere afstanden te voet, en al helemaal niet aan het mulle zand van de oever, maar hij klaagde niet. Giffor deed enkele onhandige pogingen zijn koning bij te staan. Het viel niet mee het forse tempo van Ikor bij te houden. Het was duidelijk dat hij dit zo snel mogelijk achter de rug wilde hebben.

Na een halfuurtje bereikten ze een kleine rotsformatie die schijnbaar zomaar op het strand was neergezet.

'Hier is het,' zei Ikor. Hij knikte naar Iss, die hem hielp een grote steen te verschuiven. Onder de steen zat een gat met een uit steen gehouwen trap die steil naar beneden leidde. Cyane kon een paar treden zien, de rest verdween in de duisternis.

'Dat ziet er weer aantrekkelijk uit,' mompelde Sirus.

Ikor scheen met zijn fakkel in het gat en zette zijn voet op de eerste trede. 'Het is een lange weg naar beneden. Houd je goed vast.' Hij wees met zijn fakkel naar een touw dat aan de wand was vastgemaakt. Gevolgd door Iss en Mekaron verdween hij in de diepte.

'Majesteit, dit is een gevaarlijke tocht,' meende Giffor. 'U kunt beter hier blijven.'

'Ik pieker er niet over,' zei Vélar waardig.

Meroboth stond aan de rand van het gat. Hij haalde diep adem en begon aan de tocht naar beneden. Sirus keek naar de aarzelende Melsaran. 'Kom maar dicht achter me aan,' zei hij.

'En ik zal achter u lopen,' zei Cyane.

'Nou ja, ik heb eens uren in dit meer gelegen toen ik moest vluchten voor Adanar. Ik zal een tocht eronder ook wel overleven.' Gehoorzaam volgde Melsaran Sirus. Cyane daalde na vuurmagiër af. Als laatste verdwenen de twee Dwergen in het gat.

De tocht naar beneden was moeizaam en duurde lang. De trap had smalle treden. Soms hadden hun voeten nauwelijks grip. De lichtjes van de fakkels van haar voorgangers dansten beneden haar, maar Cyane had er nauwelijks oog voor. Ze hield zich krampachtig vast aan het touw terwijl ze bij elke stap de trede aftastte. De duisternis ondermijnde ook haar evenwichtsgevoel. Ze had het idee dat ze elk moment voorover het gat in kon vallen.

Sirus gaf aanwijzingen aan Melsaran. 'Pas op, deze tree is erg smal. Gaat het nog, Cyane? Vélar?'

Cyane was doodsbang dat de vuurmagiër over zijn lange mantel zou struikelen, maar tot nu toe ging het goed.

'Alles in orde, Sirus,' riep Vélar terug.

Tot Cyanes opluchting verzamelden de lichtjes zich. De voorste mannen waren beneden aangekomen en na een korte tijd stond ook de rest om hen heen.

Ikor liep het duister in. Het was moeilijk te zien waar ze precies waren of naartoe gingen. De ruimte waar ze zich in bevonden leek eerder een groot vertrek dan een gang. Cyane scheen met haar fakkel in het rond en ontdekte hier en daar getraliede ruimtes. Ze stootte Sirus aan en knikte naar wat ze zag.

'Allemachtig,' siste Sirus. 'Die Fee maakte geen grapje over zijn kerkers.'

Cyane rilde. Het idee hier opgesloten te zitten vervulde haar met afschuw.

Af en toe kwamen ze door houten deuren waarvan de meeste rottingsverschijnselen vertoonden. De deuren leidden hen weer naar nieuwe ruimtes. Overal waren tralies en gesloten ijzeren deuren. Het leken wel een soort gevangenispaviljoenen.

'Ikor had de gewoonte leden van een volk bij elkaar op te sluiten,' fluisterde Melsaran haar in het oor. 'Ze voelden zich dan veilig bij elkaar en gingen praten. Niet wetend dat ze afgeluisterd werden met alle gevolgen van dien.'

'Ik hoef het niet te weten,' zei Cyane rillend.

'Als je in deze kerkers terechtkwam, kwam je er nooit meer uit,' vulde Vélar aan. 'Zelfs niet als je dood was. De lijken bleven gewoon in de cel liggen als afschrikwekkend voorbeeld voor de rest, zullen we maar zeggen.'

'Hou op,' zei Cyane bits tegen de koning.

'Als jij dit al moeilijk vindt, Cyane, hoe denk je dan dat Geronimo zich voelt?' Melsaran legde even een hand op haar schouder. Ze zag zijn ogen schitteren in het licht van de fakkel. Ze kon er geen antwoord op geven. Ikor was een creatie van Geronimo. Had hij dit dan niet aan zichzelf te danken?

De volgende ruimte die ze betraden stond vol met allerlei materiaal. Banken met een grote, houten installatie erboven, blaasbalgen, handboeien die in de wanden geslagen waren, een rad en diverse voorwerpen die Cyane niet kon thuisbrengen. Ze voelde zich misselijk worden. Niemand hoefde haar uit te leggen wat dit voor een kamer was. De lucht leek bezwangerd met de pijn en de pure doodsangst van de personen die hier terecht waren gekomen. Zelfs Sirus had hier niets op te zeggen. Hij sloeg een arm om haar heen en leidde haar snel naar de volgende deur. Daar wachtte Ikor op hen. Hij wees naar voren. Daar brandde een klein lichtje.

Cyane keek geschrokken naar het verbeten gezicht van de Fee. Ikor had duidelijk moeite zijn zelfbeheersing te bewaren. 'Daar is de man die jullie zoeken.'

'Kom mee,' zei Mekaron grimmig. De kerkers hadden hem ook niet koud gelaten. De anderen volgden de watermagiër door het vertrek naar de deur waar het licht vandaan kwam.

De deur stond op een kier. Voorzichtig opende Mekaron hem verder en het licht werd sterker. Het was afkomstig van een aantal grote fakkels aan de muur van een relatief kleine kamer. In het midden brandde een vuur en daarboven hing een blaasbalg. Overal lag gereedschap en materiaal. Het leed geen twijfel. Dit was een smidse. En achter in de smidse stond een Dwerg.

Hij was oud, had een kaal hoofd, een vuile baard en vale, vuile kleding die bedekt werd door zijn grote werkschort. Zijn ogen schitterden. In zijn hand hield hij een klein zwaard. 'Een stap dichterbij en ik vermoord je,' gaf hij Mekaron te verstaan.

Vélar drong naar voren. 'Laat mij maar.'

Zijn verschijning had een verpletterend effect op de Dwerg. Het zwaard kletterde uit zijn handen op de grond en hij viel op zijn knieën. 'Vélar,' mompelde hij. 'Ik verdien het niet in je nabijheid te zijn. Ga weg, trouwe vriend.'

'Nee, ik ga niet weg,' zei Vélar beslist. Hij liep naar de Dwerg toe en stak zijn hand uit. 'Sta op, Gontak.'

Gontak krabbelde overeind, maar negeerde de hand van de koning.

Nieuwsgierig bekeek Cyane de beste meestersmid ter wereld. In zijn ogen lag een verwilderde, bijna waanzinnige blik. Schichtig keek hij naar de rest van het gezelschap. 'Dat zijn mijn vrienden,' zei Vélar snel. 'Kijk, Meroboth is er ook bij. Je kent hem nog wel. Die andere twee magiërs zijn zijn broers.'

Gontak reageerde niet op de woorden van Vélar. 'Jullie moeten hier weg,' riep hij plotseling in paniek. 'Als Adanar jullie hier ziet, zal hij mijn zoon doden.'

'Adanar weet toch niet dat je hier bent,' probeerde Vélar hem gerust te stellen.

'Nee, nee. Dat weet hij niet.' Een triomfantelijke lach verscheen op het ingevallen gezicht van de Dwerg. 'En hij zal het ook niet weten. Kijk.' Hij wees naar een houten deur achter hem. Door de naden van het hout sijpelde water naar binnen. 'De druk bouwt zich op. Ik heb alles vol laten lopen. Straks zegt die deur gewoon krak!' gilde hij trots. 'Ik laat alles verzuipen. Niemand zal mijn wapen vinden.'

'Hij is gek,' siste Sirus. 'Helemaal doorgedraaid.'

Vélar wierp een vragende blik op Meroboth.

Die deed een stap naar voren. 'Mogen wij je meesterwerk zien, Gontak?' vroeg hij.

'Nee! Niemand mag het zien. Het is te gevaarlijk. Het gaat met mij mee mijn graf in.'

'O geweldig, hij gaat zichzelf verdrinken,' mompelde Sirus.

Meroboth deed nog een stap naar voren. Snel greep Gontak een fakkel en hield die bij de deur. 'Kom niet dichterbij.'

'Al goed,' suste Meroboth.

'Je kinderen missen je, Gontak. Ze willen je graag terugzien. Ze begrijpen waarom je dit moest doen,' zei Vélar dringend. 'Ik heb een vreselijke fout gemaakt. Kun je het me ooit vergeven?'

'Vergeven?' schreeuwde Gontak. 'Ik vermoord hem! Ik vermoord hem.' Hij had het niet over Vélar, want hij zag de koning nauwelijks staan. 'Hij denkt dat ik niet weet dat mijn zoon dood is. Hij denkt dat hij me aan het lijntje kan houden. Hij heeft mijn zoon gedood. Ik zal me wreken. Ik maak hem datgene afhandig wat hij het liefste wil hebben: mijn zwaard! Mijn meesterwerk!'

'We moeten dat zwaard in handen krijgen, Vélar,' siste Meroboth. 'Dat is van levensbelang. De strijd moet gestreden worden, anders blijft de situatie zoals hij nu is.'

'Ik weet het.' Vélar deed een stap naar voren. 'Waar is het zwaard, Gontak? Ik, jouw vriend en koning, mag het toch wel een keer bekijken voor je het vernietigt?'

De meestersmid leek te aarzelen. Net als elke Dwerg liep hij graag te koop met zijn kunnen.

'Daar.' Vlug wees hij naar een hoekje van de kamer. Daar stond een oude kist. Gontak liep naar de kist en pakte er een stenen beeld uit. Het beeld stelde een zwarte panter voor. In de bek van de panter lag het zwaard, de stenen tanden eromheen geklemd.

'Wat heeft dat te betekenen?' vroeg Meroboth.

'Zwarte magie,' zei Melsaran.

Vélar liep voorzichtig naar het zwaard en draaide zich naar Gontak om. 'Kan ik het uit het beeld halen?' vroeg hij.

Gontak lachte, een kille, krankzinnige lach. 'Natuurlijk niet. Dat kan alleen de drager van dit zwaard. De uitverkorene van het Rijk der Duisternis.' Hij gniffelde. 'Maar hij zal dit wapen nooit in handen krijgen. Daar zorg ik persoonlijk voor. Ik zal mijn zoon wreken.'

'Je hebt nog andere zonen, Gontak,' zei Vélar dringend. 'En die hebben je nodig.'

'Ik ben hun tot schande. Ik ben een overloper. Ze zijn beter af zonder mij,' zei Gontak. 'Achter die muur is water, weet je. Duister water. Daar zal ik rusten. Voor altijd.'

'Je kent de voorspelling, Gontak,' probeerde Meroboth. 'We hebben dat zwaard nodig, anders zullen we Tronador nooit kunnen verslaan.'

'Verslaan, ja,' mompelde Gontak. 'Je moet hem verslaan.' Hij hield de fakkel gevaarlijk dicht bij de deur.

'Als we niet uitkijken verdrinken we hier straks allemaal,' zei Sirus.

Er drong iemand naar voren. Het was Ikor. 'Laat mij maar.'

Gontak schrok zichtbaar toen hij de Fee zag verschijnen. 'Ga weg,' gilde hij hysterisch.

'Ach, hou toch op, Gontak,' zei Ikor. 'Je hebt van mij niets te vrezen en dat weet je heel goed.'

De Dwerg stak zijn fakkel naar voren toen de Fee zich in

zijn richting begaf.'Ik snap niet hoe jij met jezelf kunt leven, monster,'schreeuwde hij hem toe.

'Dat kan ik ook niet, Gontak,' zei Ikor ijzig kalm.'Van mij mag je de vlam in de deur zetten. Het zwarte water is voor mij net zo aanlokkelijk als voor jou.'

Argwanend bekeek Gontak hem. Langzaam liet hij de fakkel zakken. De woede ebde weg van het ronde, rood aangelopen gezicht en maakte plaats voor vermoeide trekken en diepe lijnen. Hij liep naar het wapen in de bek van de stenen panter.'Dit is mijn meesterwerk. Hier heb ik mijn ziel en zaligheid in gelegd. Dit had de wereld moeten redden,' zei hij een stuk kalmer.

Meroboth kwam dichterbij.'Dat zal het ook, Gontak, in zekere zin.' Hij wenkte Cyane en vroeg om haar zwaard. Zwijgend overhandigde ze het wapen aan de oude man.

Gontak liet er zijn deskundige blik over glijden.'Het is goed geworden,'zei hij.

Naast Cyane glunderde Giffor van trots.

'Het is net zo goed geworden als jouw zwaard,'zei Meroboth.'Deze twee zwaarden zullen uiteindelijk het lot van de wereld beslissen. Jij hebt net zo goed je bijdrage geleverd aan de voorspelling als Giffor hier. Niemand weet wat de uitkomst van de strijd zal zijn.'

'Maar mijn wapen zal gedragen worden door hem. En dat kan ik niet verdragen,'zei Gontak.

'We weten niet wie jouw wapen zal dragen, Gontak. Jij ook niet,'zei Meroboth. Hij gaf het andere zwaard terug aan Cyane.

De meestersmid streelde de kop van de panter en het gevest van het zwaard. In het gevest was een houder waar ooit de zwarte diamant moest komen. Toen tilde Gontak het wapen met panter en al op en overhandigde het aan Meroboth.'Alleen de drager van het zwaard kan het wapen tussen de tanden van het dier uit halen,'zei hij.

Vélar kwam naar voren. 'Ga met ons mee, Gontak. Keer terug naar je familie. Je bent welkom in ons land.'

Gontak schudde beslist zijn hoofd. 'Nee, dat kan ik niet.'

'Toe, Gontak. Dit is niet nodig.' De stem van de koning klonk nu smekend.

'Dring niet aan, Vélar,' zei Gontak. 'Jou treft geen blaam over mijn dood of die van mijn zoon. Je bent mijn vriend. Ik heb je verraden. Ik ben nu een inwoner van het Rijk der Duisternis en met die wetenschap wil ik niet leven. Ga. Het water wacht.' De meestersmid liep langzaam achteruit naar de houten deur waarachter de druk toenam. Het hout begon te kraken. Steeds meer water sijpelde naar binnen.

'We moeten hier weg,' zei Mekaron.

Ikor nam het wapen van Meroboth over. Hij gebaarde iedereen het vertrek te verlaten. Vélar omhelsde zijn vriend, die zich dat schijnbaar onaangedaan liet welgevallen. De koning had tranen in zijn ogen. Maar wat Cyane het meest ontroerde was dat de vaak zo kribbige Giffor naar Gontak liep en een stevige hand op de schouder van zijn collega legde. 'Ik zal je werk voortzetten. Dat beloof ik. De Dwergen zullen zich de naam Gontak nog lang heugen als de beste meestersmid die de wereld gekend heeft,' zei hij. 'En vergeet niet, de grondslag van het zwaard van die meid heb jij gemaakt, niet ik. Dat kan een groot verschil maken.'

Cyane begreep niet precies wat hij met die woorden bedoelde, maar ze zag de ogen van Gontak even schitteren. Hij begreep het duidelijk wel.

De deur kraakte nu vervaarlijk. Gontak keek om. Berusting lag op zijn gezicht. Cyane slikte en liep de anderen achterna. Zwijgend begonnen ze aan de troosteloze terugtocht. Cyane keek niet om zich heen. Deze afschuwelijke kerkers wilde ze zo snel mogelijk vergeten. Het water dat het leven van Gontak zou nemen zou ook de sporen van Ikors gruwelijke verleden uitwissen. Maar de herinnering eraan zou de Fee de rest van zijn leven teisteren. Hij had Gontak begrepen. En door zijn ogen kon ook Cyane het besluit van de Dwerg accepteren.

Ze waren slechts een paar paviljoenen gevorderd toen er achter hen een geluid als van een explosie klonk. Slechts enkele seconden daarna de wanhopige doodskreet van Gontak, die al snel door bulderend water overstemd werd. Even stond iedereen als versteend.

'Rennen,' riep Sirus.

Daar was weinig aanmoediging voor nodig. Cyanes hart klopte in haar keel. De vlammen van de fakkels dansten om haar heen.

Melsaran, Meroboth en Vélar hadden moeite het tempo bij te houden. Sirus had de twee broers op sleeptouw genomen en Giffor ontfermde zich over zijn koning. Zo snel mogelijk renden ze door de donkere gewelven naar de trap.

Iets kouds kletste tegen Cyanes benen. Ze keek naar beneden en ontdekte dat ze in water liep. Met moeite onderdrukte ze een kreet. Tot haar afschuw steeg het water snel. Dit vertraagde hun vlucht. Melsaran glibberde weg op de nu natte stenen bodem en viel. Sirus trok hem meteen overeind en sleepte hem mee.

Opeens realiseerde Cyane zich dat ze geen keus had. Ze greep haar zwaard en draaide zich om. Alleen zij kon het water stoppen.

Melsaran keek haar aan. 'Nee, doe dat niet,' riep hij vastbesloten. 'Dit meer is vergeven van de zwarte magie. Het zal je te veel krachten kosten.'

'Maar we verdrinken!' riep Cyane terug.

'Ik was anders niet van plan te verdrinken,' zei Melsaran.

Ze liet haar zwaard zakken. Ondanks hun benarde positie durfde ze niet in te gaan tegen de Tovenaar van Goed en Kwaad.

Het water stond inmiddels tot hun knieën. Moeizaam waadden ze verder. Cyane keek bezorgd om naar de twee Dwergen. Voor hen reikte het water nog hoger. Giffor had moeite Vélar mee te slepen. Mekaron waadde naar hem toe en gebood de Dwergenkoning op zijn rug te klimmen. Maar ook voor Giffor werd het nu moeilijk. Het water steeg snel en stond bij de anderen tot hun middel. Bij Giffor kwam het water al tot zijn schouders. Ikor en Iss konden hem niet helpen, want die hadden hun handen vol aan het zoeken van de weg en het dragen van het wapen dat door Gontak vervaardigd was. Cyane had erg met de ploeterende Dwerg te doen. Ergens in zijn opvliegende karakter zat ook iets goeds. Hoewel hij haar nauwelijks kon verdragen en ze volgens hem altijd alles fout deed, mocht ze hem ergens wel. Ze waadde naar hem toe. 'Klim op mijn rug,' zei ze.

'Maar jij bent een meid,' proestte Giffor.

'Ben je daar nu pas achter?' vroeg Cyane met een wrange glimlach. 'Kom op, schiet op.'

'Ik kan niet zwemmen,' piepte Giffor opeens angstig.

'Houd je dan maar goed vast,' zei Cyane.

Hij aarzelde niet meer en klom op haar rug. De extra last drukte zwaar op haar. Ze beet op haar lip en waadde door. Verontrust keek ze toe hoe het waterpeil steeds sneller steeg. Waar was die trap? Moeizaam ploeterde iedereen verder. De zware kleding van Meroboth en Melsaran belemmerde hen in hun voortgang. Sirus had grote moeite het tempo constant te houden. Het water kwam nu bijna tot de schouders van de Nudoor.

Cyane hijgde, meer van angst dan van inspanning. Ze zouden verdrinken in de gewelven. Koele, verlammende

golven stroomden om haar nek. Vechtend tegen de opko-
mende paniek en de bevriezende angst zag ze het plafond
boven zich en voelde ze hoe het gewicht van Giffor haar
naar beneden trok. Heel even, in een flits, wilde ze hem van
zich af gooien. Zonder hem had ze meer kans. Maar ze wist
zich in te houden.

Ze sputterde heftig toen het water tot haar mond kwam.
Het kon toch niet ver meer zijn. Wanhopig ploeterde ze
door. Ook bij de anderen begon hoop plaats te maken voor
angst.

'Melsaran,' begon Mekaron, maar op dat moment klonk
de stem van Ikor: 'We zijn er.'

Iedereen waadde snel in de richting van de stem van de
Fee. Hij stond wat hoger, op de eerste trede. Zijn fakkel
hield hij omhoog om hun de weg te wijzen. Hij drukte Iss
het wapen in handen en beval hem alvast naar boven te
klimmen. Zelf gleed hij het water weer in. Een voor een trok
hij de anderen naar de trap. Eerst Meroboth en Melsaran en
daarna de twee Dwergen. Mekaron en Sirus volgden, zodat
alleen Ikor en Cyane nog in het water zwommen. Cyane
kon nu de bodem niet meer raken zonder kopje onder te
gaan.

Ikor zwom naar de trap en trok haar aan haar hand omhoog tot ze naast hem op de trede stond. In plaats van haar
los te laten, draaide hij zich om en keek toe hoe het water
steeds verder omhoog kwam. Ze voelde de warme druk van
zijn hand om de hare. Ze staarde naar zijn strakke gezicht.
Ondanks de afschuw die ze de afgelopen tijd voor hem had
gevoeld had ze nu niet de neiging zich los te rukken. Hoewel ze niet precies onder woorden kon brengen wat er door
Ikor heen moest gaan, kon ze er wel naar raden. Ook zonder dat het haar verteld was wist ze wat zich hier in de kerkers had afgespeeld. Het water zou al zijn zonden bedek-

ken, maar het kon het geweten van Geronimo niet bereiken.

Ten slotte zei Ikor: 'We moeten gaan.'

Cyane knikte en begon aan de klim.

Ikor keek nog een keer om en kwam haar toen achterna.

Vier

Het was een uitgeput groepje dat hen boven op-
wachtte. Water droop van iedereen af. Cyane rilde in
de kou die de eeuwige schemer met zich meebracht. Ze
waren op het nippertje ontsnapt en dat realiseerden ze zich
terdege. Was de trap iets verder weg geweest dan waren ze
allemaal verdronken.

Melsaran, Meroboth en Vélar zaten op de rotsen uit te
hijgen. De anderen bogen zich over het wapen dat Gontak
had gemaakt. Pas nu zag Cyane het zwaard echt. Het was
het toonbeeld van eenvoud, op de rijkversierde stenen panter na.

Sirus rukte aan de houder, maar het zwaard gaf geen
centimeter mee.

'Nou, in ieder geval weten we nu zeker dat jij niet de drager bent,' zei Mekaron droog.

'Misschien is het Adanar wel,' opperde Vélar.

Verschrikt keek Cyane hem aan. Het idee alleen tegenover de gevaarlijke Fee te komen staan, beangstigde haar.

'Het kan iemand zijn die we niet kennen,' bedacht Meroboth. 'Tenslotte was Cyane ook een onbetekenend meisje.'

'Daar zou je weleens gelijk in kunnen hebben,' meende
Melsaran.

'Het is in ieder geval van levensbelang dat we hem of haar snel vinden,' zei Meroboth.

'Waarom?' vroeg Cyane.

'Omdat als het Adanar niet lukt de vijfkleurige diamant te vinden, er nog een mogelijkheid is voor hem om deze strijd te winnen.' Melsaran wrong zijn mantel uit. Somber keek hij naar de plas water die zich voor hem vormde.

'Hoe dan?'

'Door te zorgen dat de strijd niet gestreden wordt, waardoor alles bij het oude blijft,' antwoordde Meroboth voor zijn broer.

'Adanar zou een van de zwaarddragers kunnen doden. Jij bent te goed beschermd, dus...' Melsaran haalde zijn schouders op en sloeg de kletsnatte mantel weer om zich heen.

Cyanes ogen schoten van de ene magiër naar de andere. Ze had zich nooit gerealiseerd dat dit ook nog een mogelijkheid was.

'Maar weet Adanar dan wie de drager is?' vroeg ze verbaasd.

'Misschien niet, maar ik denk dat Adanar in al zijn krankzinnigheid gaat voor de strijd, zodat hij meer macht krijgt dan hij nu heeft. Dat is het enige waaraan hij nog kan denken,' zei Meroboth.

'Wie zou mijn tegenstander zijn?' vroeg Cyane zich hardop af.

'We komen er in ieder geval niet achter door naar het zwaard te gaan zitten staren,' meende Sirus.

'Nee, laten we maar gaan. Ik wil dit zo snel mogelijk vergeten,' zei Meroboth huiverend.

Iss wilde het wapen weer oppakken, maar Giffor was hem voor.

'Ik wil het dragen,' zei de Dwerg beslist.

Langs de vloedlijn van het Meer van Tagalet liepen ze zwijgend terug naar Ikors paleis.

Cyane keek met een triest gevoel naar het zwarte water. Ver in de diepte ruste Gontak, eindelijk verlost van de last die hij zo lang mee had moeten dragen. Hij had alleen zijn zoon maar willen redden. Hij had geen enkele keus gehad. Elke vader had hetzelfde gedaan. Lijdend onder dat grote verdriet had hij het wapen van haar tegenstander geschapen. Eenvoudig en doeltreffend met die ene houder voor de zwarte diamant. Om er zeker van te zijn dat verder niemand het kon gebruiken had hij het geplaatst in de bek van de stenen panter.

Ze peinsde over wie haar tegenstander zou zijn. Het was vast iemand die verbonden was met het Rijk der Duisternis, maar het hoefde niet noodzakelijk een van de vooraanstaande inwoners te zijn.

Misschien was het Tronador zelf. Hoewel... Dan was het logischer geweest als een van zijn broers de andere uitverkorene was. Dan was er nog Adanar. Het was niet erg waarschijnlijk, maar je wist het nooit. Cyane bad met heel haar hart dat hij het niet was. Tegen hem maakte ze geen kans. Zijn magische krachten waren te sterk. Hoeveel ze ook nog zou leren, ze zou niet tegen hem op kunnen.

Ze rilde. Echt veel tijd had ze nog niet besteed aan de magie van het zwaard. Vanaf nu zou dat veranderen. Elke vrije minuut moest ze gaan oefenen. De eindstrijd kwam dichterbij. De legers verzamelden zich en de spanning steeg. Het zou van haar afhangen. Van haar alleen. Die gedachte alleen al zorgde voor een golf van paniek.

Zwijgend liep de groep de binnenplaats van Ikors paleis op. Sindra, Gondolin en Tiron kwamen hen tegemoet.

'Waar hebben jullie gezeten?' vroeg Sindra met een bezorgde blik op haar man.

'Vlakbij,' zei Mekaron geheel naar waarheid.

'Kom mee.' Gondolin leidde hen naar de zitkamer in het hoofdgebouw waar een behaaglijk vuur brandde. Uitgeput nestelden ze zich in stoelen rond de haard.

'En wat is dat?' vroeg Tiron scherp. Hij wees naar het wapen dat Giffor nog steeds tegen zich aan geklemd hield. Cyane schrok van zijn stem.

'Dat is het wapen van de uitverkorene van het Rijk,' zei Meroboth rustig. 'Kalmeer wat, jongen.'

'Het is een ingenieus systeem,' zei Sirus om hem af te leiden. 'Alleen Cyanes tegenstander kan dit wapen tussen de tanden van de panter vandaan halen. Ik ben het niet, want ik heb het al geprobeerd. Wil jij ook een kansje wagen?'

Het was bedoeld als grap, maar tot haar verbazing zag Cyane Tiron wit wegtrekken.

'Nee, dat wil ik niet,' beet hij Sirus toe.

'Wat is er met jou aan de hand?' vroeg Sirus geërgerd. Dankbaar nam hij de warme drank aan waarmee Sindra en Gondolin ondertussen rondgingen.

'Terwijl jullie gezellig met elkaar op avontuur gingen, kwam een van de bedienden van die verdomde Fee hier naar mij toe met het bericht dat Adanar onderweg is.' Tiron knikte hooghartig naar Ikor, die tegen de vensterbank geleund stond. Zijn stem droop van ingehouden woede.

Cyane stond op en liep naar hem toe. 'Toe nou, Tiron, houd toch op,' smeekte ze.

'Vertrouwen jullie me niet meer?' Tiron keek haar aan met een blik die recht door haar ziel sneed. Plotseling zag hij er eenzaam en verlaten uit. 'Niemand heeft mij meegevraagd.'

'Ik...' begon Cyane.

'Dat is mijn schuld,' kwam Mekaron tussenbeiden. 'Ik wilde je niet mee hebben.'

'Meroboth is mijn vriend. Ik heb hem al die jaren geholpen en nu heb ik opeens afgedaan?' Tirons stem klonk verbitterd.

Mekaron trok zich er weinig van aan.'Ikor is mijn vriend,' zei hij kalm.'Ik sta niet toe dat jij hem als oud vuil behandelt. Pas als je denkt weer enig respect voor hem te kunnen opbrengen, zal ik jou dulden. Ben ik duidelijk?'

'Wie denk je wel dat je bent?' siste Tiron woedend. 'Je kunt me het gezelschap van die moordenaar niet opdringen.'

'Tiron!' Cyane trok hem aan zijn arm. Hij rukte zich los.

'Laat maar, Cyane,' zei Mekaron nog steeds kalm.'Je hebt gelijk, Tiron. Ik kan je Ikor niet opdringen. Net zomin kun jij jezelf aan mij opdringen. Je hebt een aantal trekjes dat me op een pijnlijke manier aan iemand herinnert en dat staat me niet aan.'

Bij deze woorden trok Tiron lijkbleek weg. Hij draaide zich om en rende de kamer uit.

Cyane keek verschrikt naar het grimmige gezicht van Mekaron. Wat had de watermagiër met deze woorden bedoeld?

'Ik weet niet wat die knaap de laatste tijd bezielt,' zei Meroboth.

Cyane slenterde terug naar de haard. Meroboth legde even zijn hand op haar schouder. Ze merkte het nauwelijks. Ze hield van Tiron, maar ze werd bang als ze aan de toekomst dacht. Meer en meer had ze het gevoel dat het niet meer goed zou komen tussen hen. Welk geheim droeg Tiron toch met zich mee? Mekaron had er op zijn minst een vermoeden van. Het was duidelijk dat hij Tiron niet mocht, en dat had niet alleen te maken met zijn gedrag tegenover Ikor.

'We moeten hier weg, Meroboth,' zei Sirus. 'Als Adanar

erachter komt dat wij het wapen hebben, vermoordt hij ons allemaal.'

'Dat is hij sowieso al van plan,' zei Mekaron zwartgallig.

'We moeten de drager van dat zwaard vinden en wel zo snel mogelijk,' zei Meroboth. 'Ik geloof niet dat Adanar weet wie het is, anders zou hij nu geen jacht op ons maken.'

'Dan zijn er nog maar twee personen die het wel zouden kunnen weten,' meende Melsaran.

'Tronador lijkt van de aardbodem verdwenen, dus blijft alleen Elenia nog over,' vulde Meroboth aan. 'Tijd voor een bezoekje aan onze geliefde koningin. Het spijt me, Ikor.'

De Fee haalde zijn schouders op.

'Eh, begrijp ik dat goed?' vroeg Sirus. 'Je wilt naar Néfer à Tagalet?'

'Daar woont Elenia.' Meroboth hield zich opzettelijk van de domme.

'Ja, en honderdduizenden andere inwoners van het Rijk,' zei Sirus.

'Precies. Veiligheid in veelheid. Ikor weet vast nog wel een adresje voor ons.' Meroboth glimlachte zelfverzekerd.

'Allemachtig. Hij meent het nog ook.' Sirus gooide zijn handen in een wanhoopsgebaar in de lucht en schudde zijn hoofd.

Vélar kondigde aan dat hij terugging naar zijn leger aan de overkant van de Zwarte Rivier, omdat hij niets meer voor hen kon doen. Ze namen hartelijk afscheid van de koning.

Melsaran meende dat het veiliger was zo snel mogelijk te vertrekken en iedereen ging zijns weegs om zijn spullen te pakken. Cyane ging Sindra en Gondolin achterna. Vermoeid zocht ze alles bij elkaar en wachtte tot de twee vrouwen ook klaar waren. Tiron bleef maar door haar hoofd spoken en de woorden van Mekaron lieten haar niet meer los. De scherpzinnigheid van de watermagiër maakte haar ongerust. Hij vermoedde iets. Ze maakte zich ook zorgen om de nabije toekomst. Ikors onverschillige reactie toen hij hoorde dat ze naar Elenia zouden gaan, was iets te gemakkelijk gekomen. Hoeveel personen wisten van het grote portret van de Feeënkoningin dat in een van de kamers van het hoofdgebouw hing? Het schilderij dat met veel liefde door Fabian was gemaakt. Maar het had zijn plaats gevonden in het paleis van Ikor, die er juist alles aan deed om het leven van Geronimo te vergeten. Elenia was een onderdeel van het leven van de Feeënkoning en niet van dat van Tronadors meesterspion. Of toch wel?

'Ben je klaar, meisje?' Gondolin kwam naar haar toe met Sindra. Ze liepen naar de binnenplaats waar Giffor de paarden en Miran al had opgezadeld. Iemand had ook Tiron gewaarschuwd.

Ikor was de laatste die naar buiten kwam. Hij zag er moe en bleek uit. Zwijgend beklom hij zijn zwarte paard. Nog één keer keek hij naar het hoofdgebouw. Alsof hij afscheid nam van alle herinneringen die daar lagen. Cyane rilde en hoopte dat ze zich dat inbeeldde. Toen wendden ze de paarden en in galop schoten ze door de poort, het schemerige landschap in.

Elenia

Vijf

Met een ijzingwekkende kreet viel de man van de muur af. Slechts enkele seconden later klonk er een doffe plof. Even was het doodstil. Toen zei een stem: 'Zo, daar zullen we geen last meer van hebben.'

Cyane keek over de rand naar het levenloze lichaam beneden haar. Het glimmende uniform van de wachter schitterde in het maanlicht. Ze rilde. Hier zou ze nooit aan wennen.

'Maar waar is nu die Fee?' Sirus kwam naast haar staan en tuurde naar de donkere bossen voor hen.

'Hij had er al moeten zijn,' zei Iss, die ook op de muur verscheen.

Cyane knikte en speurde de omgeving af naar een teken van leven van Ikor. Drie dagen waren ze nu in Néfer à Tagalet. Ze logeerden in een huis van Ikor. Het had enige moeite gekost de gezochte magiërs veilig naar binnen te smokkelen, maar het grootste probleem vormde uiteraard Ikor, die waarschijnlijk door iedereen herkend zou worden. Hij had besloten zich van de groep af te zonderen en 's nachts de muur over te klimmen. Het was zijn enige optie. Het hield in dat hij nu al twee nachten alleen in de wouden ten noorden van de stad had doorgebracht. Cyane maakte zich zorgen om het lot van de Fee. Daarom was ze deze avond met Sirus en Iss meegegaan naar de plaats waar ze met Ikor hadden afgesproken. Hij was echter nergens te bekennen.

Ze was er niet gerust op. Néfer à Tagalet leek in niets op die andere stad in het Rijk, het vervallen Néfer à Tang. De rijkdom en de kracht straalden af van elk gebouw in de stad. Het was voor de architectuurliefhebber een lust voor het oog. Zelfs Sirus had schoorvoetend moeten toegeven dat dit niet onderdeed voor de rijke cultuur van Nudor.

Hier leefden geen angstige en bevreesde mensen, maar gemotiveerde, strijdbare Feeën die hun koningin op handen droegen. Hier werd duidelijk waarom het Rijk der Duisternis zo'n machtige positie had weten te veroveren. De stad werd goed beveiligd door het indrukwekkende leger van Elenia, waarvan nu één lid dood onder aan de muur lag.

'Ik zie niets,' zei Sirus.

'Er klopt iets niet,' zei Iss. Bezorgdheid stond in zijn ogen.

'Ik heb een touw bij me. Een van ons kan beneden gaan kijken,' stelde Sirus voor.

'Ik ga wel,' zei Cyane onmiddellijk. 'Er is hier niets om het touw aan vast te binden en ik ben licht.' Ze wist eigenlijk zelf niet wat haar bezielde. Verstandelijk kon het haar nog steeds niets schelen wat er met Ikor gebeurde. Bovendien was het haar pijnlijk duidelijk geworden dat hij uitstekend voor zichzelf kon zorgen. Gevoelsmatig lag het echter anders. Ikor had er vermoeid uitgezien bij het vertrek uit zijn paleis. Nog vaak dacht ze terug aan zijn blik in die afschuwelijke kerkers van hem. Het was de blik van een man die worstelde met zijn geweten, de blik van Feeënkoning Geronimo.

Sirus keek bedenkelijk bij het door haar geopperde plan, maar toen Iss geen bewaar maakte, stemde hij toe. Ze lieten het touw vallen, en Cyane klom naar beneden terwijl de twee mannen het stevig vasthielden. Even later stond ze aan de voet van de muur. Ze zwaaide omhoog ten teken dat alles goed was en sloop weg van de stad.

Hier aan de noordelijke grens lagen bossen die zich uitstrekten tot de Zwarte Rivier. Daarachter lag het gebergte van Orgor. Het was koud in deze regionen omdat de zon hier nooit opkwam. Daglicht bestond uit een schemerig schijnsel waardoor de lucht kil aanvoelde.

Het enige verschil met de nacht was dat je overdag iets meer zag, bedacht Cyane chagrijnig terwijl ze het bos in liep. Het was stil hier. Ze had geen idee waar ze moest zoeken. Op de tast liep ze verder. De onzekerheid en de onrust sloegen toe. Ikor kon overal zijn. Misschien was de sterke Fee eindelijk gebroken en was hij het Meer van Tagalet in gelopen. Misschien was hij gevlucht voor zijn eigen wandaden; kon hij zijn voormalige onderdanen in de stad niet meer onder ogen komen.

Ze rilde. Vreemd genoeg moest ze er niet aan denken Ikor nooit meer te zien. Ze hadden hem nodig. Ze moest hem vinden.

Een vreemd geluid in de verte trok haar aandacht. Het leek op wapengekletter. Zo snel als de duisternis het toeliet, liep ze in de richting van het geluid. Tussen de bomen zag ze drie schimmen bewegen. Ze waren in gevecht. Ze sloop dichterbij.

Twee van de vechters waren wachters in het zilveren uniform van Néfer à Tagalet. De derde was Ikor. Hij had moeite zich staande houden tegen de twee duidelijk bedreven mannen. Cyane aarzelde geen moment, trok haar zwaard en rende naar voren. Doelbewust begon ze op de twee wachters in te hakken. Ikor leek hierdoor hernieuwde krachten te krijgen en behendig sloeg hij een aanval van een van de wachters af. Alsof ze al jaren op elkaar waren ingespeeld gingen ze de twee mannen te lijf.

Cyane begon zich steeds zelfverzekerder te voelen met haar wapen. Sirus had haar diverse slagen geleerd en ze aarzelde niet deze nu toe te passen. Uiteraard was Ikor ook een meester in het gevecht en even later waren de wachters uitgeschakeld.

'Dat was geen moment te vroeg.' Ikor keek haar met een onbestemde blik aan en stopte zijn zwaard terug in de schede.

'Wat is er gebeurd?' vroeg Cyane. Als een volleerd strijdster veegde ze haar wapen schoon aan het gras.

'Blijkbaar had Adanar zijn voorzorgsmaatregelen genomen en extra wachten uitgezet,' zei Ikor. 'Dat had ik kunnen weten.'

Ze voelde instinctief de onderliggende betekenis van zijn laatste woorden. 'Wist je het ook?' vroeg ze zacht.

'Misschien.' Ikor wierp nog een laatste blik op de wachters en vertrok in de richting van de stad.

Cyane volgde hem. Enkele minuten liepen ze zwijgend naast elkaar.

'Vreemd dat juist jij me kwam zoeken,' zei Ikor opeens. 'Ik dacht dat jij het niet erg had gevonden als ik door dit tweetal gedood was.'

'Dat dacht ik eerst ook,' gaf Cyane toe. Ze schaamde zich niet voor haar woorden. Ze vond dat ze nog steeds het recht had hem te haten.

'Dat kan ik je nauwelijks kwalijk nemen.' Even aarzelde hij. Toen zei hij als uit het niets: 'Ik kon nog leven met het feit dat Fabian mij aan Adanar verraden heeft.'

Ze keek verbaasd op.

'Maar ik kon het niet verdragen dat hij Elenia...' Ikors stem stierf weg.

Cyane keek naar het gezicht van de Fee en hapte naar adem. Dit was een ander gezicht. De hardheid was verdwenen en had plaatsgemaakt voor diepe lijnen van verdriet en pijn. 'Geronimo,' fluisterde ze. In een opwelling greep ze zijn hand.

Verrast keek hij haar aan.

De tranen sprongen haar in de ogen. De Feeënkoning was niet verzwolgen door Ikors genadeloze karakter. Hij was op dit moment, hier in het bos, bij haar. Een grote opluchting maakte zich van haar meester. Geronimo was er nog.

Maar de zorgelijke koning deelde haar vreugde niet. 'Ik moet je iets bekennen, Cyane,' zei hij ernstig en alsof hij nooit weg was geweest. Hij trok haar mee naar een omgevallen boom en ging op de stam zitten.

Cyane volgde zijn voorbeeld. 'Wat?' vroeg ze.

'Ikor heeft Fabian niet gedood, ik heb het gedaan,' zei Geronimo.

Haar mond viel open en ze staarde hem aan. Ze begreep niet wat hij bedoelde.

'Je moet één ding goed begrijpen, Cyane,' probeerde Geronimo uit te leggen. 'Ikor is efficiënt en berekenend. Hij doodt uitsluitend om te overleven. Hij heeft geen gevoelens voor zijn slachtoffers. Als hij moet kiezen tussen zichzelf of zijn tegenstander dan kiest hij voor zichzelf. Ikor heeft nog nooit iemand uit haat of passie gedood. Ik wel, Cyane. Ik heb dat wel gedaan.'

Cyane wist niet wat ze daarop moest zeggen. Ze had het verschil tussen Ikor en Geronimo nooit goed kunnen begrijpen. Ze vond zijn verhaal verwarrend. Geronimo had Ikor geschapen. Ikor was het masker waarachter Geronimo zich verborg. Ikor, de gewetenloze, had de taak volbracht die Geronimo nooit had kunnen volbrengen. Was Geronimo dan niet verantwoordelijk voor de daden van Ikor? Uiteindelijk waren Ikor en Geronimo één.

Geronimo glimlachte zuur. 'Ik begrijp je verwarring, Cyane,' zei hij. Hij slaakte een diepe zucht. 'Je hebt er geen idee van hoe makkelijk het is je te verschuilen achter een man zonder geweten,' vervolgde hij triest. 'Ik had deze taak nooit kunnen volbrengen. Ikor is er de juiste persoon voor. Maar ík was getrouwd met Elenia en niet Ikor. Ik werd bedrogen door de vrouw van wie ik meer hield dan van het leven zelf. Ik moest toezien hoe ze eerst Fabian strikte en later Tronador. Ik, Cyane, en niet Ikor. Ik haatte Fabian. Niet omdat hij Ikor verraadde aan Adanar, maar omdat hij mij bedroog met mijn vrouw.'

Cyane liet de woorden bezinken en dacht terug aan die afschuwelijke dag in de bergen bij het paleis van Adanar. Heel langzaam drong de waarheid tot haar door. 'Maar...' begon ze moeizaam, 'het was Ikor die hem doodde.' Angstig keek ze Geronimo aan. Ze wist al wat er ging komen voor hij ook maar iets gezegd had.

'Nee, ik gebruikte Ikor om Fabian te vermoorden,' zei Geronimo zacht. 'Ik dacht dat het minder erg zou zijn als Ikor het deed. Hij doodt immers om te overleven en anders niet. Het is niets persoonlijks. Maar het is een leugen, Cyane. Het was inderdaad niet nodig geweest. Fabian had geen informatie meer die Ikor nog kon schaden.'

Cyane trok lijkbleek weg en vol afschuw staarde ze naar de Feeënkoning van wie ze had gedacht dat hij voorgoed was verdwenen. Ze dacht aan het moment waarop ze op Melsarans verzoek vrede had gesloten met Ikor.

'Ik had geen keus,' had hij gezegd.

Ze had toen gedacht dat hij bedoelde dat Fabian hem anders had verraden. Ze wist nu dat het niet zo was. Ikor had geen keus gehad, want Geronimo had hem gedwongen.

Woorden lagen op haar lippen, woorden die ze niet durfde te uiten maar die ze toch moest zeggen. Ze stond op en keek Geronimo lang aan. Moeizaam vormden haar mond de kille zin.'Dat maakt jou een gruwelijker moordenaar dan Ikor ooit geweest is,' zei ze.

Geronimo stond ook op. Zijn gezicht vertrok maar heel even.'Dat weet ik, Cyane. Dat weet ik maar al te goed.'

Ze liep met grote passen van Geronimo weg. Ze wilde niet langer in zijn buurt zijn. Hij had Fabian willens en wetens vermoord en de schuld bij Ikor gelegd. Onder het lopen greep ze wanhopig naar haar hoofd. Maar Ikor was Geronimo, Geronimo was Ikor. Of was er werkelijk een verschil tussen hen? Waren er inmiddels twee persoonlijkheden ontstaan in één lichaam?

Iemand greep haar stevig bij de arm om haar tegen te houden.'Er lopen hier nog meer wachters rond,' beet Ikor haar toe. Ze draaide zich naar hem om. Geronimo was weg. Ze zag het meteen. Ze rilde en knikte willoos.

'Wees voorzichtig dan,' zei hij kort maar niet onvriendelijk.

Ze rukte zich los en liep verder.

Zes

De muur van de stad dook als een gigantische zwarte gedaante voor Cyane op. Ze speurde de contouren af op zoek naar Iss en Sirus.

Ikor kwam naast haar staan. 'Het lijkt erop dat ze voortijdig zijn vertrokken,' zei hij.

Cyane kon niet anders dan constateren dat hij gelijk had. Iss en Sirus waren weg. Hoe kwamen ze nu de stad in?

'Wacht maar tot het licht is en ga dan via de poort,' zei Ikor. 'Ik vind wel een andere manier.'

Ze wilde daartegen protesteren toen een heldere vrouwenstem achter hen zei: 'Ach, nog steeds je eigen opofferende zelf, nietwaar Geronimo? Of moet ik Ikor zeggen?'

Als door een adder gebeten draaide de Fee zich om. Cyane volgde zijn voorbeeld en keek in het gezicht van de vrouw wiens portret in Ikors paleis had gehangen. In het echt was Elenia, koningin der Feeën, nog veel mooier. Ze zat statig en kaarsrecht in zijdelingse zit op de rug van een paard. Haar lange blonde haren hadden bijna dezelfde kleur als de gouden ringen om haar vingers. Haar gezicht was ivoorwit waardoor de zwarte ogen extra opvielen. Ze had smalle lippen en een fijne neus. Ze droeg een purperen kleed afgezet met goudbrokaat.

Cyane moest diep in haar hart toegeven dat zelfs een schoonheid als Gondolin in de schaduw van deze koningin stond. De vrouw was omringd door een tiental soldaten, die wachtten op een commando van haar. Het waren allemaal Feeën.

Ikor stond als versteend. Zijn gezicht leek bijna van marmer in het vale maanlicht dat toegang had tot deze kleine open plek tussen het bos en de muur van de stad. Hij deed geen moeite de vraag van Elenia te beantwoorden.

Vanuit de hoogte keek ze minachtend op hem neer. 'Je bent niets veranderd.'

Cyane kon bij deze woorden nauwelijks een cynisch lachje onderdrukken. Geronimo, de vredelievende natuurliefhebber, was getransformeerd in de kille moordenaar Ikor. Dat was iets wat Elenia voor het gemak over het hoofd zag.

Elenia wierp een scherpe blik op haar. 'Jij moet Cyane zijn,' concludeerde ze koel.

Vreemd genoeg was Cyane niet bang, eerder heel erg kwaad. Instinctief wist ze dat er niet veel goeds stak in het karakter van de koningin. Dit was een vrouw die gewend was ten koste van alles haar zin te krijgen. Ze was door en door verwend en dacht dat de wereld uitsluitend om haar draaide. Helaas had haar omgeving nooit veel moeite gedaan haar van dat idee af te brengen.

'Die Nudoor en dat gruwelijke monster hoorden zeker ook bij jou?' informeerde Elenia koeltjes.

Alleen Cyane zag de flits van woede in de ogen van Ikor. Hij zweeg echter nog steeds.

'Geronimo was spraakzamer,' zei Elenia.

'Maar ik ben Geronimo niet,' beet Ikor haar plotseling toe.

De woorden verrasten Cyane. Ze had Ikor nog nooit zo

duidelijk zijn eigen identiteit horen uiten. De dreiging in zijn stem was onmiskenbaar. Misschien had Elenia van Geronimo niets te vrezen. Van Ikor had ze dat des te meer. De koningin leek het te beseffen. Ze wenkte haar soldaten, die zich onmiddellijk op hen stortten. Ze grepen de wapens die Cyane en Ikor bij zich droegen. Wanhopig probeerde Cyane haar zwaard te behouden, maar een Fee rukte het uit haar handen. Elenia's ogen schitterden. 'Nee maar, de groene en de blauwe diamant. Wat een geluk,' lispelde ze.

Cyane worstelde in de greep van een tweetal soldaten. 'Kreng,' schreeuwde ze woest. 'Dat is van mij.'

'Houd je mond, Cyane,' snauwde Ikor.

Ze klapte meteen haar kaken op elkaar. Hij had gelijk. Het had geen zin zich aan te stellen als een klein kind.

De soldaten sleurden hen mee naar een van de stadspoorten. Ze gingen niet bepaald zachtzinnig te werk. Vooral Ikor had het zwaar te verduren. Hij werd regelmatig geslagen als hij niet hard genoeg liep. Om de lippen van de koningin speelde een sadistisch lachje terwijl ze toekeek hoe Ikor weer struikelde toen een van de Feeën hem ruw voor zich uit duwde.

Cyane kookte van woede, maar kon niets anders doen dan machteloos toezien. Ikor zelf gaf blijk van een ijzeren zelfbeheersing. Ze kon hem er alleen maar om bewonderen. Dit moest afschuwelijk voor hem zijn, maar hij liet niets merken. Zelfs de soldaten die haar meesleurden hadden meer oog voor Ikor dan voor haar. Het was duidelijk dat ze hem als een belangrijke prooi beschouwden.

Triomfantelijk begaf de stoet zich door de poort in de straten van Néfer à Tagalet. Het duister maakte plaats voor het schemerige licht dat hier doorging voor daglicht. Verschillende inwoners van de stad waren naar buiten gekomen om de nieuwste slachtoffers van hun koningin te bekijken.

Cyane voelde zich vernederd en kwaad onder de honende blikken van het volk. Overal zag ze spottende, hatelijke gezichten. Ze realiseerde zich in wiens handen ze gevallen waren en langzaam maakte haar woede plaats voor angst. Het was een kwestie van tijd voordat Elenia hen zou uitleveren aan Adanar. Hij zou niet aarzelen hen te doden. Dit lachende en spottende volk zou dan met veel plezier toekijken.

Ze rilde en spiedde wanhopig om zich heen naar iets of iemand die hun hulp kon bieden. Haar blik gleed langs honderden gezichten, verwrongen en allemaal hetzelfde in haar overspannen verbeelding.

Toen zag ze hem.

Het leek wel of haar ogen werden toegezogen naar een man die vlakbij stond. Hij was gekleed in het zwart. Zijn groene ogen boorden zich slechts een fractie van een seconde in die van haar voor hij zich omdraaide en snel en soepel in de toegestroomde menigte verdween. Cyane hapte naar adem en probeerde de man weer in het vizier te krijgen. Ze kon hem niet meer ontdekken. Heel even vlamde de hoop in haar op. Ze kende die man. Ze wist het zeker. Het was Scar, de mysterieuze inwoner van het Rijk, die het paleis van Adanar in lichterlaaie had gezet en haar naar Melsaran had gebracht. Had hij haar herkend?

De twijfel sloeg toe. Scar was het misschien wel eens met haar aanhouding. Misschien had hij ingezien dat ze een gevaar vormde. Maar waarom had hij haar destijds dan geholpen? En hoe had hij geweten wie ze was?

Cyane strompelde verder naar Elenia's paleis in het midden van de stad. Het paleis was uit marmer opgetrokken en oogde strak. Ikor en Cyane werden ruw door de weelderige gouden poorten naar binnen geduwd. Over een grote binnenplaats bereikten ze een aantal getraliede ramen en een kleine houten deur die een schril contrast vormde met de toegangspoorten. De deur werd opengegooid en ze werden hardhandig een gang in gewerkt om uiteindelijk een cel in geduwd te worden.

'Cyane!'

Ze keek verrast op. Ze waren in een grote ruimte waar twee ramen met tralies uitzicht gaven op de binnenplaats van het marmeren paleis. Op de vloer lag alleen stro en het was er koud, maar ze voelde zich opgelucht toen ze zag dat Sirus en Iss hier ook waren.

De Nudoor kwam snel naar haar toe en omhelsde haar. 'Ik was bang dat ze je wat had aangedaan,' zei hij.

Cyane schudde haar hoofd en keek bezorgd achterom.

Ikor leunde tegen de muur. Hij weerde Iss' hulp af.

'Je hebt hem gevonden,' concludeerde Sirus.

Ze knikte en vertelde kort wat er gebeurd was.

'Wij werden overvallen door een groepje soldaten. Ze waren met z'n vijven. We hadden niet veel kans, al wist Iss er eentje uit te schakelen,' vertelde Sirus vervolgens. Hij trok haar mee naar een hoekje en fluisterde: 'Ik maak me zorgen, Cyane. Ze reageerden veel te heftig op Iss.'

'Wat bedoel je?' vroeg ze.

'Dat hele Feeën- en Dryadengedoe,' fluisterde Sirus. 'Ze leken hem te haten.'

'Dat gold ook voor Ikor. Al zal dat wel een andere reden hebben,' veronderstelde Cyane.

'Nou ja, als we niet terugkomen zal de rest ons wel gaan zoeken,' meende Sirus optimistisch.

Ze knikte vaag en vroeg zich af of ze hem over Scar moest vertellen. Voordat ze daarover een besluit had kunnen nemen, ging de deur van de cel open. Elenia stapte binnen, aan beide zijden geflankeerd door een wachter. Ze wierp een korte blik op Ikor, die het dichtst bij haar stond, nog steeds leunend tegen de muur. 'Ik wil het beest,' zei ze kil. Met een slanke hand wees ze naar Iss.

Cyane haatte haar. Deze vrouw genoot ten koste van anderen. Ze was sadistisch en ongevoelig. Cyane had plotseling een helder beeld van wat er in het verleden was gebeurd. Via Geronimo was Elenia opgeklommen tot koningin. Met de hulp van Fabian en later Tronador had ze zich een machtige positie in het Rijk weten te veroveren. Het deerde haar niet dat er door haar toedoen levens vernietigd waren.

De wachters liepen naar Iss en grepen hem vast. De mismaakte veerman bood geen verzet. Zijn gezicht, dat niet langer bedekt was, stond strak. Zijn ogen toonden geen enkele emotie.

Vanuit haar ooghoeken zag Cyane Ikor overeind komen. Slechts even had ze nodig om zijn plan te doorzien. Hij stond vlak bij de nu onbewaakte koningin, die in haar zelfvoldaanheid een groot risico had genomen. Met hernieuwde krachten greep hij Elenia ruw bij de pols en trok haar met haar rug tegen zich aan. Zijn andere arm legde hij zonder aarzelen om haar hals. 'Laat hem los,' gebood Ikor kil, 'anders breek ik haar nek.'

Als Elenia al angst voelde liet ze het niet merken. 'Geronimo zou me nooit iets aandoen,' zei ze.

Zelfs nu ze in levensgevaar was, probeerde ze een spel te spelen, bedacht Cyane. Of zou ze Ikor echt niet kennen?

'Ik ben Geronimo niet, zoals ik je al eens heb gezegd.' Ikor verstevigde zijn greep.

Cyane kende hem goed genoeg om te weten dat hij haar zonder enige aarzeling zou wurgen als het moest. Elenia's spel was nog steeds niet uitgespeeld. Ze wierp een korte blik op haar besluiteloze wachters, die nog steeds bij Iss stonden. Toen hief ze zacht haar hand en streelde de arm,

214

die elk ogenblik het leven uit haar kon knijpen. 'Mijn lieve Geronimo,' fluisterde ze zacht. 'Ik ben het, je vrouw. Je houdt toch van me.'

Cyane staarde naar het verbeten gezicht van Ikor. Langzaam zag ze de verandering. Zijn trekken werden zachter. Zijn ogen verloren de kille uitdrukking.

Sirus hijgde verbaasd. 'Allemachtig,' siste hij.

Cyane slikte. Op het beslissende ogenblik liet Ikor het afweten.

Geronimo staarde naar de strelende hand en naar het blonde haar van zijn vrouw. Langzaam verslapte zijn greep.

Nu rukte Elenia zich los. 'Wachters!' krijste ze.

Onmiddellijk verschenen er nog twee mannen in de deuropening.

'Neem dat monster mee,' zei ze. 'We zullen ons volk eens laten zien wat voor gedrochten er in de Rijken van het Licht rondlopen.'

De wachters sleurden Iss naar buiten.

Een felle woede kwam in Cyane op. Haar blik werd wazig en ze deed onbeheerst een stap naar voren. Onmiddellijk voelde ze de sterke hand van Sirus om haar bovenarm. Hij trok haar hardhandig terug.

'Heel verleidelijk, maar niet verstandig,' fluisterde hij haar toe.

Elenia had geen aandacht voor hen. Ze keerde zich om naar de man die haar even tevoren nog had willen doden. 'Er is misschien nog hoop voor je, Geronimo,' zei ze.

Maar Cyane zag dat Geronimo alweer verdwenen was.

'Bij een tweede keer laat ik je niet gaan,' beloofde Ikor haar grimmig.

Elenia glimlachte ijzig en zelfverzekerd. 'Jij zult me nooit iets doen, Geronimo. Nooit.' Ze draaide zich om en liep de cel uit.

Ikor keek haar na en Cyane besefte op dat moment dat Elenia een cruciale fout had gemaakt. Ze nam Ikor niet serieus. Ze zag alleen Geronimo. De Feeënkoning was inderdaad niet in staat gebleken haar iets aan te doen, maar nu was het Ikor die gevangenzat. Hij deed alles om te overleven. Bovendien was Iss degene op wie Ikor het meest gesteld leek. De twee waren onlosmakelijk met elkaar verbonden. Cyane wist uit het verleden dat Ikor heel ver ging om Iss te beschermen.

Een luid gejoel klonk vanaf de binnenplaats. Ze liepen naar het getraliede raam, waar ze toeschouwers werden van een gruwelijk schouwspel.

Zeven

De gouden poorten van het paleis waren wijdopengezet en het volk, voornamelijk Feeën, stroomde naar binnen.

Op het bordes van het hoofdgebouw stond Elenia met naast haar twee wachters, die Iss in hun ijzeren greep hielden. Verbeten keek Cyane toe hoe het volk hem uitschold en vernederde. Elenia's ogen gleden over de binnenplaats en ze glimlachte triomfantelijk. Iss hield zijn hoofd trots omhoog en keek nietsziend over de talloze feeën heen. Minutenlang genoot de koningin van de vernedering van haar slachtoffer. Toen maande ze haar volk tot stilte.

'Zie hier, een monster,' zei ze kil. Haar heldere hoge stem droeg verrassend ver. 'Dit komt er nu van als je de wetten van ons volk negeert.'

Een instemmend gemompel volgde.

'Kijk maar goed, want dit afschuwelijke wezen was een metgezel van Melsaran, een strijder voor de Rijken van het Licht. Willen jullie vervallen tot dit?'

Van alle kanten klonk een ontkennend antwoord.

'Dit moet uitgeroeid worden. Wij zijn Feeën. Geen Dryaden. Wij zijn een mooi volk. Gedrochten als dit kunnen we niet tolereren,' riep Elenia.

'Wat zou ik graag dat mondje van haar snoeren,' mompelde Sirus. Zijn handen lagen om de tralies gekneld.

Cyane stond vlak naast hem en voor het andere raam stond Ikor. Ze had de Fee zelden zo woedend gezien als nu. En dit keer waren het de gevoelens van Ikor zelf en niet die van Geronimo. Het was zijn werk dat door Elenia vernietigd dreigde te worden. Daar, op dat bordes, stond bovendien de enige persoon om wie Ikor ooit had gegeven en hij werd publiekelijk te schande gemaakt door de koningin.

Niemand die Ikor een strobreed in de weg had gelegd, had dat kunnen navertellen. Berekenend en efficiënt vermoordde hij iedereen die zijn plan tegenwerkte. Er kwam geen enkele emotie bij kijken. Het moest gewoon gebeuren. Nu was het anders. Plotseling bleek Ikor ook gevoel te hebben. Zijn woede was echt en had niets te maken met Geronimo. Elenia zou boeten voor wat ze Iss aandeed.

Op dit moment genoot de koningin echter nog van haar macht. Ze bukte zich en raapte een steen op. Ze hief hem omhoog om hem aan haar volk te laten zien. 'Dat is wat wij doen met gedrochten,' riep ze luid.

Gejoel klonk op. Iedereen bukte zich om een steen op te rapen.

'Ze gaan hem stenigen.' Sirus rukte woest aan de tralies.

Cyane kon alleen maar verbijsterd en vol afschuw toekijken.

De koningin liep een eindje weg van Iss en gebaarde haar wachters hem los te laten. Toen smeet ze de steen zelfverzekerd en krachtig tegen het hoofd van de mismaakte veerman. Cyane zag zijn gezicht vertrekken en hij wankelde. Een allesverterende woede kwam in haar op. Ze wilde het alleen maar uitgillen van pure machteloosheid.

Maar het volk lachte en klapte. Het wilde meer, het wilde meedoen. Ze had nog nooit zoiets gezien.

Elenia beval de wachters Iss naar beneden te brengen zodat hij te midden van al die Feeën stond. 'Hij is voor jullie,' riep ze kil. 'Laat hem maar voelen hoe wij denken over monsters zoals hij.'

De Feeën juichten.

Cyane voelde zich misselijk worden. Hulpeloos rukte ze aan de tralies. De eerste steen kwam met kracht tegen het broze lichaam van Iss. Een volgende raakte hem in de rug. Met zijn doorzichtige handen probeerde hij zijn gezicht af te schermen. Dat leidde alleen maar tot meer gejoel. Een steen raakte hem tegen het hoofd. Iss viel op zijn knieën.

Op dat moment verloor Cyane al het redelijke uit het oog. Blind van woede rukte ze aan de tralies. 'Nee!' schreeuwde ze. 'Houd op, moordenaars.' Haar wanhopige kreten werden overstemd door het triomfantelijke gelach van de Feeën. Iss lag op de grond en probeerde zijn lichaam te beschermen tegen de stenen die hem raakten. Cyane sloot haar ogen. Ze kon het niet langer aanzien.

Toen klonk er een ijzingwekkende gil. Het volgende moment spatte de massa uiteen. Cyanes ogen schoten weer open. Opeens brak er wilde paniek uit. Iedereen vluchtte naar de poort.

Elenia, nog steeds op het bordes, keek verwilderd rond. Toen sloeg de koningin vol afschuw een hand voor haar mond en ze wees naar iets voor haar.

Cyane volgde haar blik. Haar ogen werden groot van verbazing. Overal kronkelden zwarte slangen. Ze joegen de Feeën op en beten hen. Zij die getroffen waren, vielen op de grond, schokten even wild en lagen toen voorgoed stil.

'Waar komen die vandaan?' Sirus staarde stomverbaasd naar het tafereel.

Naast hen klonk opeens een luide schreeuw en het vol-

gende moment werd de celdeur opengegooid. In de deuropening was echter niemand te zien.

Cyane aarzelde geen moment en rende naar buiten. Aan
het eind van de gang zag ze nog net een gestalte in het
zwart wegvluchten.

'Scar,' mompelde ze. Ze werd ruw opzijgeduwd door
Ikor, die langs haar heen naar buiten stormde. Ze bedacht
zich niet en ging hem achterna.

Ikor trok zich niets aan van de slangen die overal om
hem heen kronkelden. Vreemd genoeg trokken ze zich van
hem evenmin wat aan. Ook Cyane kon ongestoord langs
de flitsende tongen lopen.

Iss lag midden op de binnenplaats tussen de dode lichamen van de Feeën die hem even tevoren nog hadden willen
vermoorden. Ook zijn benige lichaam bewoog niet meer.
Ikor knielde bij hem neer en draaide hem op zijn rug. Iss'
gezicht zat onder het bloed, maar tot haar grote opluchting
zag Cyane dat hij ademde.

Iss probeerde te praten, maar Ikor schudde zijn hoofd.
'Zeg maar niets, Iss,' zei hij.

Cyane had hem nog nooit zo zorgzaam gezien.

'Wat is hier in vredesnaam gebeurd?' Een derde gestalte
knielde bij hen neer.

Cyane herkende de stem van Mekaron. De watermagiër
had zijn gezicht noodgedwongen verborgen. Hij keek bezorgd naar Iss en zijn deskundige handen betastten het lichaam van de veerman. 'Hm, niets gebroken. Wil iemand
mij iets uitleggen?'

'Knap staaltje magie, die slangen.' Meroboth, eveneens
met een bedekt gelaat, was ook naar hen toe gekomen.

Ikor stond op en keek naar het bordes. Cyane volgde zijn
blik.

Elenia stond nog steeds op de plek waar ze had gestaan

toen de paniek losbarstte. Haar schildwachten hadden haar in de steek gelaten. Ze keek recht in de ogen van Ikor. Alleen zij wist wat ze in die ogen las. Ze slaakte een onbeheerste kreet en rende zo snel als haar zware purperen kleed het toeliet van het bordes af.

Ikor wilde haar achternagaan, maar Sirus' stem hield hem tegen.'Ikor, wacht. Hier zijn je zwaard en je werpmessen.'De Nudoor had hun wapens blijkbaar in het wachtersverblijf van de gevangenis gevonden.

Ikor draaide zich om, griste de wapens uit Sirus' handen en ging de vluchtende koningin achterna. Cyane aarzelde slechts even. Ze pakte haar zwaard van Sirus aan en zette eveneens de achtervolging in.

Elenia had een paard weten te bemachtigen. De paarden van Mekaron en Meroboth stonden echter net buiten de gouden poort. Ikor en Cyane beklommen ze vlug.

Snel galoppeerden ze door de straten van Néfer à Tagalet. De hoeven van de dieren kletterden luid op de stenen. Voetgangers sprongen opzij en staarden hun vluchtende koningin verbaasd na. Ze begaf zich rechtstreeks naar een van de poorten in een poging de stad uit te komen. Plotseling was ze beroofd van iedereen die haar bescherming had geboden en ze besefte dat maar al te goed.

Genadeloos joeg Ikor zijn paard op. Hij was slechts een paar meter verwijderd van Elenia. Cyane stormde vlak achter hem aan. In een flits waren ze de poort door.

De koningin snelde richting het bos. In haar paniek kon ze geen weg door de bebossing vinden. Ze stuurde haar rijdier regelrecht de begroeiing in. Takken zwiepten tegen haar mooie gezicht en bleven hangen in haar gouden haren.

Cyane voelde de zweepslagen van de bomen ook, maar haar woede had de overhand. Ze minderde geen vaart en bleef in Ikors kielzog. Hij liep in op de koningin. Cyane hoorde haar kreten, maar Ikor kende geen genade. Zijn paard kwam naast dat van Elenia. Hij boog zich voorover om de teugels te grijpen. Elenia sloeg wild naar hem en wist nog een keer weg te komen. Ikor was sneller. Weer greep hij de teugels en hij dwong het paard van de koningin tot stilstand. Met een soepele beweging sprong hij op de grond en trok Elenia van haar paard af.

'Nee!' gilde ze. 'Toe, Geronimo. Ik heb je nooit pijn willen doen.'

Cyane hield stil en sprong ook op de grond.

Ikor en Elenia stonden tegenover elkaar. De koningin beefde van angst. Op het gezicht van Ikor stond geen enkele emotie te lezen.

'Ik ben Geronimo niet.' Ikor sprak de woorden langzaam en duidelijk.

'Dat ben je wel,' gilde Elenia. Ze had al haar waardigheid verloren. 'We waren toch gelukkig samen, Geronimo?'

'Als Geronimo zo gelukkig was, had ik nooit bestaan, Elenia.' Ikors stem klonk rustig en gevoelloos.

Elenia stampvoette als een klein kind. 'Waarom zeg je dat?'

'Je hebt het nog steeds niet door, hè?' Ikor schudde langzaam zijn hoofd. 'Kijk naar het monster dat jij geschapen hebt, Elenia. Kijk naar mij.'

'Nee.' Elenia deed een stap naar achteren.

Ikor glimlachte kil. 'Eigenlijk zou ik je niet moeten doden. Ik heb het leven tenslotte aan jou te danken.'

'Ja, ja... precies,' hijgde Elenia. Wanhopig flitsten haar ogen heen en weer in een poging te ontsnappen aan de man die voor haar stond. Ze kon geen kant meer op. Ze stond met haar rug tegen een boom. Ikor stond vlak voor haar.

Langzaam haalde hij een van zijn werpmessen te voor-schijn. 'Je wilde mijn enige vriend stenigen,' zei hij terwijl hij met zijn slanke vinger langs het mes streek. Een druppel bloed werd zichtbaar.

'Nee, nee. Echt niet. Ik wist toch niet dat hij je vriend was, Geronimo.' Elenia's stem klonk smekend.

'Ik ben Geronimo niet.' Ikor deed een stap naar voren en greep haar keel. 'Hoor je. Ik ben Geronimo niet.'

Elenia's kreet verstomde toen de Fee in één beweging haar hals doorsneed. Levenloos gleed haar lichaam langs de boomstam naar beneden.

Cyane staarde naar de dode zwarte ogen en naar het bloed dat uit haar hals stroomde. Voor het eerst voelde ze geen spijt of wroeging. Juist daarom walgde ze van zichzelf. Het was Elenia's verdiende loon. Ze had Iss vreselijk verne-derd en bijna gedood. Ze verdiende niets anders.

Voorzichtig keek Cyane naar Ikor. Hij zag lijkbleek en opeens viel hij op zijn knieën en verborg zijn gezicht in zijn handen. Ze zag zijn schouders schokken en geroerd luisterde ze naar zijn wanhopige kreet. 'O, Elenia, waarom?'

Voorzichtig liep ze naar hem toe en legde een hand op zijn schouder. Hij keek op.

'Geronimo.' Cyane sloeg haar arm om hem heen.

'Hij heeft haar vermoord, Cyane.' De tranen stroomden de Feeënkoning over de wangen.

'Ikor had geen keus,' zei ze rustig. 'Ze had Iss gestenigd.'

'Dit had hij niet hoeven doen.'

Ze dacht daar even over na. Toen knikte ze vastbesloten. 'Jawel, hij moest wel. Het was hij of zij. Ikor is een berekenende moordenaar, weet je nog wel?'

Bevreemd keek Geronimo haar aan.

'Hij had het in die cel al moeten doen, voordat ze Iss meenamen, maar jij hield hem tegen. In de buurt van Elenia denk jij niet meer na, Geronimo. Ikor wist dat. Elenia had jou alweer in haar macht en met jou ook Ikor. Dat had hem zijn leven kunnen kosten.' Cyane was verbaasd over haar eigen woorden. Nu zag ze alles heel erg duidelijk. 'Ikor is niet langer slechts een masker, hè?' vroeg ze zacht.

Wanhopig schudde Geronimo zijn hoofd. 'Ik heb hem niet meer in de hand. Hij leeft zijn eigen leven.'

'Bedank hem dan maar, want hij heeft zojuist jouw leven gered,' zei Cyane nuchter. Terwijl ze dit zei drong het besef van deze waarheid tot haar door. Ikor had Geronimo's verslaving aan zijn genadeloze vrouw verbroken.

Geronimo pakte Elenia's hand. 'Ik hield meer van haar dan ik je ooit kan vertellen, Cyane.'

'Waarom in vredesnaam?' vroeg ze. 'Ze genoot van haar optreden tegen Iss. Van zo iemand kun je toch niet houden?'

'Zo was ze niet altijd.' Geronimo staarde naar het bleke gezicht van zijn vrouw. 'Ze was mijn nichtje. We kenden elkaar al van jongs af aan. Ach, Cyane, ze zat altijd vol energie, ze was zo vrolijk en enthousiast. Ze had grootse plannen en dromen. We zouden samen het Feeënrijk weer in zijn oude luister herstellen. Maar ik faalde, ik faalde jammerlijk.'

'Dat snap ik niet,' zei Cyane. 'Zij ging er toch vandoor met Tronador?'

'Het was net zo goed mijn schuld. Ik was niet de echtgenoot die ze verwachtte. Zij hield van pracht en praal terwijl ik gelukkig was in de wilde natuur van ons land. Ze gaf grote feesten om de banden met andere rijken te verstevigen. Ik was er zelden bij aanwezig. Elenia begreep de machtsverhoudingen beter dan menig hoffunctionaris. Toen ik Tronador uitnodigde, was ze dan ook erg blij. Ja, ik heb hem uitgenodigd, Cyane.' Hij zweeg even en haalde diep adem om op dezelfde toon verder te gaan. 'Tronador kwam niet alleen. Hij had die vervloekte Elf bij zich. Een kunsthandelaar in hart en nieren, die zelf ook aardig kon schilderen. Hij wilde graag een portret van haar maken. Elenia stemde daarin toe. Achteraf denk ik dat ze Fabian alleen gebruikte om bij Tronador in de gunst te komen, maar hij werd hopeloos verliefd op haar. Ach, dat kan ik hem niet eens kwalijk nemen. Ik kende de waarheid toen ik dat portret zag. Hij zag haar zoals ik haar zag: door de ogen van een verliefd man. Elenia deed geen moeite haar verhouding te verbergen. Ze verweet me dat ik er nooit was en daar had ze natuurlijk ook gelijk in. Ik vluchtte weer. Ik kon de sfeer in het paleis niet aan. Toen heeft ze zich in de armen van Tronador gestort. Hij was wél de man die aan haar eisen voldeed. Hij was net zo eerzuchtig als zij en hij kende het machtstoneel nog beter. Hij zou haar dromen over het Feeenrijk waarmaken, maar ons koninkrijk moest dan wel even flink wat noordelijker geplaatst worden.

Ze volgde hem blind. Je hebt gezien wat ze met de Feeën kon doen. Ze hielden van haar, droegen haar op handen. Toen ik haar weer terugzag, was ze zwanger van Tronador en stond ze op het punt om met mijn volk weg te trekken naar het Rijk der Duisternis.

Het heeft me gebroken. Ik kon het niet verdragen. De pijn kon ik niet aan. Mijn vrouw, mijn leven, mijn volk, ik wilde het terug. Ik wist dat dat niet kon. Ik had door dit alles geleerd wie ik werkelijk was: een zwak persoon. Tegen Tronador maakte ik geen kans. En dus schiep ik Ikor. Eerst was hij slechts een houding, toen werd hij een masker en geleidelijk aan ging hij zijn eigen leven leiden. Ik had hem niet meer in de hand. Ik had de grootste moeite om mijn eigen persoonlijkheid tegen hem te handhaven.

Ik haat Ikor, maar ik kan niet zonder hem. Hij heeft het

ver geschopt. Het is aan hem te danken dat we zo ver zijn gekomen. Ik kan echter niet leven met de dingen die hij gedaan heeft. Op een gegeven moment kon ik niet anders dan mijn ogen ervoor sluiten. Letterlijk. Toen heeft hij de regie overgenomen. Maar ik vergeet het nooit. Elke dag zie ik de gezichten van de personen die hij gedood heeft. Het zijn er zo veel. Ik zie hun angst. En nu... nu ben ik net als hij.' Geronimo verborg zijn gezicht in zijn handen en huilde.

Cyane kon niets anders doen dan stil naast hem zitten. Had zij Geronimo zelf niet voor moordenaar uitgemaakt nadat hij had toegegeven dat hij Fabian vermoord had? Twee mannen in één lichaam. De een was een gewetenloze moordenaar met maar één doel voor ogen. De ander was een gevoelige man, die een afschuwelijke misstap had begaan. Geronimo was geen partij voor Ikor, maar anderzijds had Ikor geen reden meer om te leven als straks alles voorbij was.

Op dit moment, moest Cyane toegeven, was het waarschijnlijk beter als Ikor de overhand had, want Geronimo kon zijn geweten nauwelijks meer verdragen. Hij ging ten onder aan de dingen die Ikor gedaan had. Ze vond het wel vreemd dat Geronimo vaak over Ikor sprak, maar dat de meesterspion het nooit over hem had. Het was bijna alsof Ikor Geronimo helemaal niet kende.

Zwijgend zaten ze naast het lichaam van de vrouw die het leven van Geronimo geruïneerd had. De vrouw die verantwoordelijk was voor de geboorte van Ikor en daarmee haar eigen doodvonnis had getekend. De cirkel was bijna rond. Cyane rilde. Er was maar één mogelijkheid tot het sluiten ervan en dat was Ikors dood. Nu begreep ze de wanhoop van Geronimo pas goed. Er was geen uitweg meer. Hij zou met hem ten onder gaan.

Ze sloot haar ogen. Ze wilde hier niet meer over nadenken. Het was te moeilijk, te zwaar. Dit tweetal zou ze nooit helemaal doorgronden. Niemand kon dat.

Ze stond op. 'Ik wil terug,' zei ze.

Geronimo keek op. 'Ja, dat is goed. Maar ik laat haar zo niet achter. Help me haar te begraven, Cyane.'

Ze knikte.

Acht

L ang zwoegden ze om met hun blote handen een graf voor de koningin te graven onder de boom waar Ikor haar gedood had.

Voorzichtig legde Geronimo zijn vrouw in het graf. Hij streelde haar lange blonde haren nog een keer en sloot de gebroken ogen. Hij legde de handen gevouwen over haar borst en streek haar purperen japon glad. Toen stond hij op en wierp nog een laatste blik op haar. Daarna bedekte hij langzaam haar lichaam met zand.

Cyane hielp hem, maar hield zich zo veel mogelijk afzijdig. Dit was Geronimo's afscheid. Ze had het recht niet zich erin te mengen, hoe ze verder ook over Elenia dacht. Minutenlang staarde Geronimo naar het graf. Toen draaide hij zich naar haar om. 'Laten we maar teruggaan.'

Ze knikte zwijgend en besteeg haar paard.

In stilte reden ze naar Néfer à Tagalet terug. De poort stond wijdopen en Feeën reden verwilderd in en uit. Niemand schonk veel aandacht aan hen.

In de straten hoorde Cyane gemompel over zwarte slangen en de vlucht van Elenia. Geen enkele Fee leek nog te beseffen dat ze hun koningin nooit meer terug zouden zien.

Ze draaide zich om naar de man die achter haar reed. Het

was Ikor die door de poorten van de stad naar binnen was gereden.

Nog steeds zwijgend reden ze naar zijn huis, een sober vrijstaand gebouw dat in een smalle straat lag. Ze reden achterom en zetten de paarden in de stal waar Giffor alweer de scepter zwaaide. Hij leek hen niet eens te hebben gemist, al vroeg hij wel bezorgd of alles goed was met het zwaard. Cyane trok alleen maar haar wenkbrauwen op en liep door.

Ikor ging zonder een woord te zeggen naar boven waar Iss verpleegd werd. Volgens Sindra maakte de veerman het goed, al zou het nog wel even duren voor hij volledig hersteld was. Ze zat samen met de drieling, Gondolin en Sirus om een grote tafel in een slecht verlichte, sombere kamer. Er hing niets aan de muren. Veel meubels waren er ook niet. Melsaran had gezegd dat dit huis waarschijnlijk leeggeroofd was nadat Ikor uit het Rijk vertrokken was. Vroeger hadden ook hier talrijke schilderijen gehangen.

Uitgeput liet Cyane zich op de eerste de beste stoel zakken. 'Elenia is dood,' deelde ze mee.

'Ach, meisje toch.' Gondolin liep naar haar toe en sloeg een arm om haar heen.

'Het is haar verdiende loon,' vond Sirus.

Onderzoekend keek Melsaran haar aan. 'Was het Geronimo?' vroeg hij.

Ze schudde haar hoofd. 'Het was Ikor.'

'Wie anders?' Meroboth haalde zijn schouders op.

'Ach, laat hem toch met rust,' zei Cyane kribbig. Somber staarde ze voor zich uit.

'De hele stad heeft het alleen maar over die zwarte slangen.' Sindra veranderde handig van onderwerp.

Cyane werd door deze woorden uit haar overpeinzingen gehaald. 'Was het magie?' vroeg ze.

'O ja, het was zonder meer magie,' zei Mekaron.

'Zwarte magie,' vulde Melsaran aan.

'Zwarte magie,' herhaalde ze verbaasd. Haar gedachten gleden naar de man die hen waarschijnlijk uit de cel had bevrijd. Had Scar voor die slangen gezorgd? Ze wist dat hij tot magie in staat was, maar hoe sterk was hij daarin en waarom hielp hij hen?

Ze sloeg haar ogen neer voor de onderzoekende blik van Melsaran. Op dat moment kwam Ikor weer naar beneden.

'Iss wil je graag spreken, Cyane,' zei hij.

Dankbaar maakte ze van de mogelijkheid gebruik om van de vuurmagiër weg te komen. Ze liep door een deur naar de voorkant van het huis, waar een trap naar boven leidde. In deze hal lag ook de toegang tot de voorkamer, waar Meroboth het andere zwaard bewaarde. De deur stond op een kier en ze kon het op de tafel zien staan in de bek van de panter. Vermoeid beklom ze de smalle trap. In vergelijking met Ikors paleis was alles aan dit huis klein. Het was duidelijk dat hij dit huis alleen uit praktische overwegingen had gekocht. Toch was het voor hun groep een goede en ruime woning. Ze stond nu op een overloop waar een aantal deuren op uit kwamen. Er was ook nog een zolder met diverse kamers en daarom had iedereen zijn eigen ruimte. Giffor en Tiron sliepen in de stal.

De kamer van Iss lag aan de voorkant. Cyane klopte aan en schuifelde naar binnen. Hij lag op bed onder een met zilver bestikte sprei. Ze schrok van zijn gezicht. In zijn bleke en doorzichtige huid waren een aantal bloeduitstortingen zichtbaar.

Iss opende zijn ogen. 'Het ziet er erger uit dan het is,' zei hij met zijn zachte stem.

Wrang glimlachte ze en ging op een stoel naast het bed zitten. 'Het is afschuwelijk wat ze je aangedaan hebben.'

Iss kwam moeizaam overeind en haalde zijn benige schouders op.'Ik ben het gewend.'

'Hoe kun je ooit aan zoiets wennen?' riep ze uit.

'Het ligt in het verwachtingspatroon van mijn leven.' Zo heel af en toe gunde Iss haar een kijkje in zijn gedachtegangen. Steeds weer stond ze versteld om zijn wijsheid en kracht. Iss was voor haar al lang niet meer die mismaakte man die uitsluitend opviel door zijn gruwelijke uiterlijk. Hij was een bijzondere reisgenoot met een uitmuntend gevoel voor de onderlinge verhoudingen en een scherp verstand. Een man ook die zijn zware levenslot had geaccepteerd en er het beste van probeerde te maken zonder de realiteit uit het oog te verliezen.

'Ikor vertelde me dat hij Elenia gedood heeft.' Iss keek haar vragend aan.

Ze knikte zwijgend.

'Waarom?'

Cyane vond het opvallend dat Iss haar niet vroeg of ze zeker wist dat het Ikor was geweest. Hij was waarschijnlijk degene die Ikor en Geronimo het beste kon doorgronden doordat hij hen beiden zo goed kende.

'Om jou, Iss,' zei ze.

Hij zweeg. In zijn ogen zag ze de verbazing en toen heel langzaam het begrip.

'Ikor beschouwt jou als zijn vriend,' verklaarde Cyane. Ze herinnerde zich de woorden die Ikor tegen Elenia had gesproken.'Zijn enige vriend.'

Iss knikte langzaam. 'Dat wilde ik alleen maar even weten,' zei hij.

Ze glimlachte en legde even haar hand over de zijne. Toen stond ze op en liep de kamer uit. Iss was niet de enige die zijn mening over Ikor moest herzien. Blijkbaar ging er meer achter de koele Fee schuil. Ze huiverde onwillekeurig.

Had elk wezen, elke persoonlijkheid niet meerdere kanten? En in het lichaam van Geronimo was Ikor uitgegroeid tot een man met een complete persoonlijkheid. In de loop van de weken had ze het zien gebeuren maar ze was er blind voor geweest. Arme Ikor, arme Geronimo. Zouden ze ooit met elkaar leren leven?

Ze liep de trap af en zag dat de deur van de voorkamer verder openstond. Bij de tafel met het zwaard stond Tiron. Zijn hand lag om het gevest van het zwaard.

Haar ogen werden groot van verbazing en ontzetting. 'Tiron?' Ze liep de kamer in.

Als door een adder gebeten trok Tiron zijn hand terug. 'Cyane, wat doe je hier?'

Onzeker keek ze hem aan. Ze wilde hem vertrouwen maar het werd steeds moeilijker. Hij gedroeg zich zo vreemd en afstandelijk. Zijn handelingen en woorden kon ze niet begrijpen, hoe graag ze dat ook wilde. 'Dat kan ik beter aan jou vragen,' zei ze. Haar stem klonk smekend, alsof ze hoopte dat Tiron met een plausibel verhaal zou komen, maar hij zweeg. Teleurgesteld beet ze op haar lip. 'Nou, goed hoor. Doe maar weer geheimzinnig,' blafte ze hem plotseling toe. 'Denk maar niet dat het mij iets kan schelen.'

Ze wilde zich omdraaien, maar Tiron was sneller. Hij greep haar bij de pols en trok haar naar zich toe.

'Het kan je wel schelen,' zei hij. Zijn gezicht was dicht bij het hare.

Verward sloeg ze haar ogen neer. Haar woede ebde heel snel weg en ook Tiron werd rustiger. Hij streelde haar verwarde haren. Ze liet hem begaan, niet bij machte zich los te rukken. Heel even wilde ze geloven dat alles goed was tussen hen.

'Cyane,' begon Tiron zacht, 'ik kan je dit niet aandoen. Ik ga weg.'

Met een ruk keek ze op. 'Weg?' herhaalde ze schril.

'Ik heb geen keus. Het is beter zo.'

Ze duwde hem weg. 'Natuurlijk heb je wel een keus. Je kunt ook bij mij... bij ons blijven.'

Tiron schudde vermoeid zijn hoofd. 'Nee, ik hoor niet bij jullie.'

Ze schrok van zijn woorden. 'Wat...' begon ze, maar verder kwam ze niet.

Tiron trok haar in zijn armen en kuste haar. Even vergat ze alles. Even leken al hun problemen verdwenen te zijn.

'Vergeet me niet, Cyane,' fluisterde Tiron. 'Ik doe dit voor jou, want ik houd van je.' Hij liet haar plotseling los, draaide zich om en rende de kamer uit.

Verdwaasd staarde ze hem na tot ze langzaam bij haar positieven kwam. 'Tiron!' schreeuwde ze en zo snel als ze kon stormde ze hem achterna. In plaats van Tiron in te halen, botste ze in volle vaart tegen het stevige lichaam van Mekaron op.

'Laat me los,' riep ze verhit toen de watermagiër haar vastgreep.

'Laat hem gaan, Cyane,' zei Mekaron dringend. 'Het is echt beter zo.'

Verbijsterd keek ze in zijn ernstige gezicht. Ze rukte zich los. 'Nee, hij is mijn vriend.'

Mekaron week geen centimeter. 'Nee, dat is hij niet,' zei hij nadrukkelijk.

Hoefgekletter zette het stormachtige vertrek van Tiron kracht bij.

Verslagen luisterde Cyane naar het wegstervende geluid. Ze voelde zich opeens slap en moe. Ze draaide zich om en beklom de trappen naar haar kamer op zolder. Als een lappenpop liet ze zich op bed vallen en ze staarde naar het bruine plafond. Even voelde ze helemaal niets en daar ver-

baasde ze zich over. Ze wilde huilen, schreeuwen, slaan…
maar ze kon het niet. Ze kon alleen liggen.

Tiron. Waarom had hij gezegd dat hij niet bij hen hoorde?
Waarom had Mekaron haar tegengehouden? Wat wist hij
van hem? Vragen, honderden vragen. Kreunend verborg ze
haar hoofd in haar kussen.

Iemand klopte op haar deur. 'Ga weg,' snauwde ze.

'Als je dat wilt,' klonk de rustige stem van Melsaran.

Ze antwoordde niet en bleef liggen zoals ze lag. De Tovenaar van Goed en Kwaad kwam op de rand van haar bed
ging zitten en legde een hand op haar hoofd.

Dat gebaar verjoeg haar lege gevoel en de tranen sprongen in haar ogen. Hartverscheurend begon ze te huilen om
alles wat ze deze dag had meegemaakt. Ze kon niet meer
stoppen. Haar lichaam schokte heftig en haar kussen werd
nat van de tranen.

Melsaran zei niets. Hij streelde haar haren en bleef stil
naast haar zitten, vele minuten lang tot ze eindelijk uitgeput in slaap viel. Toen stond hij op, dekte haar toe en sloot
de deur.

In de Tempel van Orgor

Negen

Drie lange dagen waren verstreken sinds de dood van Elenia en Tirons vertrek.

Cyane zat tegen de muur van het huis en keek naar een zwaardgevecht tussen Iss en Ikor. De veerman was niet zo'n behendige zwaardvechter als de Fee, maar hij vond het een goede oefening voor zijn stijve spieren. De afgelopen dagen had hij hard gewerkt aan zijn herstel, omdat hij heel goed besefte dat zijn gezondheid de enige reden was dat ze nog in Néfer à Tagalet waren. Hij had met geen woord gerept over datgene wat er met hem gebeurd was. Cyane kon niet uit zijn gedrag opmaken of hij er nog mee bezig was.

Ikor hielp waar hij kon om Iss' herstel te bevorderen. Ze had dat nooit achter hem gezocht. Iss accepteerde alles als vanzelfsprekend. Ze bewonderde hem daarom, want ze wist hoe hij over Ikor dacht.

Mekaron had van deze dagen gebruikgemaakt om Cyane verder te onderwijzen in het gebruik van magie. Hij wilde vooral dat ze haar wil onder controle kreeg. Als ze kwaad of geïrriteerd was, lukte het haar meestal snel om de magie te sturen, maar Mekaron vond dat ze de magie ook moest beheersen als ze rustig was. Hij had haar wederom een plantje voorgezet en zij had het met behulp van de groene diamant laten groeien. Vervolgens had hij haar met de blauwe diamant laten oefenen met een vat water. Na een halve dag van uiterste concentratie was het haar gelukt water over te brengen naar een beker.

Melsaran, die er al die tijd bij had gezeten, had te kennen gegeven dat hij trots op haar was, maar zijn broer was minder tevreden. Hij vond dat het veel te lang had geduurd. Mekaron was geen geduldig leermeester en bovendien kon Cyane weinig van hem hebben nadat hij haar zo abrupt had tegengehouden bij Tirons vertrek. Ze deed haar best haar emoties te beheersen, al kwam af en toe het wrange gevoel in haar op dat toen ze haar gevoelens niet onder controle had, zoals in het gevecht met Ramart, de magie veel beter en makkelijker werkte.

Ze zuchtte en keek naar de twee diamanten in het zwaard. Melsaran had haar verteld dat het eenvoudig was de vuurmagie onder de knie te krijgen als ze de aardmagie en de watermagie eenmaal beheerste. Het principe bleef hetzelfde. Ze moest de magie haar wil opleggen.

'Ah, hier ben je.' Sirus kwam met grote stappen op haar af. 'Melsaran zei al dat Mekaron klaar was met je. Hij gaf erg hoog op van je prestaties.' Hij plofte naast haar neer. Met een warme blik nam hij haar onderzoekend op.

'Mekaron vindt me anders een hopeloos geval,' zei Cyane.

'Mekaron is een zwartgallige oude magiër. Dat zou je nu zo langzamerhand wel moeten weten,' zei Sirus met een grijns.

Ze haalde haar schouders op.

Sirus werd ernstig. Met zijn grote hand tilde hij haar kin op, zodat ze gedwongen was hem aan te kijken. 'Ik meen het, Cyane. Ik weet niet wat er tussen jullie twee is voorgevallen, maar Mekaron heeft het beste met je voor. Hij is erg op je gesteld. Zoveel geduld heeft hij met mij nooit gehad, dat verzeker ik je.'

'Hij heeft een vreemde manier om dat te laten merken,' vond Cyane.

Sirus grinnikte. 'Daar weet ik alles van. Hij is een harde man, maar hij gaat voor je door de hel en terug als het moet.'

Cyane glimlachte. 'Jij mag hem graag,' concludeerde ze.

'Dat klopt.' Sirus stond op. 'Heb je zin om met me mee te gaan? Ik wil even de stad in.' Hij was de enige die zo af en toe nog de straten in trok.

'Nou, graag,' zei Cyane.

Ze liepen langs de stallen de straat op. De afgelopen dagen had zich een bepaalde onrust van de inwoners van de stad meester gemaakt. Hun koningin werd vermist. Niemand scheen door te hebben dat ze dood was. Verschillende Feeën hadden getracht de leiding in de stad over te nemen tot Adanar zich bij hen zou voegen. Vreemd genoeg had Adanar nog niets van zich laten horen.

Meroboth en Melsaran waren er nog niet uit of dat goed of slecht nieuws was. Meroboth was van mening dat het voor hun eigen welzijn prettig was dat de krankzinnige Fee schijnbaar ver uit de buurt was, maar Melsaran had aangegeven dat het tactisch gezien niet slim was om de sterkste en grootste stad van het Rijk onbestuurd achter te laten. En over één ding waren de beide broers het eens: Adanar was zeer intelligent. Hij moest dus een heel goede reden hebben om niet hier in Néfer à Tagalet te zijn.

Sirus probeerde door wat informele contacten in diverse kroegen te achterhalen wat Adanar uitspookte. Tot vandaag had dat helaas weinig informatie opgeleverd.

Ikor had ook zijn hulp aangeboden, maar omdat er naar hem werd gezocht vond Melsaran het niet verstandig dat hij zijn spionnen zou opzoeken. Vooral niet omdat niemand hem de garantie kon geven dat die spionnen nog steeds aan Ikors kant stonden.

Cyane ademde diep de koele lucht in terwijl ze langs talrijke huizen naar een van de kroegen liepen. Het was vrij rustig op straat. Toch heerste er een vreemde, gespannen sfeer.

Niemand sloeg veel acht op hen. Ze kwamen langs het marmeren paleis van Elenia. De gouden poorten stonden nog steeds open. De binnenplaats lag erbij zoals ze hem hadden achtergelaten. Er lagen nog lichamen van Feeën die gebeten waren door die vreemde zwarte slangen. De ruiten van het paleis waren gebroken en ook de toegangsdeur bij het bordes stond open.

'Ze hebben de boel geplunderd. Zoveel hielden ze nu van haar,' zei Sirus smalend.

Cyane huiverde. Had Elenia op haar volk dezelfde invloed gehad als op Geronimo? Een soort van willoze verslaving die nu was verbroken door haar dood? In dat geval had Ikor zijn volk een grote dienst bewezen. Wie weet zouden de Feeën eindelijk eens leren voor zichzelf te denken voordat het te laat was. Maar dan was het inderdaad heel vreemd dat Adanar niet hier was om de leiding over te nemen.

'Kijk, dat is Het zwarte glas.' Sirus wees naar een kroeg tegenover het paleis. 'Alle belangrijke lieden komen hier.'

De kroeg zag er haveloos uit in vergelijking met de andere gebouwen in de stad.

'De eigenaar is een Dwerg. Die letten niet zo op uiterlijk schoon,' zei Sirus toen Cyane daar een opmerking over maakte. Hij opende een eenvoudige houten deur en liet haar voorgaan.

Ze kwam in een donkere kamer terecht waar het opvallend druk was. Achterin zaten een paar Feeën aan een grote bar. Ook de vele, dicht op elkaar staande tafels waren bezet. De meeste klanten waren Feeën, maar ze zag ook een aantal Dwergen, een Elf en een Akonees. Verbaasd keek ze naar de man die alleen aan een tafel zat. Hij zag er rijk en verzorgd uit. Hij was gezet en kaal op een grijs ringbaardje na. Hoewel hij opviel in dit gezelschap leek hij zich volkomen op zijn gemak te voelen.

Sirus had hem ook gezien. 'Die is hier nog niet eerder geweest,' merkte hij op. Vastbesloten liep hij naar de tafel van de man. 'Bezwaar als we aanschuiven?' vroeg hij.

'Welnee.' De man deed duidelijk moeite zijn nieuwsgierigheid te verbergen. Blijkbaar vond hij hen net zo bijzonder als zij hem.

Sirus wenkte een ober en bestelde voor hen alle drie wat te drinken.

'Dat is aardig van je.' De man stak een geringde hand uit. 'Séran Tonoran.'

Sirus schudde de hand, maar stelde zich niet voor. Een feit dat de Akonees niet ontging. Onderzoekend nam hij hen op. Ondertussen werkten Cyanes hersenen koortsachtig. Ze wist zeker dat ze die naam eerder had gehoord, maar waar? Plotseling wist ze het weer. Tiron had over hem verteld. Hij was een koopman die een tijdje met hem had meegereisd. Tiron had niet hoog van hem op gehad, want Séran bleek een dubbelspion te zijn.

Ze stootte Sirus waarschuwend aan, maar de Nudoor had blijkbaar al zijn eigen conclusies getrokken. 'Je bent ver afgedwaald,' zei hij.

'Jullie ook,' zei Séran.

'Koopman?' informeerde Sirus.

'Inderdaad.'

'De zaken moeten dan slecht gaan in de Rijken van het Licht,' meende Sirus.

240

'Oorlog is altijd slecht voor zaken,' zei Séran.

De koopman was op zijn hoede. Als Sirus van plan was informatie los te krijgen, dan zou dat op deze manier niet lukken.

Ontspannen leunde Sirus naar achteren. 'Laat de beleefdheden maar zitten, Séran,' zei hij plotseling. 'Ik weet wie je bent en ik heb informatie nodig. Uiteraard betaal ik je daar grif voor.'

Het was hun geluk dat Ikors enorme rijkdom tegenwoordig ook tot hun beschikking stond. De Fee maalde niet om zijn geld en smeet het overal heen waar het nodig was.

'Had dat dan meteen gezegd,' zei Séran.

'Wat is er gaande in de Rijken van het Licht?' vroeg Sirus direct.

'In de rijken zelf weinig. Maar de legers van onder andere Dwergen- en Elfenland staan aan de grens met het Rijk der Duisternis ter hoogte van Néfer à Tang. Die stad is zo goed als weerloos. De meeste inwoners zijn gevlucht.'

Sirus fronste zijn wenkbrauwen. 'Geen strijd?'

'Nog geen slag van een zwaard.' Séran haalde zijn schouders op. 'Vreemd, ja.'

'Waar zijn Adanar en Tronador dan?' vroeg Sirus.

'Dat zouden hun aanhangers ook dolgraag willen weten,' zei Séran.

'Je hebt toch zeker wel wát gehoord?' drong de Nudoor aan.

'Geruchten,' zei Séran.

Sirus tastte in zijn zak en legde een roodfluwelen zakje voor de koopman neer. 'Vertel ze maar.'

Séran glimlachte koeltjes. 'Ik ben blij dat wij elkaar zo goed begrijpen.'

Met moeite hield Sirus een sarcastisch antwoord binnen.

Cyane brandde van nieuwsgierigheid om te weten wat de koopman te vertellen had.

'Tronador is al een hele tijd weg. Niemand heeft hem de laatste tijd nog gezien. Hij is niet in zijn burcht. Hij lijkt van de aardbodem te zijn verdwenen. Er zijn lieden die beweren dat Adanar hem uitgeschakeld heeft na de ontsnapping van Melsaran. Die Fee is helemaal doorgedraaid nadat zijn paleis op wel heel vreemde wijze in vlammen is opgegaan. Hij ziet achter elke boom een vijand en hij heeft zijn halve leger al uitgemoord.'

Even dacht Sirus over dit verhaal na. Toen vroeg hij: 'En wat denk jij ervan?'

Séran glimlachte wrang. 'O, ik ben ervan overtuigd dat Tronador nog leeft. Adanar heeft hem hoe dan ook nodig, want hij is en blijft nu eenmaal de zwarte magiër. Maar ik vrees dat Adanar hem niet meer zo in de hand heeft. Tronador was woest toen Adanar Melsaran gevangen had gezet.'

'En waar is Adanar nu?' vroeg Sirus.

Séran boog zich voorover. 'Adanar heeft niet zo heel veel mogelijkheden meer. Ik denk dat zijn enige kans het vinden van de vijfkleurige diamant is. Ik heb echter zo'n vermoeden dat daar meer personen naar op zoek zijn. Het zou me niets verbazen als ook Tronador hem probeert te vinden.'

Sirus knikte. 'Het klinkt allemaal wel logisch.'

Cyane wist dat hij het verhaal eerst aan de drieling zou vertellen voor hij zelf een mening zou vormen.

'Nu ik jullie van al deze informatie heb voorzien, zou ik graag één ding willen weten,' zei Séran.

'En dat is?' vroeg Sirus op zijn hoede.

'Waar is Elenia?'

Sirus grijnsde. 'Ik zou het werkelijk niet weten.'

Séran knikte bedachtzaam. 'O, dus jullie hadden niets te maken met zwarte slangen en dat soort zaken?'

'Waar zie je me voor aan? Ik ben maar een eenvoudige Nudoor.' Sirus stond op en gebaarde Cyane hetzelfde te doen.'Het was me een waar genoegen, Séran,' zei hij. Zonder de koopman nog een blik waardig te keuren baande hij zich een weg naar de deur.

Tien

In hoog tempo liepen ze terug naar Ikors huis. Sirus keek herhaaldelijk om, om zich ervan te verzekeren dat ze niet gevolgd werden. Dat bleek gelukkig niet het geval. Veilig bereikten ze het huis.

'Je raadt nooit wie wij tegenkwamen,' viel Sirus met de deur in huis.

Iedereen zat om de grote tafel in de woonkamer, die schaars verlicht werd door een aantal kaarsen. De anderen keken Sirus vragend aan.

'Séran Tonoran,' meldde hij triomfantelijk.

'Ach ja, die Akonese koopman die met Tiron meereisde,' herinnerde Meroboth zich.

'Hij is een dubbelspion, Sirus,' zei Melsaran bezorgd.

'Je kent hem dus ook,' concludeerde Sirus.

'Hij was altijd goed voor nuttige informatie,' verklaarde Melsaran. 'Tegen het juiste bedrag, natuurlijk.'

Sirus grijnsde en vertelde wat hij de koopman had weten te ontfutselen. Na het verhaal volgde een lange stilte.

'Ik ben er niet gerust op,' zei Melsaran ten slotte. 'Het is niets voor Adanar om deze stad stuurloos te laten. Hij moet wel een heel concreet vermoeden hebben over de vijfkleurige diamant.'

'Bovendien begint hij aan achtervolgingswaanzin te lijden,' meende Mekaron.

'Niet helemaal,' sprak Meroboth hem tegen. 'Hij heeft reden om zich zorgen te maken, want zo te horen heeft iemand het op hem gemunt.'

'Degene die mij uit zijn paleis heeft bevrijd en die hier strooide met zwarte slangen,' zei Melsaran begrijpend. 'Ik vraag me af wie dat zou kunnen zijn.' Peinzend keek hij Cyane aan.

Ze werd rood onder zijn blik en sloeg haastig haar ogen neer.

'Die man beheerst in ieder geval aardig wat zwarte magie. Zo iemand is handig om aan je zijde te hebben,' vond Meroboth.

'Melsaran, heb jij enig vermoeden waar de vijfkleurige diamant zou kunnen zijn?' vroeg Sindra.

'Vermoedens heb ik genoeg, maar ik heb er nooit concrete bewijzen voor kunnen vinden,' antwoordde Melsaran.

Ikor mengde zich in het gesprek. 'Er gaan geruchten dat hij in de Tempel van Orgor is.' Meteen had hij ieders volledige aandacht.

'De Tempel van Orgor?' herhaalde Sirus.

'Waarvan niemand weet of hij daadwerkelijk bestaat,' vulde Ikor droog aan.

'Dat klopt,' viel Melsaran de Fee bij. 'Die tempel zou in het Gebergte van Orgor moeten liggen. Niemand weet dat zeker. Orgors broer Dar heeft de tempel ooit voor hem opgericht, nadat Orgor als machtige zwarte magiër voortijdig aan zijn einde was gekomen. Ziekelijk stel, die twee broers.'

'Dankzij hen hebben we magie,' zei Meroboth bestraffend tegen zijn broer.

'Ach ja, en kijk eens hoe gelukkig ons dat heeft gemaakt,' zei Mekaron sarcastisch.

'Dat lijkt me een heel andere discussie,' zei Sirus met een vlugge glimlach naar de watermagiër.

'We weten in ieder geval wat ons te doen staat,' vond Ikor.

'Wilde je het Gebergte van Orgor in trekken?' vroeg Sirus.

Ikor wierp een koele blik in zijn richting. 'Heb jij een beter plan?'

Daar had Sirus geen antwoord op. Cyane kon aan hem zien dat hij dat heel jammer vond.

'Misschien moesten we dat maar doen,' zei Meroboth aarzelend. 'De waarheid is dat ik ook niet weet hoe het verder moet. We weten niet wie de drager is van het zwaard, dus hem opzoeken kunnen we niet. Elenia en Gontak zijn dood en er zijn nog twee personen aan de top van dit Rijk over. Als zij allebei in dat gebergte zijn, zouden wij daar ook eens moeten gaan kijken.'

'Helemaal mee eens,' zei Mekaron. Ook de anderen knikten instemmend.

'Dan vertrekken we morgen,' besloot Meroboth met een vragende blik naar Iss.

De veerman knikte zwijgend. Hij achtte zich genoeg hersteld om deze ongetwijfeld zware reis te ondernemen.

Gespannen ging Cyane die avond naar bed. Het Gebergte van Orgor trok haar helemaal niet. Ze was bang voor wat ze daar zouden vinden. Bovendien was ze het liefst hier gebleven. Dan wist Tiron in ieder geval waar ze waren. Onzin, zei haar verstand streng, Tiron komt echt niet meer terug. Hij is weg, voorgoed. Snikkend verborg ze haar hoofd in de kussens. Ze lag uren later nog te piekeren.

De volgende ochtend hadden Iss, Ikor en Giffor alle paarden en Miran rijklaar gemaakt. Het zwaard waar ooit de zwarte diamant in zou schitteren werd met panter en al toevertrouwd aan Giffor, die dat een enorme eer vond. Hij nam zijn belofte aan de verdronken Gontak erg serieus en vertelde keer op keer aan iedereen die het maar wilde horen wat voor een geweldig meesterwerk dit wel niet was.

Ze zouden in kleine groepjes de meest noordelijke poort van de stad door gaan. Cyane zou met Mekaron, Iss en Giffor als laatste het huis van de Fee verlaten. Bedremmeld keek ze toe hoe de anderen hun paarden beklommen en de straat uit reden. Het liefst was ze ter plekke in tranen uitgebarsten. Ze had het gevoel dat het vertrek uit dit huis de laatste band met Tiron verbrak.

De watermagiër kwam zwijgend naast haar staan. Cyane dacht aan Sirus' woorden en met een beverig glimlachje keek ze even naar hem op. Hij knikte haar toe met die grimmige blik van hem. Zo heel anders was hij dan zijn spontane broers. Ze begreep nog steeds niet waarom hij haar belet had Tiron achterna te gaan. Ze besefte echter wel dat Mekaron iets wist over hem, iets wat hij ook zijn broers niet had verteld.

Na een halfuur gewacht te hebben, bestegen ook zij hun paarden en lieten ze het huis achter zich. In de straten van deze eens zo machtige stad heerste nog steeds wanorde. Feeën liepen doelloos heen en weer. Een grote onrust maakte zich van hen meester. Cyane voelde de spanning. Niemand sloeg veel acht op hen. Iss had zijn gezicht helemaal bedekt en ook Mekaron was onherkenbaar.

Snel naderden ze de noordelijke poort. Plotseling zagen ze een Fee op een wit paard aan komen stormen, door de poort, helemaal in paniek. Zijn kleding zat onder de aarde, zijn haren verward.

'Ze is dood!' gilde hij tegen niemand in het bijzonder. 'Onze koningin is dood. Ik heb haar zelf gezien.'

Zijn woorden hadden een verbluffend effect. Uit de huizen kwamen de Feeën toegestroomd, de straat op. Cyane was genoodzaakt vaart te minderen, want plotseling liepen er tientallen Feeën voor de hoeven van Horizon.

'Dit gaat fout,' zei Mekaron.

Strakke en ongelovige gezichten waren overal om hen heen. Een ontkennend gemompel steeg op uit het volk. Vele zwarte ogen richten zich op de onheilsbrenger op het witte paard.

'Doorlopen,' gebood Mekaron. Hij sprong van zijn paard af en leidde het snel door de menigte. Hij schuwde het niet hier en daar een Fee weg te duwen.

Cyane volgde zijn voorbeeld. Ze voelde de woede van de Feeën. Hun geliefde koningin was dood. Iemand zou daarvoor boeten en dat hoefde niet noodzakelijkerwijs de daadwerkelijke moordenaar te zijn.

De Feeën drongen samen om de boodschapper. Grimmige gezichten, woedende kreten. Ze sleurden hem van zijn paard, sloegen hem en riepen dat het niet waar was. Cyane hoorde zijn gegil. 'Ik heb het gezien. Het is echt waar.'

'Moordenaar,' schreeuwde een andere Fee. De kreet werd onmiddellijk overgenomen. Overal om haar heen schreeuwde de bevolking: 'Moordenaar! Moordenaar!'

Mekaron verhoogde zijn tempo, op de voet gevolgd door de andere drie. Ze naderden de poort. De kreten van de onfortuinlijke boodschapper werden schriller.

Toen riep iemand: 'Hé, wie zijn dat?' Hij wees naar het viertal.

Mekaron aarzelde niet. Hij klom behendig op zijn paard en gebaarde de anderen hetzelfde te doen. Hij boorde zijn hielen in de flanken van zijn rijdier en stormde naar de poort. Zij die niet wegsprongen, kwamen onder de hoeven terecht.

De menigte keerde zich tegen hen. Overal zag Cyane de vertrokken gezichten van de woedende Feeën. Wild sloeg ze de teugels tegen Horizons hals en probeerde zo in Mekarons kielzog te blijven.

Opeens werd er aan haar getrokken. Ze gilde, maar iemand wist de hand los te rukken. Het was Iss, die naast haar was komen rijden. Hij trok de doek van zijn gezicht en het verrassingseffect van zijn mismaakte gelaat gaf hen alle drie de kans bij de poort te komen waar Mekaron al doorheen was.

De deuren gleden langzaam dicht. Cyane stormde langs het bewerkte hout, op de voet gevolgd door Iss en Giffor. Ze minderden geen vaart. Ze moesten zo snel mogelijk ver van de stad zien te komen. Buiten de poorten troffen ze de rest van de groep.

'Ze hebben het lichaam van Elenia ontdekt,' vertelde Mekaron.

'Mooi. Benieuwd of Adanar zich nu van zijn schijnbaar zo belangrijke bezigheden zal losrukken,' zei Meroboth.

In hoog tempo reden ze in de richting van de Zwarte Rivier. Het gebied achter de noordelijke poort was recentelijk ontbost. Aan weerszijden van de vlakte waren de bomen van het woud zichtbaar, maar deze kilometers brede doorgang was onbegroeid. Melsaran vertelde dat het de bedoeling was dat Néfer à Tagalet uitgebreid zou worden tot aan de Zwarte Rivier, zodat de stad twee havens zou hebben.

'Daar zal nu wel niets meer van komen,' zei Meroboth.

Naarmate ze noordelijker trokken werd het steeds donkerder. Dit was het gebied waar het Rijk der Duisternis zijn naam aan te danken had.

'Ik zal nooit begrijpen waarom iemand hier zou willen wonen,' zei Sirus.

'Goud,' zei Melsaran. 'Heel veel goud, gedolven in het Gebergte van Orgor. Daar hebben Ikor en Adanar hun enorme rijkdom aan te danken.'

Zwijgend reden ze verder. Meroboth stond geen rustpauze toe, omdat hij vreesde voor een legioen woedende Feeën.

Uren achtereen trokken ze door het steeds somber wordende landschap, tot in de verte het geruis van de Zwarte Rivier klonk. Pas toen herinnerde Cyane zich wat Ikor ooit gezegd had: in het Land der Gnomen was de enige plaats waar ze dit water over konden steken. Ze waren niet eens in de buurt van dat land. Niemand scheen zich echter erg druk te maken en het duurde niet lang voor ze aan de oever van het woeste water stonden.

'Zo.' Mekaron sprong van zijn paard en gebaarde Cyane hetzelfde te doen.

Meroboth en Melsaran volgden hen en ze had opeens het sterke vermoeden dat de broers wat afgesproken hadden.

'We willen naar de overkant,' zei Mekaron.

Het was een test. Ze zag het in de ogen van de magiër. Blijkbaar vond hij dat ze genoeg lessen had gehad.

Woede kwam in haar op. Ze had kunnen weten dat Mekaron het haar moeilijk zou maken, dat deed hij immers altijd. Hij was geen geduldig leermeester en hij had haar vorderingen nooit echt kunnen waarderen. Trots gooide ze haar hoofd naar achteren. Ze zou hem weleens laten zien wat ze kon en dan zou hij eindelijk eens zijn mening moeten herzien. Ongenaakbaar liep ze langs hem heen naar de waterkant.

'Denk na, Cyane,' klonk Melsarans waarschuwende stem.

'Bemoei je er niet mee,' snauwde Mekaron zijn broer toe.

Ze pakte haar zwaard.

Waarom had Melsaran haar gewaarschuwd? Hij had haar blik gezien. Ja, hij had gelijk. Ze moest niet onbezonnen te werk gaan. Magie was niets anders dan het meester zijn over je gedachten. Sterker zijn dan andere krachten. Sterker dan de natuur. Had de vuurmagiër niet gezegd dat magie niets anders was dan concentratie?

Ze staarde naar het voorbijrazende water. Het moest opzij, want dat wilde ze. Ze concentreerde zich op het water.

Tiron.

In plaats van het water zag ze zijn vermoeide gezicht. Ze miste hem zo.

Nee. Dit was wat Mekaron verwachtte. Dat ze niet sterk genoeg was om hem te vergeten. Ze kon het water haar wil opleggen. Ze wilde het. Die groene ogen moest ze negeren. Haar gevoelens moest ze verdrijven, ze moedwillig verbannen. Nu was er alleen maar ruimte voor het water en de magie. Ze wilde dat het water aan de kant ging. Het water, de natuur, moest haar gehoorzamen. Haar alleen. Ze zag het tegenstribbelen, hard en koppig. Wie dacht ze wel dat ze was?

Ik ben Cyane, verdorie, dacht ze. Je gaat aan de kant omdat ik dat wil. Het water golfde en klotste maar dreef uit elkaar, langzaam en onzeker, bang voor deze nieuwe magiër. De kiezelachtige bodem van de Zwarte Rivier werd zichtbaar.

Toen, plotseling, werd ze overweldigd door een stekende pijn. Het water was weer vrij en kwam bij elkaar. Een andere kracht werkte haar tegen.

Ze greep naar haar hoofd. Ze kon niet meer.

'Houd vol,' klonk een stem.

Ze hapte naar adem. Die stem had ze eerder gehoord.

'Houd vol. Die andere kracht is zwarte magie. Overwin het.'

'Hoe dan?' schreeuwde ze.

'Het is magie. Moet ik dan echt alles uitleggen?'

Ze wilde kwaad worden, maar vrijwel tegelijkertijd drong de betekenis van de woorden die in haar hoofd klonken door. Haar wil. Ze moest ook de zwarte magie haar wil opleggen door middel van de magie van water en aarde.

Weer concentreerde ze zich. Ze voelde het bloed uit haar hoofd wegtrekken. Zweet parelde op haar voorhoofd. De zwarte magie werkte haar tegen. Hij wilde haar overmeesteren.

Blauwe en groene golven van magie dwarrelden door haar bewustzijn. Langzaam drong het zwart terug. Het grind van de rivierbodem werd zichtbaar.

Weer voelde ze een stekende pijn.

'Nu,' hoorde ze Meroboth de anderen toesnauwen. Zijn stem deed haar concentratie wankelen. Ze negeerde de pijn en hield het water onder bedwang. Plotseling was ze zo moe. Wanneer kon ze stoppen? Ze wilde niets liever dan stoppen.

Ze voelde hoe iemand haar optilde en haar voor zich op een paard neerzette. Hij leidde haar door het water dat haar wil probeerde te breken. Het wilde weer terug in zijn eigen vorm, weg van haar. Ze kreunde.

'Nog even volhouden. We zijn er bijna.' De stem klonk van ver.

Het water kwam dichterbij. Opeens werd alles zwart om haar heen.

'Stop, Cyane.' Het was de stem van Melsaran.

De twee armen die haar op het paard hadden vastgehouden sloten vast om haar heen.

'Laat haar maar even.' Dat was Ikor.

'Dit was de eerste en de laatste keer dat ik luister naar een plan van jou,' hoorde Cyane Melsaran zeggen. 'Kijk eens hoe dat kind eraan toe is.'

'Ze heeft het toch maar gedaan,' zei Mekaron laconiek.

Cyane opende haar ogen. Ze zat op het grote zwarte paard van Ikor, die achter haar zat en haar stevig vasthield. Dat was ook wel nodig, want ze voelde zich duizelig en zwak. Om hen heen stonden Meroboth, Melsaran en Mekaron.

De watermagiër had een vreemde blik in zijn ogen. Alsof hij niet kon geloven wat Cyane net had gedaan.

Een beverig glimlachje verspreidde zich over haar gezicht. 'Mijn wil was sterker,' zei ze triomfantelijk.

Mekaron knikte haar toe en liep weg. Meroboth ging zijn broer achterna, maar Melsaran keek haar trots aan. Een warme gloed trok door haar lichaam. Het respect van de Tovenaar van Goed en Kwaad betekende veel voor haar. Ikor hielp haar van zijn paard en ze verdween in Melsarans armen. 'Goed gedaan, meisje,' zei die.

Ze keek om naar Ikor. Hij knikte haar kort toe en liet zijn paard toen naar de anderen gaan. Zij stonden een eindje verderop aan de voet van het Gebergte van Orgor.

Trots gleden Cyanes vingers over de twee diamanten. Eindelijk begon ze te leren hoe de magie werkte. Toen herinnerde ze zich de stem die in haar hoofd had geklonken. Ze had die stem herkend. Die stem had ze ook gehoord in haar gevecht met de Varénen, langgeleden. Later had ze hem vaker gehoord: het was de stem van Scar.

Ze staarde naar de twee stenen. Was het mogelijk dat deze inwoner van het Rijk der Duisternis haar wilde helpen? En waar kwam zijn zwarte magie vandaan? De handlangers van Tronador en Adanar waren bekend. Daar zat

Scar niet bij. En dan het boek met de gouden kaft dat hij bij zich had gedragen. Kon ze zich maar herinneren waar ze dat eerder had gezien.

Elf

Pas nu kreeg Cyane oog voor haar omgeving. De Zwarte Rivier bulderde woest naast haar, alsof het water haar overwinning niet kon verdragen. En aan de andere kant, gehuld in de nevelen van de eeuwige duisternis, lagen de imposante bergen van Orgor. Hun pieken waren zo hoog dat ze niet eens zichtbaar waren. Hun onregelmatige oppervlakten leken op weerzinwekkende gezichten, die de stellige beloften inhielden hen nooit meer te laten gaan als ze hen eindelijk in hun klauwen hadden.

Cyane rilde. Wat voor gruwelijks verborg dit indrukwekkende natuurverschijnsel? Was hier inderdaad de vijfkleurige diamant?

Melsaran sloeg een arm om haar heen. 'Het komt wel goed, Cyane,' zei hij. Ze was moe en onrustig en had moeite dat te geloven. Ze liet zich door de magiër naar de anderen leiden. Bezorgd stopte Gondolin haar wat te drinken en te eten toe.

'Daar hebben we geen tijd voor,' zei Meroboth.

'We gaan niet weg voordat ze dit op heeft,' zei Gondolin beslist. Met haar handen in haar zij ging ze voor de oude man staan.

Sirus grinnikte en trok zijn geliefde naar achteren. 'Blij te zien dat sommige dingen nooit veranderen. Maar Gondolin heeft gelijk. We moeten het kind niet uitputten.'

'Ik ben geen kind,' sputterde Cyane tegen met haar mond vol brood.

Sirus lachte nu echt en schudde zijn hoofd. Meroboth kon niets anders doen dan wachten. Een eind verderop zat Mekaron alleen op een rotsblok. Met het brood nog in haar handen liep Cyane naar hem toe. Zwijgend ging ze naast hem zitten.

'Het heeft me enorm veel moeite gekost om me de watermagie eigen te maken, Cyane,' begon de watermagiër uit het niets. 'Ik denk niet dat je beseft hoeveel.'

Ze hield op met eten.

'Ik ben niet de slimste van ons drieën, Cyane. Integendeel. Melsaran is natuurlijk uitzonderlijk wijs en het leren kostte Meroboth ook nooit veel moeite, maar ik... Het kwam me bepaald niet aanwaaien. Ik moest het in mijn jeugd en ook later hebben van mijn kracht. Wat dat betreft leek ik veel op Melsasser. Iets waar ik veel moeite mee had, vooral nadat hij de zwarte diamant had gegrepen. Ergens was ik altijd bang dat ik zou worden zoals hij. Watermagie is sterk. De Dryaden keken daarom tegen mij op. Maar daar heb ik hard voor gewerkt. En nu zie ik jou zo makkelijk omgaan met mijn levenswerk. Dat kost me moeite.'

Cyane luisterde zwijgend, onder de indruk van Mekarons eerlijkheid.

'Ik ben een cynische, zwartgallige man, Cyane. Het is voor mij heel makkelijk af te glijden naar de duistere kant, want die is een deel van mij. Mijn magie heeft me daar altijd voor behoed. Het is Melsaran die het onderscheid kan zien tussen goed en kwaad maar ik zie de duistere kant van iemand. Instinctief voel ik of die overheerst of niet. Daar komt geen magie aan te pas.'

Ze knikte. Had Mekaron Ikor niet opgenomen als een vriend? Hij had geweten dat ook bij Ikor de drang naar het goede overheerste. Mekaron had echter ook Tiron veroordeeld. Met een ruk keek ze hem aan. Plotseling drong de ijzige waarheid van wat Mekaron haar wilde zeggen tot haar door.

'Had u dat ook met Tiron?' vroeg ze.

Mekarons blik was ernstig. 'Je zou er goed aan doen bij hem uit de buurt te blijven, Cyane. Hij is een kind van het kwaad.'

Cyane verbleekte. Ze kon nauwelijks geloven wat de magiër haar zei. Tiron was niet makkelijk in de omgang en er was veel dat ze niet over hem wist, maar deze leugens had hij niet verdiend. Had hij niet heel zijn leven in dienst gestaan van Meroboth, Mekarons bloedeigen broer? Ze vloog overeind. 'Hoe durft u,' snauwde ze hem toe. 'Tiron staat aan onze kant, maar u behandelt hem als oud vuil. U verspreidt deze afschuwelijke leugens over hem. Laat me voortaan met rust. Ik wil nooit meer iets met u te maken hebben.'

Ze draaide zich om en stormde terug naar de groep. Mekaron deed werkelijk alles om haar het leven zuur te maken. Nee, ze mocht hem niet. Hij leek helemaal niet op zijn broers. Ze zag niet hoe Mekaron haar vermoeid en ongerust nakeek.

In haar razernij botste ze tegen Iss op, die zijn paard bij een karig stukje groen liet grazen.

Ze voelde zijn stevige handen om haar schouders om te voorkomen dat ze beiden vielen. 'Je hebt echt geen reden om weg te lopen van Mekaron,' zei hij.

'Wat weet jij er nu van?' beet Cyane hem toe. Niet eerder had ze de veerman, voor wie ze veel respect had, zo geprikkeld behandeld.

'Alleen zij die bang zijn voor de waarheid, lopen weg van

een eerlijke man,' zei hij, waarna hij haar losliet en verder ging met de verzorging van zijn paard.

Briesend liep Cyane naar Horizon. Ze had natuurlijk kunnen verwachten dat Iss Mekaron zou steunen. Dachten de anderen ook zo over Tiron?

Tiron. Hij had haar geholpen en gesteund. Hoe vaak hadden ze niet samen over de vlakten van Akonia gereden? Ze was met hem opgegroeid en ze was van hem gaan houden. Mekaron had het natuurlijk mis. Hij had Tiron nooit gemogen. Hij was een overdreven achterdochtig man.

Maar...

Had Tiron niet zelf gezegd dat ze hem moest vergeten? Dat hij niet bij hen hoorde? Hij had uitermate vijandig gereageerd op Ikor en ook op Mekaron. En hij had tegen Miran gesproken. Dat wist ze zeker. Hoe kon hij met een eenhoorn praten?

Iemand legde zijn hand op haar schouder. Het was Sirus. 'Misschien moesten we maar eens gaan, voor je met iedereen hier ruzie hebt,' stelde hij voor.

Zwijgend besteeg iedereen zijn rijdier. De beklemming die van het Gebergte van Orgor uitging was duidelijk voelbaar in de groep.

Mekaron respecteerde Cyanes woede en bleef uit haar buurt. Ze merkte het meteen en ergens deed het haar pijn. Wat als hij inderdaad de waarheid had gesproken? Was haar loyaliteit misplaatst? Iss had in ieder geval duidelijk zijn mening over de magiër gegeven. Het was nu eenmaal een feit dat hij het zelden mis had. Haar gedachten ebden weg toen ze het smalle paadje voor zich zag. Het was de enige toegang tot het Gebergte van Orgor, smal en glibberig. Steil kronkelde het naar boven over de rotsen. Ze had al haar aandacht nodig om Horizon langs deze weg te sturen.

In een lange rij beklommen ze zo de eerste berg. Niemand voelde behoefte om te praten. Er hing een ijzige stilte in de duistere, kille lucht. Zwarte wolken dreven boven hen voorbij en er stond een koude wind. Dit was het hart van het Rijk der Duisternis, dat hier zijn naam eer aandeed. Al het groen was verdwenen en, zo leek het, ook al het dierlijk leven. Toch was Cyane er niet gerust op, omdat het haar opviel hoe scherp Ikor en Melsaran, hier beiden bekend, de omgeving in de gaten hielden. Ikor had zijn hand constant op het gevest van zijn zwaard.

Ze naderden de top, waarna het paadje hen weer een diep ravijn in leidde. De rotswanden staken opeens tientallen meters boven hen uit. Hier werd het pad wat breder en Cyane ging naast Melsaran rijden.

'Waar gaan we eigenlijk heen?' vroeg ze nieuwsgierig.

'Naar de Drakenpas,' vertelde Melsaran. 'Als die Tempel van Orgor bestaat, dan is dat de enige toegang.'

'En hoe precies moeten wij dat opvatten?' informeerde Sirus, die achter hen reed.

'Dat moet je opvatten als groot, groen, gevleugeld en voorzien van een hele rij tanden.' In de stem van Melsaran klonk enige spot door.

'Juist ja,' zei Sirus. 'En dat groot, groen en gevleugeld leeft?'

'Het leeft. Bij voorkeur in gezelschap van een paar anderen,' zei Melsaran.

'Nou, dat is weer een aantrekkelijk vooruitzicht,' mompelde Sirus.

'Er is dus nog nooit iemand bij de Tempel van Orgor geweest,' merkte Cyane op.

'Er is nog nooit iemand van teruggekeerd. Dat is wat anders,' zei Melsaran. 'De tempel schijnt ooit gebouwd te zijn door Dar, Orgors broer. Dar had alle andere vormen van magie in zijn macht maar hij verafgoodde zijn broer, de eerste zwarte magiër. Orgor was een machtige man. Hij kende ook het onderscheid tussen Goed en Kwaad. Het schijnt dat Orgor de vijfkleurige diamant, waarin eerst alle vijf de vormen van magie opgesloten zaten, altijd bij zich heeft gehouden om eventueel, als zijn kleine broer het ernaar maakte, de magie onmiddellijk van hem af te kunnen nemen. Na zijn dood heeft Dar die diamant in de tempel verwerkt. Hij was toen zelf ook al een oude man. De magie had hij door middel van andere stenen inmiddels doorgegeven. Hij wilde voorkomen dat de oorspronkelijke diamant in de verkeerde handen zou vallen.'

'En niemand heeft de steen ooit in handen gehad,' zei Cyane.

'Niemand. En die verdomde steen is nu Adanars enige kans.' Melsaran schudde zijn hoofd. 'Geen draak zal hem tegenhouden.'

Cyane stuurde Horizon een smal pad omhoog in. Adanar moest wel heel wanhopig zijn om op zoek te gaan naar iets waarvan niemand wist of het nog wel bestond.

Adanars andere kans was de drager van het zwaard voor de zwarte magie, maar vreemd genoeg leek de krankzinnige Fee daar alle vertrouwen in te hebben verloren. Wist hij ook niet wie het was? Kon hij hem niet vinden? Ze werd de hele dag gekweld door vragen waar niemand een antwoord op wist, terwijl ze steeds verder het gebergte in drongen.

De nacht, donker en koud, brachten ze door in een klein ravijn. Niemand sliep veel en de volgende ochtend reden ze in alle rust weer verder. Ikor meldde terloops dat ze tegen de middag de Drakenpas zouden bereiken.

Uren vergleden en Cyane doezelde langzaam weg, steeds meer vertrouwend op Horizons capaciteiten om haar veilig de bergen door te voeren. Licht schommelend zat ze op zijn rug. Zijn regelmatige hoefgekletter drong nog maar van verre tot haar door.

'Let op. Ze zijn hier in de buurt,' blafte plotseling een stem vlak bij haar oor.

Ze schrok op en keek rond. De leden van haar reisgezelschap reden in een lange rij voor en achter haar. Er was niemand naast haar en zeker niet iemand die bijzondere aandacht aan haar schonk.

Iss, die vlak achter haar reed, keek haar vragend aan. Hij had haar zeker niet toegesnauwd, want zijn stem was niet zo krachtig als die ze had gehoord.

'Nou, je bent in ieder geval wakker,' zei de stem weer.

Onmiddellijk herkende ze de stem. Hij had haar al veel vaker toegesproken en niet alleen in haar hoofd.

'Scar,' mompelde ze. Nu wist ze het zeker. Hij was het geweest die haar bij de Varénen had geholpen. Ook had hij haar gewaarschuwd voor de magie in de Zwarte Rivier.

'Waarschuw die vervloekte Fee van je dat er drie draken in aantocht zijn,' zei de stem van Scar bij haar oor. 'Ik heb ze geprobeerd tegen te houden, maar onze wederzijdse vriend was me te slim af.'

'Welke wederzijdse vriend?' vroeg ze prompt op een fluistertoon, bang dat de anderen haar zouden horen.

'De Heilige Hoeder aller Feeën,' zei Scar liefjes. 'Adanar natuurlijk,' beet hij haar vervolgens toe.

Cyane merkte dat hij nog steeds zijn harde en ongeduldige zelf was. 'Is Adanar bij jou?' vroeg ze verbaasd.

'Dat mocht hij willen,' spotte Scar. 'Nou, komt er nog wat van?'

'Hoe...' begon Cyane, maar de stem van Scar snoerde haar bot de mond.

'Je nieuwsgierigheid wordt nog eens je dood. Ga naar die Fee en vertel hem van de draken. Hij weet wat hij moet doen.'

'Ja, Scar,' mompelde ze braaf.

'Dank je, Cyane,' zei Scar. 'Ik snap niet hoe die drie het met jou hebben uitgehouden.'

Ze wist dat hij doelde op de drieling. 'Je hebt anders wel mijn leven gered in Néfer à Tagalet,' mompelde ze.

'En daar krijg ik nu spijt van.' In de stem klonk een lachje door.

Ze grinnikte. Ze wist nog steeds niet of ze deze man kon vertrouwen. Het was duidelijk dat hij een grote hoeveelheid zwarte magie bezat en daar handig gebruik van maakte. Hoewel ze hem eigenlijk nauwelijks kende en hij blijkbaar veel te verbergen had, voelde hij vertrouwd en bekend. Soms deed hij haar erg aan Mekaron en Meroboth denken.

Ikor reed vooraan. Moeizaam worstelde ze zich op Horizon naar voren langs het smalle paadje. De anderen keken haar verwonderd na en ze glimlachte excuserend tot ze zich eindelijk naast Ikor had gemanoeuvreerd. 'Er zijn drie draken in aantocht,' zei ze plompverloren.

Ikor stelde geen enkele vraag. Meteen begon hij haar instructies te geven. 'Goed, luister naar me, Cyane. De draken beheersen een oude vorm van zwarte magie. Jouw magie is daar niet tegen opgewassen, dus probeer het niet eens. Laat hen maar aan ons over en blijf in de buurt van Melsaran. De draken zullen proberen jullie magie op te zuigen en te vernietigen.'

'Maar hoe...' begon ze.

'Doe wat ik zeg,' snauwde Ikor.

Cyane liet zich afzakken tot ze naast Melsaran reed.

'Is het zover?' vroeg hij kalm.

'Ja, maar daarom hoeft niet iedereen me zo af te snauwen,' mopperde ze.

Onderzoekend keek Melsaran haar aan. 'Iedereen?'

Een opstekende windvlaag voorkwam dat Cyane zich

nader moest verklaren. Afgeleid keek ze omhoog om daar iets te zien wat ze nooit meer zou vergeten. Over de toppen van de bergen scheerden drie levensgrote, gevleugelde monsters in hun richting. Hun vleugels beroerden de lucht, zodat het leek of er een storm opstak. De vleugels bestonden uit de voorpoten die door een dunne huidlaag verbonden waren met het massieve lichaam van deze wezens. De monsters waren felgroen en voorzien van niet twee maar vier grote rode ogen, die in een rij op de koppen van de beesten stonden. Het afschrikwekkendst waren de bekken. Ze stonden halfopen. Slijm viel in grote klodders naar beneden langs de rijen scherpe tanden, die maar al te goed zichtbaar waren. Een mens kon rechtop staan in zo'n bek.

Cyane sloeg haar hand voor haar mond en staarde vol afschuw naar de wezens. Hoe konden ze dit drietal ooit verslaan?

'Ze zijn blind,' vertelde Melsaran. 'Ze sporen ons op met een speciaal zintuig dat magie kan traceren. Personen zonder magie hebben eigenlijk weinig te vrezen. Die ogen zijn bedoeld om de magie op te zuigen.'

Ze wilde deze details eigenlijk niet horen. Het enige wat ze wilde was zich omdraaien en zo snel als ze kon vluchten. Maar het zou nooit snel genoeg zijn. Met één vleugelslag legden deze monsters honderden meters af.

Ikor dwong hen door te rijden. Cyane zag dat hij al de anderen voor liet gaan. Samen met Iss bleef hij om Melsaran en haar heen rijden. Het was haar duidelijk dat zij beiden het doelwit van de draken waren. Ze waren uit op hun magische krachten.

Terwijl de wezens dichterbij kwamen bedacht Cyane dat ze alleen haar zwaard maar weg hoefde te gooien. Dan was ze verlost van de magie en zou ze een kans hebben om te ontsnappen. Meteen schaamde ze zich over haar gedachten. Meroboth en Mekaron hadden hun krachten aan haar gegeven. Ze mocht ze bij de eerste de beste tegenslag niet opofferen.

Al haar redelijke gedachten maakten plaats voor pure angst toen de drie draken naderden. De rode ogen glinsterden fel, klodders slijm vielen om haar heen toen de wezens vlak boven haar zweefden. Ze voelde hun blikken op haar gericht. De stenen schitterden in het gevest van haar zwaard.

Ikor trok zijn zwaard en hield het drietal nauwlettend in de gaten. Iss deed niets. Hij staarde alleen maar omhoog.

Toen waagde een van de beesten een aanval. Geluidloos stortte het zich naar beneden in Cyanes richting. Ze slaakte een kreet en stuurde de angstige Horizon een andere kant uit. Het dier steigerde wild maar gehoorzaamde haar toch. Rakelings scheerde het wezen over haar heen. Ze voelde zijn klamme huid over haar haren strijken en ze rilde. Haastig greep ze haar zwaard en inspecteerde de diamanten. Ze glinsterden nog net zo fel als even tevoren.

Daar kwam de tweede draak. Hij wierp zich op Melsaran. Voor hij zijn ogen op de rode diamant van de vuurmagiër kon richten snelde Iss naar voren. Handig manoeuvreerde hij zich tussen het monster en Melsaran in en richtte zijn verschillend gekleurde ogen op het wezen.

Wat er toen gebeurde, deed Cyane de andere twee loerende draken even vergeten. Het monster maakte een piepend geluidje, bewoog zich alsof het tegen een muur was gebotst en draaide zich razendsnel om.

Melsaran leek niet verbaasd. Cyanes mond viel echter open. Iss had daar alleen maar gestaan. Een volgende draak deed een uitval naar haar. Weer sprong Iss lenig en snel tussenbeide. Het beest droop jammerend af. Nog tweemaal

waagden de monsters een poging. Beide keren was Iss' aanwezigheid genoeg om hen te doen vluchten.

Iss bleef in de buurt van Melsaran en Cyane. De draken
cirkelden boven hen, niet bereid hun magie zomaar te laten
gaan. Ze vielen echter niet meer aan. Met deze drie afschuwelijke metgezellen naderden ze de rest van het gezelschap.

'Ach, zijn dit de drie nieuwste aanwinsten van onze
groep?' vroeg Sirus.

Cyane sloeg geen acht op de opmerking. Met een be-
vreemde blik keek ze naar Iss, die voor haar reed en de draken nog steeds scherp in het oog hield. Waarom waren deze
monsters zo bang voor hem?

'Ook voor Iss was er een reden dat hij mee moest,
Cyane,' zei Melsaran.

Ze keek hem vragend aan. 'Is het magie?'

Melsaran knikte. 'Ja, het is magie. Dezelfde oude zwarte
magie als die de draken bezitten.'

'Ik begrijp het niet,' zei Cyane.

'Magie ontwikkelt zich ook, net als wij,' vertelde Melsaran. 'De oorspronkelijke magie die in de vijfkleurige diamant zat, was anders dan de magie die nu bestaat. De oer-
vormen van de aard-, water-, lucht- en vuurmagie zijn
uitgestorven. Die van de zwarte magie leeft nog steeds
voort in die draken en in Iss. Deze vorm kan de nieuwere
vormen vernietigen, of beter gezegd leegzuigen, maar als
kracht tegen andere elementen is hij waardeloos.'

'Hoe komt Iss eraan?'

'In het Moeras van Agis wonen vele monsters die deze
vorm van magie bezitten. Het is de magie van de verstote-
nen. Iss heeft zijn krachten daar verkregen. Hij is erg sterk.
Zolang hij in de buurt is, hebben we van deze monsters
niets te vrezen.'

'Dus Iss kan Adanar zijn krachten afnemen?' vroeg Cyane.

'Ja, maar dat zal hij niet doen. Om de zwarte magie voorgoed te stoppen zal de strijd gestreden moeten worden,' zei Melsaran.

Plotseling vielen bij Cyane de stukjes op hun plaats. 'Daarom vielen ze hem nooit aan,' zei ze voor zich uit. Het monster Xar en al die andere wezens in het Dryadenmeer en natuurlijk de Gnomen en Tangen. Ze had altijd gedacht dat de wezens hem beschouwden als een van hen; net als zij een monster. Hij was ook een van hen, maar op een heel andere manier dan ze ooit had kunnen vermoeden.

Het was deze oervorm van de zwarte magie die Iss zijn bescherming had gegeven. En nu bleek het nut van deze kracht. Dankzij hem hadden ze toegang tot de Tempel van Orgor. Een warme gloed verspreidde zich door haar lichaam toen ze naar de mismaakte man keek. Een verboden leven dat zich makkelijk door haat en vijandschap had kunnen laten verbitteren en vernietigen. Hij was letterlijk en figuurlijk uit het moeras geklommen om zijn wijsheid en ervaringen met anderen te delen.

Had zij hetzelfde gekund als ze een leven had gehad als dat van hem? Ze wist zeker van niet. Ze zou nooit zo sterk worden als Iss. Haar gedachten werden abrupt afgebroken door een ontzagwekkend tafereel dat zich voor haar ogen ontvouwde.

Twaalf

Twee enorme standbeelden, uitgehouwen in de twee bergen die de weg flankeerden, werden langzaam zichtbaar. Het was niet de omvang of de grootte van de beelden die Cyanes aandacht trok. Ongelovig staarde ze naar het beeld aan haar rechterzijde. Het stelde een vrouw voor met lange golvende haren. De stenen ogen keken star voor zich uit. Haar handen rustten op het gevest van een zwaard dat voor haar in de grond stak. Torenhoog stak het oeroude, halfvergane beeld boven haar uit. De tijd had nog niet zodanig toegeslagen dat ze het gezicht niet herkende.

Ze sloeg haar hand voor haar mond en wierp een wanhopige blik op Melsaran.

'Dat kan niet,' stamelde ze moeizaam. 'Dat ben... dat ben ik.'

Kalmerend legde Melsaran een hand op haar schouder. 'Dat ben jij, ja,' zei hij rustig, 'de draagster van het zwaard.'

'De twee dragers van het zwaard bewaken al eeuwen de tempel,' legde Ikor uit.

Bijna automatisch draaide Cyane haar hoofd naar het andere beeld.

Ook zijn handen rustten op een zwaard. Aan de voet van het zwaard, bij de punt, lag de stenen panter. Haar blik

267

gleed naar boven. Teleurgesteld beet ze op haar lip. Erosie had toegeslagen in het gezicht van deze persoon. Hij was onherkenbaar. Nog wist ze niet wie haar tegenstander zou zijn. Maar iemand anders had het wel voorzien.

'Dat kan niet,' riep ze uit. 'Gontak heeft het zwaard en de panter ontworpen. Niemand wist toen nog hoe het eruit zou zien.'

'Dar wist het,' zei Melsaran.

Cyane kon het nauwelijks bevatten. De allang overleden eerste grote magiër, heerser over vier vormen van magie, had geweten wie zij was. Het boezemde haar meer ontzag in dan ze kon uitdrukken. Haar geboorte, haar reis, haar leven, alles was al eeuwen voorbestemd.

Langzaam passeerden ze de beelden. Ze keek met kloppend hart omhoog naar haar eigen beeltenis ver boven haar. Zou ze de verwachtingen kunnen waarmaken?

Door een smalle kloof kwamen ze in een grote cirkel die omgeven was door grijze bergen met sneeuw op hun toppen. De draken zweefden geruisloos met hen mee en bleven boven de open plek hangen. In het midden van de cirkel stonden de halfvergane resten van de Tempel van Orgor. De tempel had eenzelfde structuur als de tempel die ze hadden aangetroffen in het Steengebergte, alleen zag deze er een stuk ouder en verwaarloosder uit. Het materiaal bestond eenvoudigweg uit steen en niet uit het goud waaruit Adanar zijn bouwwerk had laten optrekken. Diverse grote pilaren lagen gebroken op de grond, maar nog vele tientallen stonden overeind en hielden het dak in de lucht.

Zwijgend stegen ze af en liepen naar de tempel. Een koude wind veroorzaakte een suizend geluid tussen de pilaren. De wind prikte in Cyanes gezicht en ze voelde haar huid en vingers tintelen. Ze moesten over de gevallen pilaren klimmen om binnen te komen.

Cyane keek onrustig rond. Een zware deken van angst leek over het bouwwerk te liggen. Haar blik gleed over de vloer. Toen sloeg ze verschrikt haar hand voor de mond.

Achter een gevallen pilaar lag een lichaam in verregaande staat van ontbinding. Het was een Dwerg en in een verhelderende seconde wist ze wie het was. 'Dona,' fluisterde ze.

Sirus trok haar verder mee. 'Je kunt niets meer voor hem doen,' zei hij kort.

Ze werd misselijk. De ontvoerde zoon van Gontak had hier zijn einde gevonden zonder zijn vader ooit weer te zien. Het onderstreepte het genadeloze karakter van Adanar, die Gontak nog lang de hoop had gegeven dat zijn zoon wellicht nog leefde. Ze wendde haar blik af en liep verder.

Langs de pilaren kwamen ze in een grote ruimte en daar stond weer een standbeeld. Het was een lange, statige man. Hij leek precies op het beeld dat de trollen hadden aanbeden. Maar nu zag ze niet het gezicht van de Fee Adanar, maar dat van een oude man met strenge ogen en een strakke mond.

'Orgor,' zei ze.

'Ja, dat is Orgor, de eerste zwarte magiër,' bevestigde Melsaran.

'Opvallende gelijkenis met de tempel in het Steengebergte,' vond Sirus.

'Ja, die verdomde Fee is al diep gezonken,' meende Meroboth.

'Dat valt nog maar te bezien.' Mekaron wees zwijgend naar de handen van Orgor, die hij in een kom voor zijn lichaam hield.

Bij het beeld in het Steengebergte had in die handen een klein zwart diamantje gelegen. De handen van het originele beeld waren leeg.

'O jee,' mompelde Sirus.

'Iemand is ons voor geweest,' zei de watermagiër grimmig.

'Adanar?' Cyane durfde haar bange vermoedens haast niet uit te spreken. Het beklemmende zwijgen van de anderen maakte haar angstig. Als Adanar de vijfkleurige diamant had weten te bemachtigen waren ze verloren.

'Die vuile rat,' mompelde Sirus. Hij had de woorden nauwelijks uitgesproken of hij greep vertwijfeld naar zijn buik. Krimpend van de pijn viel hij op zijn knieën. 'Wat gebeurt er?' hijgde hij.

Gondolin knielde bezorgd naast hem neer. Sirus klemde zijn kaken op elkaar en greep haar hand. De stoere Nudoor kon een kreun nauwelijks onderdrukken. Melsaran legde zijn hand om de ketting om zijn hals. Hij sloot zijn ogen en concentreerde zich. Tot haar verbazing zag Cyane dat Sirus zich weer ontspande. Opgelucht keek Gondolin de magiër aan. Hij knikte haar haast onmerkbaar toe.

Ikor kwam naast Melsaran staan. 'Hij is hier,' zei hij.

'Ik weet het.' Het gezicht van de Tovenaar van Goed en Kwaad stond grimmig.

Plotseling verkilde de toch al ijzige wind en hij leek zich te concentreren op een plek vlak voor het standbeeld. In een kleine, plaatselijke wervelstorm kwamen bladeren en stof bij elkaar. In de kern van de storm werd een gestalte zichtbaar.

Ikor trok zijn zwaard en duwde iedereen naar achteren. Even plotseling als de wervelstorm was opgekomen nam hij ook weer af. Aan de voeten van Orgor stond een magere man in een rode mantel. Zijn sluike blonde haar viel over het linkerdeel van zijn gezicht zodat maar een van de gevoelloze zwarte ogen zichtbaar was.

Cyane hapte naar adem en probeerde vervolgens de

angst die door haar lijf gierde te negeren. Voor hen stond de feitelijke heerser van het Rijk der Duisternis: de Fee Adanar.

Niemand zei een woord. Als versteend keek iedereen naar de man die zoveel gruwelijke dingen op zijn naam had staan.

Cyane begreep dat hij Sirus' pijnaanval had veroorzaakt. De sterke magie van de Tovenaar van Goed en Kwaad had de Nudoor waarschijnlijk ternauwernood het leven gered. Ze had destijds in een magisch visioen door de ogen van Melsaran gezien dat Adanar met zijn magie iemand met gemak kon doden. Ze rilde toen ze dacht aan de dochter van Fabian. Sirus had eenzelfde lot kunnen ondergaan.

Adanar kwam in beweging. Een voor een nam hij hen op. Cyane verkilde onder zijn blik. Plotseling voelde ze een hand op haar schouder. Achter haar stond Melsaran, die zijn ogen niet neersloeg voor de Fee. Adanar staarde hem aan. De twee machtigste mannen op de wereld stonden voor het eerst sinds lange tijd tegenover elkaar. Het was een beangstigend ogenblik.

Niemand wist wat er door Adanar heen ging, maar Cyane was ook niet zeker van Melsarans gevoelens. Ze wist dat hij Adanar verantwoordelijk hield voor alles wat hem en zijn geliefde broer Melsasser was aangedaan. Hij hoefde alleen maar zijn hand te heffen om het gevecht met de Fee aan te gaan.

Ze voelde hoe de vingers van de magiër zich pijnlijk in haar schouders drongen. Ze durfde niet naar hem te kijken. Ze was bang. Bang dat een verkeerde opmerking van Adanar Melsaran zijn magie zou doen gebruiken. Het zou hem al zijn krachten kosten om dit monster te verslaan en dan zou haar zwaard niet de benodigde magie hebben om de zwarte magie voorgoed uit te schakelen. Vertwijfeld keek ze om zich heen. Ze vond de ogen van Meroboth.

271

'Zo, Adanar. Je hebt ons gevonden.' De stem van de oude man klonk luchtig.

Adanar keek naar Meroboth om en de spanning tussen hem en Melsaran werd voorlopig doorbroken. De greep op Cyanes schouder werd minder en ze haalde opgelucht adem.

'Meroboth.' Adanars stem klonk als een massa vallend ijs. 'Het was niet moeilijk. Ooit zouden jullie toch hierheen komen.'

'Dus je besloot ons hier maar vast op te wachten,' concludeerde Meroboth.

'Zoiets, ja,' zei Adanar kil.

Iets in zijn woorden trok Cyanes aandacht. Ze zag aan het plotseling opkijken van Ikor dat hij het ook niet vertrouwde. Opeens had ze het sterke vermoeden dat Adanar helemaal niet hier was om hen op te wachten, maar dat er iets anders was gebeurd.

'Ik geloof dat je plan een van jouw onderdanen noodlottig is geworden,' merkte Meroboth op.

'O ja?'

'Elenia is dood,' zei Meroboth.

Adanar knikte onaangedaan en wierp een onderzoekende blik op Ikor. 'Daar moet ik jou zeker erkentelijk voor zijn, Ikor? Of moet ik Geronimo zeggen?'

Ikor antwoordde zijn rivaal niet.

Onbeheerst deed Adanar een stap in zijn richting. 'Geef antwoord,' siste hij opeens.

Ikor keek hem alleen maar aan. Hij speelde met zijn leven. Cyane besefte dat hij dat maar al te goed wist, maar hij zou nooit meer kruipen voor Adanar. Al moest hij dat met de dood bekopen.

In de zwarte ogen van Adanar verscheen een rode vonk. De vonk van de waanzin die hem al die tijd had gedreven. 'Antwoord me!' beet hij Ikor toe. 'Of anders...'

'Of anders wat?' vroeg Ikor hooghartig.

Ogenblikkelijk hief Adanar zijn hand tot zijn aandacht werd getrokken door een beweging naast Ikor. Iss kwam tussen de beide Feeën in staan. Adanars hand viel slap naast zijn lichaam. 'Jij,' siste hij alleen maar.

Iss zei niets. Er ging zo'n dreiging van hem uit dat Adanar een stap naar achteren deed. Cyane kon haar ogen nauwelijks geloven. Iss had de macht Adanar tegen te houden.

De Fee had zijn zelfbeheersing snel teruggevonden. Onverschillig haalde hij zijn schouders op. 'Ach, het maakt niet uit. Jullie komen hier nooit meer weg,' zei hij. 'Daar zorg ik wel voor.'

'Met behulp van de vijfkleurige diamant?' informeerde Mekaron.

Hij was niet de enige die de glimp van verwarring over het gezicht van de gevaarlijke Fee zag trekken. Het duurde slechts een seconde. Maar ook Cyane had het opgevangen.

Opluchting overspoelde haar een ogenblik. Adanar had de vijfkleurige diamant niet. Er was nog hoop. Tegelijkertijd drong zich een andere vraag aan haar op. Als hij hem niet had, wie had hem dan wel?

'Die heb ik niet nodig om jullie te verslaan,' zei Adanar. 'Ik ben sterker geworden.'

'Ja, dat hebben we gemerkt,' zei Meroboth droog. 'Dat met die draken was leuk geprobeerd.'

Adanar grijnsde onnatuurlijk. Langzaam haalde hij een ketting vanonder zijn kleding vandaan. In de ketting schitterde de zwarte diamant. Ongelovig staarde iedereen naar de diamant van Melsasser. Adanar was de zwarte magiër. Adanar was degene die nu de krachten van de zwarte magie in zijn bezit had. Cyane haalde diep adem. Wat was er gebeurd met Melsasser? Waarom had hij zijn diamant aan Adanar gegeven?

'Idioot,' siste Meroboth. 'Dit kan je je leven kosten. Feeën kunnen geen magie verdragen.'

'Vooralsnog heb ik hier anders wel de zwarte magie. En ik leef nog. Helaas voor jullie. Jammer dat jullie nu juist dit schepsel mee moesten nemen.' Adanar knikte naar Iss.

'Dat schepsel is anders wel mijn vriend,' beet Mekaron hem toe.

Adanar lachte kil en onecht. 'Nou en? Moet ik vrezen voor de van zijn krachten ontdane watermagiër? Laat me niet lachen.'

'Maar je moet nog steeds vrezen voor mij, Adanar,' zei Melsaran.

De Fee draaide zich met een ruk naar hem om. 'Och ja, gebruik je magie, Melsaran. Alsjeblieft. Gebruik je krachten,' smeekte hij sarcastisch. 'Botvier ze op mij en ik verzeker je dat je je broer nooit meer levend terug zult zien.'

De vuurmagiër verbleekte.

'Ik ken je achilleshiel maar al te goed,' zei Adanar triomfantelijk.

Meroboth knarsetandde. Cyane begreep waarom: de Fee had hen in zijn val. Ze konden hun magie niet aanwenden omdat die dan zodanig zou verminderen dat Cyane de drager van het zwaard der zwarte magie niet kon verslaan. Aan de andere kant was magie nu juist hun enige ontsnappingsmogelijkheid. Spijtig keek ze naar haar zwaard. Had ze maar iets om Adanar tijdelijk uit te schakelen.

'Eens kijken,' zei Adanar, terwijl hij als een luipaard om hen heen liep. 'Wie zal ik als eerste vermoorden?' Hij lachte zo ijselijk dat Cyane doodsbang werd.

Met één beweging van zijn arm trok hij Gondolin uit de groep. 'Een voor een zullen jullie lijden,' fluisterde hij waanzinnig. 'Te beginnen met haar.'

'Nee!' Sirus drong naar voren met getrokken zwaard.

Snel trok Ikor hem terug naar achteren. 'Dat is precies wat hij wil.'

'Ik zal jullie allemaal doden en dan zal ik de rat vinden die mijn vijfkleurige diamant heeft gestolen.' Adanar merkte hen nauwelijks meer op. 'Dan komt mij de eer toe die ik al zolang verdien.' Hij wees met zijn vrije hand naar het gezicht van Orgor. 'Dan zal mijn beeltenis hier staan,' schreeuwde hij.

'Hij is gek,' siste Meroboth.

'Wat zei je daar, Meroboth?' riep Adanar. 'Noem je mij gek? Ik heb jullie toch maar mooi in mijn macht.' Hij wees met zijn hand naar Gondolin, die op hetzelfde ogenblik met een kreet van pijn op de grond viel.

'Kijk hoe zij sterft,' zei Adanar luid lachend.

Cyanes bloed kookte terwijl ze machteloos toekeek hoe de vrouw die haar had opgevoed kronkelde van de pijn. Haar geweten werd verscheurd. De zwarte magie kon haar niet meer schelen. Het enige wat ze wilde was Gondolin redden uit de klauwen van dit monster, al zou het haar al haar magische krachten kosten.

'Cyane.'

Verschrikt keek ze op.

Mekaron had zich naast haar weten te werken. 'Jij kunt dit stoppen,' zei hij zacht.

Weifelend keek ze in het grimmige gezicht van de man die ze de afgelopen dagen openlijk had genegeerd. 'Hoe dan?' vroeg ze smekend.

'Dit kost hem veel kracht. Zijn magie wordt ook minder,' legde Mekaron uit. 'Toe maar, gebruik je zwaard.'

Ze aarzelde. Maar de kreten van Gondolin wekten een grote woede bij haar op. Ze omklemde het handvat van haar zwaard en drong naar voren. Er was geen tijd te verliezen. Gondolin was er slecht aan toe en Ikor en Iss hadden de grootste moeite Sirus in bedwang te houden.

Ze probeerde zich af te sluiten voor het leed van haar vrienden. Ze moest zich concentreren. Ze zag dat Mekaron naar Iss liep en hem iets influisterde. Toen sloot ze haar ogen. Ze legde haar hand over de blauwe diamant. Ze zag het lichaam van de Fee, mager, uitgemergeld. Ze zag het bloed stromen door zijn aderen. Razend, vol adrenaline. Bloed bestond voor een deel uit water en dat water moest doen wat zij wilde. Het water moest zich verzamelen op één plek in het lichaam.

Zweet parelde op haar voorhoofd toen ze het water een andere kant op dwong. Langzaam opende ze haar ogen. Adanars blik was nog steeds op de kronkelende Gondolin gericht. Toen zakte zijn hand. Hij greep naar zijn buik.

'Nu!' Mekaron rukte Cyane naar achteren. Sirus en Ikor renden naar Gondolin.

'Nee!' krijste Adanar. Niemand luisterde naar hem. Zo snel als ze konden renden ze de tempel uit, klimmend en struikelend over de gevallen pilaren. Achteraf wist niemand meer hoe ze het precies hadden gedaan. Adanar strompelde hen achterna, schuimbekkend van pijn en razernij. Van de eens zo kalme Fee was niets meer over. Waanzin had hem in de greep. Hij schreeuwde van frustratie. Cyane zag dat hij alweer terug probeerde te vallen op zijn magie.

Iss duwde haar vooruit, onderwijl naar de draken wijzend. 'Ze houden hem nog wel even tegen.'

'Hoe?' vroeg Cyane.

'Dat vraag ik ook niet aan jou.' Iss hielp haar snel op Horizon en rende toen naar zijn eigen paard. Ze galoppeerden naar de uitgang van het dal.

Adanar verscheen tussen de pilaren van de tempel. Hij

braakte een golf van water. 'Vlucht maar!' schreeuwde hij hen na. 'Ik heb deze strijd al gewonnen, Melsaran. Want Melsasser is dood. Hij is dood, hoor je!'

Melsaran kromp ineen op zijn paard. Hij draaide zich om naar Adanar, maar hij was te verdoofd, te beduusd om iets uit te richten. Woordeloos staarde hij naar de Fee.

Cyane besefte meteen wat voor een enorme klap Adanar Melsaran had toegebracht. Nooit zou ze zijn blik van pure wanhoop vergeten. In slechts enkele seconden leek hij een ander iemand te worden. Als een zoutzak zat hij op zijn paard. Een gebroken man. Ze wist dat hij ondanks alles had gehoopt zijn broer ooit nog in zijn armen te kunnen sluiten. Nu was hem alle hoop afgenomen door Adanar, die al zoveel levens op zijn geweten had.

Melsaran boog zijn hoofd en tot haar afschuw zag Cyane dat hij huilde. De tranen stroomden over zijn gerimpelde wangen. Machteloos keek ze toe, niet wetend wat te zeggen. Resoluut greep Ikor de teugels van het paard van de magiër en leidde hem zo de kloof uit. Cyane keek onderzoekend naar Meroboth en Mekaron. De beide mannen keken grimmig, maar ze hadden hun gevoelens goed onder controle. Zij hadden al heel lang geleden afscheid genomen van hun broer.

Onder het woedende getier van Adanar trokken ze de kloof uit, langs de enorme standbeelden terug de bergen in. De drie gruwelijke draken bleven boven de tempel zweven. Tot haar verbazing zag Cyane dat ze een aanval deden toen Adanar de tempel uit wilde lopen. Dat maakte de Fee zo mogelijk nog kwader. 'Ik krijg je wel, Iss! Uiteindelijk is mijn magie sterker.'

Op het mismaakte gezicht van de veerman verscheen een glimlachje.

Het woedende gescheld van Adanar ebde langzaam weg

naarmate ze verder de bergen in trokken. Na alle opwinding kwam er een bijna verlammende rust over de groep.

Sirus was erg bezorgd om Gondolin, maar zij verklaarde met een bleek gezicht dat het wel weer ging. De zorg om Melsaran werd echter met elk uur dat voorbij kroop groter. De machtige Tovenaar van Goed en Kwaad was volledig ingestort bij het verpletterende nieuws over zijn geliefde broer. Niets of niemand leek meer tot hem door te dringen. Zelfs Sindra kon haar man niet meer bereiken. Leeggezogen zat hij op zijn paard, beroofd van al zijn energie. Slechts de glinsterende diamant om zijn hals gaf blijk van de kracht die deze man bezat.

Cyane week geen moment van zijn zijde. Ze had vanaf het allereerste begin een hechte band met hem gehad. Zijn verdriet sneed door haar ziel. En dat terwijl haar eigen gevoelens dubbel waren. Hoe kon ze rouwen om een man die zoveel leed had veroorzaakt? Eigenlijk was ze blij dat ze nooit tegenover Tronador hoefde te staan, maar ze hield die woorden wijselijk voor zich. Veel maakte het immers niet meer uit.

Het was Adanar voor wie ze werkelijk moest vrezen. Hij was nog niet verslagen, ook al had hij de vijfkleurige diamant niet weten te bemachtigen. Iemand was hem voor geweest en niemand wist wat die persoon van plan was. En dan was er natuurlijk nog de drager van het zwaard der zwarte magie. Giffor, die het kostbare wapen nog steeds bij zich droeg, zou het in de zeer nabije toekomst moeten overhandigen aan degene wiens gezicht in het standbeeld door erosie onherkenbaar was veranderd. Dat zou haar werkelijke vijand zijn. Degene die zij hoe dan ook moest verslaan. De voorspelling moest uitkomen om de zwarte magie voorgoed terug te dringen. Zelfs de vreemde krachten van Iss konden daar niets aan veranderen.

Bezorgd wierp ze een blik op Melsaran. Ze had altijd gesteund op zijn begrip en wijsheid. Pas nu besefte ze dat ze
er alleen voor stond. Niemand kon haar helpen in dat laatste gevecht. Niemand, zelfs hij niet.

Met een groeiende angst reed ze verder de bergen in,
haar lot tegemoet.

De drager van het zwaard

Dertien

Het bulderende water van de Zwarte Rivier hield Cyane uit haar slaap. Onrustig staarde ze naar de hemel, waar zwarte wolken voorbij snelden. Ze kon niet slapen. Dat kon ze al nachten niet. Ze draaide zich op haar zij en keek naar het smeulende vuurtje dat een eind verderop door Ikor werd bewaakt. Hij liep wat heen en weer om zichzelf warm te houden en hield ondertussen de omgeving nauwlettend in de gaten. Blijkbaar hadden de anderen geen last van de zorgen die haar teisterden, want iedereen lag verder rustig te slapen.

De volgende dag zouden ze de rivier oversteken en op weg gaan naar de Burcht van Tronador. Meroboth hoopte daar aanwijzingen te vinden over de verblijfplaats en identiteit van de drager van het zwaard der zwarte magie.

Door Melsarans verslechterende conditie was hun tocht moeizaam verlopen. De vuurmagiër at en dronk niet meer en had zich voor iedereen afgesloten. Cyane maakte zich grote zorgen om hem. Jarenlang had hij zich staande weten te houden ondanks zijn grote verdriet. De dood van zijn geliefde broer kon hij niet meer verdragen.

Zuchtend draaide ze zich op haar andere zij. De nachten waren het ergst. Ze bleef maar piekeren. Ze had honderden vragen en geen enkel antwoord. Demonstratief sloot ze haar ogen, maar ze opende ze onmiddellijk weer toen ze een geluid hoorde. Verbaasd ging ze rechtop zitten. In het donker zag ze een silhouet. Ze wist zeker dat het Melsaran was die daar moeizaam opstond. Haar hart klopte verheugd. Het was dagen geleden dat de magiër iets uit eigen wil had gedaan. Meestal leidde Sindra hem. Zou hij eindelijk uit zijn verdoving zijn ontwaakt?

Melsaran liep naar de rand van de bulderende rivier. Minutenlang staarde hij over het water.

Cyane vroeg zich af wat er in hem omging. Even aarzelde ze. Toen stond ze ook op en ging naast de magiër staan. Ze schrok van zijn ingevallen gezicht en de vermoeide lijnen die ze af en toe kon onderscheiden als de wolken het maanlicht enkele seconden vrij spel gaven.

Melsaran leek haar niet op te merken. Zijn rechterhand lag gespannen om de hanger met de rode diamant. Met een heftige ruk trok hij de ketting van zijn hals zodat deze brak. Het gebeurde zo onverwachts dat Cyane ervan schrok.

Melsaran strekte zijn hand en hield de diamant voor zijn gezicht. Opeens gaf hij haar de steen aan. 'Hier, neem hem, Cyane. Hij behoort jou toe.'

Ze was te verbijsterd om te weigeren. Bijna automatisch pakte ze de diamant van hem aan. Op het moment dat haar vingers de diamant aanraakten werd ze overspoeld door een stroom van nieuwe gevoelens en gewaarwordingen. Als een enorme golf kwamen ze over haar heen, zo heftig en intens dat haar adem stokte. Dit gevoel had ze met de twee andere stenen nooit gehad.

Niets om haar heen was meer hetzelfde. Ze leek de gevoelens van duizenden, nee, miljoenen mensen te kunnen waarnemen. Ze kende hun motieven, hun gedachten. Als een enorme, hardnekkige zwerm wespen gonsden ze door haar hoofd.

Ze kreunde en sloot haar ogen. Het hielp niets. Ze bleef dingen zien. Vaag en toch duidelijk, ver weg en toch zo heel dichtbij. Het gegons maakte haar gek en het maakte haar rustig. Tegenstrijdigheden vochten in haar hoofd. Een heldere gedachte drong zich resoluut aan haar op. Vanaf nu zou alles anders zijn.

Naast haar zonk Melsaran op zijn knieën. Hij sloeg zijn handen voor zijn gezicht en slaakte een diepe zucht. 'Rust, eindelijk rust,' mompelde hij.

Cyane bleef stilstaan en liet al de nieuwe emoties op zich inwerken. Dit betekende het dus om de Tovenaar van Goed en Kwaad te zijn. Het beangstigde haar, maar het gaf haar ook een gevoel van macht. Was ze sterk genoeg om dit onderscheid te dragen? Zou ze ooit wennen aan de miljoenen stemmen die nu haar gedachten bevolkten?

Al haar vragen riepen niet langer meer de onrust en angst op die ze al zolang bij zich droeg. In plaats daarvan berustte en aanvaardde ze. Zo waren de zaken nu eenmaal en in de toekomst lag de oplossing.

Ze pakte haar zwaard en zelfverzekerd legde ze de rode diamant tussen de twee andere stenen in de laatste nog lege houder. Toen hief ze haar zwaard omhoog als een teken van haar nieuwe kracht.

Het was alsof de natuur naar haar luisterde. De maan kwam te voorschijn en straalde zijn licht op het glanzende zwaard. Haar haren wapperden in de frisse wind. Hier stond de machtigste vrouw van de Rijken van het Licht en de wereld wist het.

Even genoot Cyane van het gevoel boven alles te staan. Onmiddellijk begreep ze de verleidingen van de macht en beschaamd borg ze haar zwaard weg. Ze mocht niet zo worden als Tronador, die zich door dit gevoel had laten verleiden tot gruwelijke daden.

Pas nu drong de werkelijke kracht van de rode steen tot haar door. Het was niet zozeer de macht zelf die haar sterk maakte; het was de manier waarop ze met de macht omging. En dat moest ze doen zoals Melsaran dat had gedaan. Hij was geliefd, niet gevreesd zoals Tronador of Adanar. Men vond hem wijs en beminnelijk.

Ze besefte dat het zo gemakkelijk anders had kunnen zijn. Het was verleidelijk om de krachten van de rode steen anders te gebruiken. De macht rukte aan haar, de kennis schreeuwde naar haar. Tegen die verleidingen zou ze nu altijd moeten vechten. Dat was moeilijk en vermoeiend. Nu begreep ze de heikele positie van de man naast haar. De innerlijke twijfels waardoor hij constant verscheurd werd. Nu begreep ze ook zijn liefde voor zijn broer, want Melsasser was net zo geweest als hij. Alleen had hij het gevecht niet aangekund.

Melsaran keek naar haar op. Zijn gezicht leek rustiger en meer ontspannen.

'Gaat het?' vroeg hij bezorgd.

Ze knikte. 'Ik begrijp het nu,' zei ze eenvoudig. Ze stak een hand naar hem uit en hielp hem overeind.

Langzaam stond Melsaran op. Toen, als een teken van respect, neeg hij zijn hoofd. Cyane wist zich niet goed raad met het gebaar. Ze had een bijna heilig respect voor Melsaran, nog steeds. Nu was zij het die geëerd werd en eigenlijk vond ze niet dat ze daar recht op had. Ze had de rode diamant alleen nog maar aangenomen. Ze had er nog niets mee gedaan.

In de loop van de komende uren merkte ze dat niet alleen Melsarans houding ten opzichte van haar was veranderd. Ook de anderen gedroegen zich anders. Tot haar verbazing ondervond ze een zekere afstand. Zelfs Gondolin, die haar het meest aan het hart lag, was niet langer de moederlijke figuur die ze altijd was geweest. Het leek wel of haar kennis de anderen angstig maakte. Alsof ze bang waren dat ze hun gedachten kon lezen.

Dus dit was de schaduwzijde van macht. Iedereen leek van haar te vervreemden. Ze bekeken haar met andere ogen, alsof ze niet gewoon Cyane was. De Cyane die snakte naar warmte, liefde en respect. Plotseling was ze een soort godin en die trok je niet even tegen je aan om te knuffelen. Een godin lokte je ook niet uit haar tent met kleine plagerijen en schold je niet uit omdat ze haar paard niet goed verzorgde. Nu stond ze buiten de groep.

Ze besefte hoe Melsaran zich gevoeld moest hebben. Ze herinnerde zich hoe Meroboth en Mekaron hun eigen broer nooit tegenspraken. Zijn macht had de afstand tussen hen te groot gemaakt.

Even vervloekte ze de rode diamant. Ze verlangde terug naar de oude, gemoedelijke sfeer. Naar Sirus, die haar opvrolijkte met zijn humor, naar Gondolin, die haar liefdevol advies gaf, ja, zelfs naar Giffor, die haar kon behandelen alsof ze het niet waard was een paard te berijden. Maar ze kon niet meer terug. Vanaf nu was zij de Tovenares van Goed en Kwaad.

Toch was er één persoon voor wie het niet uit leek te maken dat ze de rode diamant in haar bezit had. Iss behandelde haar zoals hij altijd had gedaan. Ze was hem daar enorm dankbaar voor. Het benadrukte voor haar alleen maar de mensenkennis die Iss bezat. Hij begreep haar behoeftes beter dan wie dan ook. Alleen hij leek te zien dat ze nog steeds dat jonge meisje was met al haar onzekerheden.

'Ze wennen er wel aan,' zei hij terloops.

'Ze gedragen zich vreemd,' zei Cyane mokkend.

286

'Je bent nu de machtigste vrouw ter wereld.'
'Voor jou maakt het niets uit,' concludeerde ze.
'In het moeras betekent macht niets,' zei Iss.
Ze glimlachte hem toe. 'Nee, dat zal ook wel niet.'

Vandaag zouden ze de Zwarte Rivier oversteken. Ook op deze plek was geen oversteekplaats. Wederom waren alle ogen op Cyane gericht. Ze zadelde Horizon en liep toen naar de oever van de rivier. Zelfverzekerd hief ze haar zwaard. Het water gehoorzaamde. Het moest wel. Haar wil was sterker dan welke andere natuurkracht ook. Ze zag alles helderder, ze zag alles beter. Het water ging aan de kant. Zoveel moeite het haar voorheen gekost had, zo gemakkelijk ging het nu.

De groep liep tussen twee bruisende muren van zwart water naar de overkant. Cyane volgde als laatste.

De Zwarte Rivier maakte hier een bocht en trok even schuin omhoog naar het noorden, voor het water zuidwaarts keerde naar het Land der Gnomen en het Land van Fodan en Gir. In deze bocht lagen de laatste uitlopers van het Gebergte van Orgor. Hier was de woning van de heerser van het Rijk der Duisternis. Hier lag de Burcht van Tronador.

Ze hadden nog maar nauwelijks de rivier verlaten of het enorme, uit zwarte steen opgetrokken gebouw dook voor hen op. Gebouwd midden op een rots, omgeven door een enorm ravijn, leek de burcht een onneembare vesting.

'Gezellig optrekje,' meende Sirus.

Massieve zwarte muren zonder ramen domineerden het landschap. Er hadden zich donkere wolken samengepakt boven de tientallen torens. Bliksemstralen schoten fel het ravijn in om hun einde te vinden in de diepte. Cyane kon nergens een toegangspoort ontdekken, laat staan een ophaalbrug. Nergens was een plek waar ze de ravijn over konden steken. Het leek wel of niemand de burcht in of uit kon.

Een ijzige wind speelde met hun mantels terwijl ze zich langzaam naar de rand van de ravijn begaven. Voorzichtig keek Cyane over de rand. Ze kon de bodem niet eens zien.

'Iemand nog een ideetje?' informeerde Sirus.

'We zouden ergens anders heen kunnen gaan,' stelde Mekaron droog voor.

'Nee,' zei Meroboth. 'Ik wil die burcht vanbinnen zien.'

'Waarom in vredesnaam?' vroeg Mekaron.

'Omdat Tronador misschien wél wist wie de drager van het zwaard was.'

'Helaas kan hij ons dat niet meer vertellen,' zei Ikor.

'Fijn dat je ons daar nog even aan herinnert,' beet Meroboth de Fee toe met een steelse blik op Melsaran.

De oudste van de drieling stond met zijn paard bij Sindra en Miran. Hij hield zich buiten de discussie. Hoewel hij sinds hij zijn magie had afgestaan meer interesse voor zijn omgeving leek te hebben, was het verdriet om zijn broer nog even heftig als daarvoor. Cyane miste nog steeds zijn oprechte belangstelling.

'Toch heeft Ikor wel een punt,' meende Mekaron, 'want ik heb het vermoeden dat Tronador als enige wist hoe je zijn woning moest betreden.'

Meroboth weigerde zich bij deze opmerking neer te leggen. Hooghartig draaide hij zich om naar Cyane. 'Gebruik je magie.'

Ze staarde hem aan. 'Wat?'

'Doe niet zo idioot,' siste Mekaron zijn broer toe. 'Deze plek is vergeven van de zwarte magie. Dat kost te veel van haar krachten.'

Cyane was de watermagiër dankbaar voor zijn opmerking. Helaas leek Meroboth vastbesloten. Hij bleef haar hardnekkig aankijken. Ze had de oude man nog nooit wat geweigerd. Ze kon het niet over haar hart verkrijgen dat nu wel te doen.

Aarzelend haalde ze het zwaard uit de schede. De drie diamanten schitterden heftig bij zoveel zwarte magie om hen heen. Zonder Mekaron of Meroboth aan te kijken hief Cyane haar zwaard. Ze voelde de kracht die haar vervulde. Ze voelde echter ook die andere kracht om haar heen. Het zou haar veel magie kosten. En had ze die straks niet heel hard nodig?

'Je zou natuurlijk ook gewoon vijftien passen naar het westen kunnen lopen,' zei plotseling een stem in haar oor. 'Daar is een brug.'

Verwilderd liet ze haar zwaard zakken. Die stem herkende ze inmiddels uit duizenden. Vlug keek ze om zich heen. Scar was nergens te zien. Ze had eigenlijk ook niet anders verwacht. Hoe deed hij dat toch steeds?

'Al besef ik natuurlijk maar al te goed dat zwaaien met dat zwaard heel wat interessanter staat dan lopen over een brug,' vervolgde de stem.

Ze keek naar de westelijke kant van de diepe kloof. 'Er is daar helemaal geen brug,' siste ze.

'Niet alles wat bestaat, is zichtbaar. Heeft Melsaran je dat nooit verteld? Het is toch een van zijn beruchte wijsheden,' zei Scar.

Ze weifelde.

'Heb ik ooit tegen je gelogen?' vroeg Scar.

'Ja,' zei Cyane prompt.

'Goed, goed. Verkeerde opmerking. Loop nu maar gewoon vijftien passen naar het westen.'

Ze besefte dat ze weinig keus had. Natuurlijk kon ze de magie gebruiken, maar dat was koren op Adanars molen. Ze moest Scar vertrouwen. Met een verontschuldigend glimlachje naar de anderen liep ze langs het ravijn naar het westen. Vijftien passen.

'Goed zo,' zei Scar.'Je staat nu voor de brug. Je kunt zo de burcht in lopen.'

Stokstijf bleef ze bij de rand van het ravijn staan. Waar ze ook keek, ze zag alleen de bodemloze diepte. Aan de overkant was die massief zwarte muur waar geen enkel steentje van zou wijken alleen omdat zij aanklopte. Was het een valstrik? Wilde Scar haar vermoorden?

De mysterieuze man leek haar gedachten te raden.'Als ik je had willen doden had ik dat mooi aan de wachters van Adanar overgelaten. Of aan Elenia. Ja, ik had zelfs een paar van die zwarte slangen op je af kunnen sturen. En nu lopen.'

Cyane zoog een flinke hoeveelheid koude lucht naar binnen. Scar had gelijk. Hij had genoeg kansen gehad om haar te laten vermoorden. In plaats daarvan had hij keer op keer haar leven gered. Ze moest hem vertrouwen. Ze sloot haar ogen en zette haar voet over de rand. Eigenlijk verwachtte ze dat ze naar beneden zou vallen, maar haar voeten vonden houvast op iets wat aanvoelde als hout. Ze opende haar ogen.

Onder haar lag de verschrikkelijke diepte van het ravijn. Ze leek daar in het luchtledige te hangen. Voorzichtig zette ze weer een stap. Haar voeten bleven stevige ondergrond voelen. Omzichtig zette ze de ene voet voor de andere. Ze bleef halsstarrig voor zich uit kijken naar de zwarte muur. Ze had nauwelijks in de gaten dat Meroboth de anderen gebood haar te volgen.

Met kloppend hart liep ze naar de overkant. Opluchting overspoelde haar toen ze eindelijk bij de muur stond. Snel keek ze om. Haar reisgenoten kwamen de onzichtbare brug ook over. Het was een vreemd gezicht; ze leken wel boven de kloof te vliegen. Ze draaide zich weer om en keek omhoog naar de metershoge muur.

'Gewoon doorlopen,' merkte Scar op.

'Jij hebt makkelijk praten,' snauwde ze.

'Die opmerking zal ik maar negeren,' zei Scar.

Onwillekeurig vroeg ze zich af of ze hem beledigd had. Ze had niet het recht dat te concluderen want ze wist eigenlijk niets van hem. Hij had zich openlijk tegen Adanar en Tronador gekeerd. Dat maakte zijn leven hier in het Rijk der Duisternis niet gemakkelijk. Aan de andere kant bezat deze man een indrukwekkende hoeveelheid zwarte magie.

Ze haalde nogmaals diep adem. Met haar beide handen voor zich uit gestoken liep ze naar de muur om er vervolgens dwars doorheen te gaan. Heel even hoorde ze het moeizame gesteun van de stenen. Toen was ze binnen.

Veertien

Cyane stond op een grote binnenplaats die geheel verlaten was. Onkruid groeide tussen de stenen op de grond. De muren waren bedekt met mos. De ruiten in de muren waren kapot alsof de burcht al langgeleden was verlaten.

Achter zich hoorde ze de anderen komen.

'Dat doe ik nooit meer.' Sirus was de eerste die binnenkwam. Hij stond te trillen op zijn benen.

'Dat was een interessante ervaring,' vond Meroboth.

Een voor een kwamen de anderen door de muur. Ikor en Iss sloten de rij. De paarden en Miran hadden ze aan de rand van de kloof achtergelaten.

Cyane liep verder de binnenplaats over en ontdekte een enkele, eenvoudige deur. Hij stond op een kier. Zonder aarzelen liep ze erheen, opende hem verder en stapte naar binnen. Ze kwam uit in een door kaarsen verlichte gang. Abrupt stond ze stil. Tronador was dood en waarschijnlijk al langere tijd niet hier geweest. Wie had dan deze kaarsen aangestoken?

'Oud trucje,' zei Meroboth achter haar. 'Deze kaarsen branden waarschijnlijk al jaren zo.'

'O.' Ze keek om zich heen. De muren waren kaal en werden alleen verlevendigd door het dansende kaarslicht.

'Waar zoeken we eigenlijk naar?' fluisterde ze.

De oude man haalde zijn schouders op. 'Ik weet het niet precies.'

De anderen kwamen ook de gang in. In het flikkerende kaarslicht zag Cyane de gespannen trek om Melsarans mond. Het drong tot haar door dat dit niet alleen de burcht van Tronador was. Het was ook het huis waar Melsasser, zijn geliefde broer, de laatste jaren van zijn leven had doorgebracht. Plotseling huiverde ze. Het was alsof ze de geest van de zwarte magiër kon voelen. Niet vol haat en wraakzuchtig zoals ze altijd gedacht had, maar triest en eenzaam.

Op goed geluk begon ze te lopen. Ze wist niet waarheen. Het maakte ook niet veel uit. Het paleis van Ikor was al groot geweest. Deze burcht was een wirwar van kale, smalle gangen die allemaal verlicht werden door kaarsen.

Ze liepen langs enkele deuren, maar niemand leek het de moeite waard te vinden deze te openen. Het was alsof een vreemde kracht hen door de gangen trok. Cyane realiseerde het zich met een schok. Ze liep niet willekeurig wat rond. Iemand liet haar dan weer rechtdoor lopen, dan weer links afslaan. En ze kon er niets aan doen.

Minuten gingen voorbij en ze vermoedde dat ze al diep in het complex waren binnengedrongen. Ze sloeg weer een hoek om en kwam uit in een gang die er heel anders uitzag dan de andere. Deze was breed en voorzien van prachtige kroonluchters waarin tientallen kaarsen hun licht lieten schijnen over grote schilderijen die aan weerszijden van de gang hingen. Aan het eind was een grote dubbele deur.

'Kijk nou eens.' Mekaron floot tussen zijn tanden. Hij stond bij een van de schilderijen.

Cyane volgde zijn blik en zag wat hij bedoelde. Het schilderij stelde Adanar voor. Nu ze goed keek zag ze dat hij op elk schilderij stond dat de gang sierde.

'Walgelijk.' Sindra sprak kernachtig uit wat iedereen dacht. Ze stond vlak naast haar man, wiens ogen verdacht schitterden.

Sirus schudde niet-begrijpend zijn hoofd. 'Maar dit was het huis van Tronador.'

'Precies.' Het gezicht van Meroboth stond grimmig. 'Er klopt iets niet.'

'Misschien moesten we maar eens achter die deuren kijken,' stelde Mekaron voor.

Daar had niemand veel aanmoediging voor nodig. De deuren waren rijkelijk versierd met ingewikkelde symbolen, zorgvuldig uitgesneden in het donkere hout.

'Dit zijn symbolen van zwarte magie,' merkte Melsaran op.

Verrast keek Cyane hem aan. Het was de eerste keer dat hij sprak sinds ze de burcht in waren gekomen.

Ikor legde zijn hand om de klink en opende de deur langzaam. Geluidloos gaf het gevaarte gehoor aan zijn bevel.

'Ben jij hier weleens geweest?' vroeg Cyane.

Ikor schudde zijn hoofd. 'Ik had hier niets te zoeken.'

Nieuwsgierig wilde ze langs hem heen glippen, maar Ikor greep haar stevig bij de schouder. 'Doe voorzichtig.'

Abrupt hield ze stil. Hij had natuurlijk gelijk. Dit was de burcht van Tronador. Wie weet wat zich achter deze deuren bevond. Ze zuchtte. Ondanks de miljoenen fluisterende stemmen in haar hoofd, ondanks haar heldere inzicht, kon ze zich nog steeds gedragen als een dom wicht.

'Blij te zien dat je nog niets veranderd bent,' fluisterde iemand in haar oor. Verrast keek ze om in de twinkelende ogen van Sirus. Ze grijnsde.

Met getrokken zwaard liep Ikor naar binnen en wenkte de anderen. Een voor een kwamen ze het grote vertrek in. Cyanes mond viel open. Het was een troonzaal met achterin een enorme gouden troon die was versierd met slangen van goud. De ogen waren gemaakt van diamanten in allerlei kleuren. Draperieën en gordijnen van goudbrokaat afgestikt met juwelen sierden de muren en de vloer leek gemetseld van puur goud. Aan het plafond hingen enorme kroonluchters, ook voorzien van prachtige versieringen.

'Nou, we weten in ieder geval waar het geld zit in de familie,' merkte Meroboth droog op.

Langzaam liep Cyane de zaal in, de pracht en praal in zich opnemend. Dus zo had Melsasser geleefd, badend in weelde. Het contrast met de broers die hij had verraden had niet groter kunnen zijn. Ze dacht aan de simpele torenkamer waar Meroboth jaren van zijn leven had gesleten en aan de hut op palen in het drassige Dryadenland, de woning van Mekaron. Melsaran had zelfs nooit een eigen huis gehad. Slechts één gedachte, helder als kristal, drong zich aan haar op. Zou Melsasser hier gelukkig zijn geweest?

Voorzichtig keek ze naar Melsaran. Zijn hand gleed afwezig over de fluwelen stof van de draperieën. Zijn gedachten leken ver weg. Ze greep de hand. Zo liepen ze samen de ruimte door.

Cyane kon zich de gevoelens van Melsaran niet alleen indenken; dankzij de steen van Goed en Kwaad kon ze ze ook voelen. Het deed haar pijn om te weten dat hij zoveel verdriet had. Bij de enorme troon bleven ze staan. Het centrum van Tronadors macht. Vanaf hier had hij zijn rijk met harde hand geregeerd. Ze keek naar de tientallen slangen en rilde. Zwarte slangen die miljoenen mensen hadden onderdrukt. Een gruwelijk symbool.

Plotseling werden Cyanes ogen groot en als versteend

staarde ze naar de troon. Zwarte slangen. Was het toeval? Voordat ze deze gedachte verder kon uitwerken klonk er een stem achter hen.

'Welkom in de Burcht van Tronador.'

Met een ruk draaide Cyane zich om, haar hand nog steeds in die van Melsaran. In de deuropening stond Adanar. Weer schrok ze van zijn lege blik. Het was alsof elke emotie bij hem vernietigd was, verzwolgen door een onbekende kracht. In het blinkende licht van het goud dat hen omringde viel haar op hoe uitgemergeld hij eruitzag. Feeën waren vaak slank, maar Adanar was niet meer dan een skelet, omgeven door een bijna grauwe huid alsof hij al maanden slecht voor zichzelf had gezorgd.

Als ze niet zo doodsbang voor hem was geweest, had ze misschien wel medelijden gehad. Nu stond ze echter te trillen op haar benen. Ze was zich bewust van een nieuwe emotie die haar overspoelde, veroorzaakt door de rode diamant. Deze man was de verpersoonlijking van het kwaad. Hij was gevaarlijk en genadeloos. Ze kon zijn gedachten en ziel bijna voelen. Het verkilde haar tot op het bot.

Adanar ving haar blik. Hij kwam verder naar binnen. Achter hem viel de deur in het slot. Langs de anderen liep hij naar haar toe met een onwerkelijke grijns op zijn gezicht.

'En hoe voelt het om mij te zijn, Cyane?' Aandachtig keek hij haar aan, zijn zwarte ogen ontdaan van elk gevoel.

'Laat haar met rust, Adanar.' Melsaran had haar hand niet losgelaten. Onbevreesd keek hij hem aan.

Adanar liet zijn blik onverschillig over zijn aartsvijand glijden. 'Jij hebt de krachten niet meer om mij tegen te houden. Ik kan doen met jou wat ik wil.' Langzaam hief hij zijn hand.

Heel even maakte een wilde schrik zich van Cyane

meester. Ze voelde de druk van Melsarans hand. Glashelder zag ze plotseling voor zich wat de Fee met Fabians dochter had gedaan. Dat mocht Melsaran niet overkomen. De angst verdween en maakte plaats voor een rustige, zelfverzekerde kracht. Zij beheerste alle vormen van magie. Op zijn minst was ze even sterk als Adanar. Ze greep zijn pols en sloot er haar hand krachtig omheen. 'Ik ben niet gediend van jouw trucjes,' beet ze hem toe. Ze stond verbaasd van haar eigen moed.

Ze was niet de enige. Ver weg in die gevoelloze ogen zag ze een vonk van verbijstering. Dat was genoeg voor haar. 'Ik weet niet of ik sterker ben dan jij,' zei ze rustig, 'maar ik denk niet dat je dat wilt uitproberen.'

Adanar aarzelde. Zijn blik gleed over haar heen. Ze kon hem praktisch horen denken. Zijn ogen verraadden niets. Toen rukte hij zich los en liep van haar weg. Zodra ze besefte dat ze deze krachtmeting had gewonnen, begon ze van top tot teen te trillen. Ze had het opgenomen tegen Adanar. Hoe had ze het in haar hoofd gehaald?

Ze voelde hoe Melsaran zijn arm om haar heen sloeg. 'Goed gedaan, meisje,' fluisterde hij haar in het oor. Voor het eerst sinds lange tijd zag ze een twinkeling in zijn ogen.

Langzaam liep Adanar langs de anderen. Hij keek dwars door iedereen heen alsof er niemand in de zaal was. 'Wat vinden jullie van mijn troon?' vroeg hij onverwachts. Hij draaide zich om naar Meroboth, die het dichtst bij hem stond.

'Jouw troon?' herhaalde Meroboth.

'Mijn troon, ja. De troon van Tronador.' Adanars stem klonk bijna triomfantelijk.

Mekaron was met één stap bij hem. 'Wat bedoel je daarmee?'

Adanar grijnsde, een onnatuurlijke grimas. 'Ach, ik kan

het jullie nu wel vertellen, want jullie komen deze burcht toch niet meer levend uit.'

Hij had nu ieders aandacht. Plotseling begon hij te giechelen, bijna te kakelen, krankzinnig en zonder enig gevoel. 'Kijk jullie nu eens staan met z'n allen,' riep hij met schrille stem. 'Denk je nu echt dat ik die halfgare broer van jullie de macht over dit Rijk had gegeven? Ben ik soms gek? Melsasser was een zwakke pop, een marionet die door mij bespeeld werd. Ik ben Tronador, stelletje idioten. Ik ben de machthebber van dit Rijk. Ik alleen. Jullie broer was niets anders dan een bron van zwarte magie voor mij. En uiteindelijk heb ik ook die van hem af kunnen nemen. Melsasser heeft nu alleen nog maar wat basismagie.'

Met een triomfantelijk gebaar greep hij naar zijn hals. Hij rukte de ketting over zijn hoofd en met gestrekte hand liet hij hem voor iedereen zichtbaar in de lucht hangen.

Een doodse stilte volgde op de woorden van de Fee. Adanar stond na te hijgen van zijn uitval. Zijn hand met daarin de ketting gleed plotseling naast zijn lichaam. Cyane bedacht dat zijn uitgemergelde lijf niet veel meer kon hebben.

Melsaran schudde zijn hoofd. 'Dat had ik kunnen weten,' zei hij. Zijn stem klonk vermoeid. 'Melsasser was net zo goed een slachtoffer als wij.'

Alleen Cyane hoorde die laatste zin. Haar hart bloedde voor de broer van wie Melsaran zo veel had gehouden. De broer die hij nooit meer zou zien. De broer van wie iedereen vele jaren lang had gedacht dat hij Tronador was. De oppermachtige heerser van het Rijk. Tronador was niet meer dan een masker geweest waarachter Adanar zich had verborgen. In zijn naam had de Fee gruwelijke dingen gedaan om zijn macht te bevestigen. Melsasser, ondanks de zwarte magie zwak van karakter, had er niets tegen kunnen doen. Zou zijn geweten ten slotte wakker zijn geworden? Zou hij getergd zijn door een hardnekkig knagend schuldgevoel? Ze zouden het nooit weten.

Cyane staarde voor zich uit. Niemand zou ooit weten hoe Melsasser de laatste jaren van zijn leven had doorgebracht.

Meroboth drong naar voren en ging onbevreesd voor Adanar staan. 'Goed, Tronador,' zei hij nadrukkelijk. 'Als machthebber van dit Rijk weet jij ongetwijfeld ook wie de drager van het zwaard der zwarte magie is.'

Adanars doffe ogen lichtten even op alsof hij genoot van een binnenpretje. 'Natuurlijk weet ik dat, Meroboth. Hij is al een tijdje hier.'

'Het is tijd,' zei Meroboth alleen maar.

Adanar knikte bijna triomfantelijk bij die woorden. Een grote onrust maakte zich van Cyane meester. Dit ging te gemakkelijk. Adanar leek bijna verheugd haar tegenstander aan hen voor te stellen.

'Ja, het is tijd,' zei de Fee lijzig. Hij draaide zich om en liep naar de grote toegangsdeur van de zaal. Op zijn gebaar opende de deur zich.

Vijftien

In de deuropening stond een man. Zijn zwarte haar zat verward en zijn groene ogen hadden elke glans verloren.

Cyane voelde het bloed uit haar gezicht wegtrekken. Haar knieën leken het te begeven en haar hand klauwde in de arm van Melsaran, die nog steeds naast haar stond. 'Nee,' fluisterde ze.'Tiron.'

Tiron liep naar binnen met gebogen hoofd, de blik van iedereen vermijdend.

'Dit is hem!' kakelde Adanar triomfantelijk. 'Hier is de drager van het zwaard.' Hij lachte luid.

Verbijstering maakte zich van de groep meester. De enige die nauwelijks verbaasd leek, was Mekaron. Met zijn armen over elkaar staarde hij Tiron grimmig aan.

Hangend aan Melsarans arm staarde Cyane naar de man die ze liefhad. Hij zag er slecht uit. Het liefst had ze hem in haar armen genomen, maar de harde realiteit weerhield haar. Dit was de man die zij moest verslaan, moest doden om de wereld te redden. Dit was dus de man van het standbeeld. Tiron was de drager van het zwaard der zwarte magie.

Een hulpeloze kreet ontsnapte aan haar lippen. Ze kon het niet. Ze kon hem niet doden. Onbeheerst begon ze te rillen. Melsaran trok haar tegen zich aan.

Meroboth wist zijn gevoelens goed te verbergen. Hij wenkte Giffor. De Dwerg had al die tijd de panter met het zwaard bij zich gedragen. In een flits zag Cyane die dag in het huis van Ikor weer voor zich, toen ze Tiron had betrapt met het gevest van het zwaard in zijn hand. Hij moest het toen al geweten hebben. Nu begreep ze waarom hij was gevlucht.

Meroboth nam de panter van Giffor over en zette hem voor Tiron neer. Uit de ogen van de oude man viel niets af te lezen, maar Cyane wist dat hij gekwetst moest zijn door de uitkomst van dit raadsel. Hij had Tiron onder zijn hoede genomen toen hij niemand meer had. Nu was diezelfde Tiron zijn grootste vijand geworden.

Kort keek Meroboth de jongeman aan en deed toen een stap naar achteren. Zijn blik rustte op het zwaard dat nog steeds in de bek van de panter zat.

Tiron knielde bij het beeld neer en sloot langzaam zijn hand om het gevest. Toen trok hij het zwaard soepel uit de bek en ging fier rechtop staan. Het was de eerste keer dat hij hen allemaal aankeek. Zijn ogen gleden over Cyane en ze zag even een glimp van pijn.

Als verlamd staarde ze naar het zwaard in zijn hand. Er was geen twijfel over mogelijk. Tiron was haar tegenstander. Haar knieën knikten. De grond leek onder haar weggeslagen te zijn en haar wereld bestond alleen maar uit een diep zwart gat waaruit geen ontsnappen meer mogelijk was. Ze boorde haar nagels in het vlees van Melsarans arm.

Nog steeds kakelend van het lachen nam Adanar de zwarte diamant uit de houder en liep naar Tiron. Triomfantelijk legde hij de diamant in de houder van het zwaard.

Tiron staarde naar de steen. Langzaam gleed zijn hand naar zijn eigen hals. Vanonder zijn tuniek haalde hij een eenvoudige ketting te voorschijn. Aan de ketting hing de punt van de hoorn van Domarin.

Aarzelend hield hij hem in zijn handen. Het was de luchtmagie die hem had geleerd met magie om te gaan nadat hij de lessen van Mekaron aan Cyane had geobserveerd. Het was de luchtmagie die hem net dat beetje extra kracht zou geven om haar te kunnen verslaan.

Met een paar stappen was Mekaron bij hem. Zijn hand sloot zich stevig om de punt van de hoorn. 'Dus dit had je al die tijd te verbergen: de luchtmagie,' zei hij met luide stem.

Tiron rukte de hoorn los. 'Laat me met rust,' siste hij. 'Dit gaat je niets aan.'

'O nee?' donderde Mekaron. 'Jij leugenachtig monster. Er zijn drie vormen nodig om de zwarte magie te verslaan. Nu heb jij een extra kracht. Niemand weet wat de uitkomst nu zal zijn. Verrader. Al die tijd dat je met ons mee bent gereisd, had jij de luchtmagie in bezit.'

Cyane maakte zich los van Melsaran en deed een stap naar voren. 'Is dat waar?' vroeg ze.

Tiron knikte.

Adanar lachte schril. 'Bof ik even!' gilde hij.

'Houd je kop.' Met een ruk draaide Mekaron zich naar hem om. Nog nooit had Cyane Mekaron zo kwaad gezien als nu. Al die tijd had hij vermoed dat er iets aan de hand was met Tiron. Nu was hij tot de ontdekking gekomen dat de jongeman die hij ondanks alles had verdragen, zijn levenswerk kon vernietigen.

'Hoe voelt het om te verliezen, Mekaron?' riep Adanar. 'Ik kan je verzekeren dat Melsasser het niet leuk vond.'

'We hebben nog niet verloren, Adanar,' klonk opeens de rustige stem van Melsaran. 'Je vergeet namelijk één klein dingetje.'

'En dat is, o wijze Tovenaar van Goed en Kwaad?' spotte Adanar.

'Dat ik niet langer de Tovenaar van Goed en Kwaad ben.' De lach verstilde op het gezicht van de Fee.

'Ik heb Cyane de macht om te onderscheiden gegeven, weet je nog wel? Dat kan het verschil maken,' zei Melsaran.

'Ze weet helemaal niet hoe ze daarmee om moet gaan,' beet Adanar van zich af. Zijn stem klonk echter niet meer zo zeker.

'Dat zullen we moeten afwachten. Kom Mekaron, laat de jongen met rust.' Melsaran wenkte zijn broer. Mekaron wierp nog een kille blik op Tiron alvorens zich weer bij het gezelschap te voegen.

Cyane had het idee dat ze vanuit de verte keek naar iets wat ze nauwelijks kon zien. Al het licht leek uit haar wereld verdwenen.

Meroboth herstelde zich als eerste. Zonder Tiron nog een blik te gunnen zei hij: 'De voorspelling moet uitkomen. Jullie moeten de strijd aangaan.'

Cyane leek te ontwaken bij deze woorden. Het peilloze zwart om haar heen vervaagde en afwezig keek ze de oude man aan. 'Nee,' zei ze met een helderheid die haar zelf verbaasde. 'Ik kan dit gevecht niet aangaan. Niet met Tiron als tegenstander.'

'Je hebt geen keus.' Meroboths stem klonk onverbiddelijk.

Ze begreep zijn houding, want hij had zijn hele leven opgeofferd voor dit moment, maar zelfs Meroboth kon niet van haar verwachten dat ze de man van wie ze hield doodde. 'Dat heb ik wel. Ik doe het niet.'

'Dat dacht ik wel!' gilde Adanar. 'Dan zal de overwinning voor mij zijn!'

Meroboths ogen schitterden met een ongekende felheid.

303

Voordat hij iets kon zeggen, kwam Mekaron naar Cyane toe. Hij pakte haar bij de schouders en dwong haar hem aan te kijken. Ze las warmte en begrip maar vooral vertrouwen in zijn blik. Op dat moment brak er iets in haar.

Geluidloos stroomden de tranen over haar wangen. De watermagiër had haar al die tijd willen beschermen tegen iets wat hij vermoedde. Ze had naar hem moeten luisteren. In plaats daarvan had ze hem genegeerd en afgewezen. Zijn vertrouwen had ze niet verdiend en dat besefte ze maar al te goed.

'Kijk naar de mensen om je heen, Cyane,' zei Mekaron zacht. 'Ze zijn met jou meegereisd, de hele wereld rond. Ze hebben hun leven voor jou gewaagd en je tegen aanvallen beschermd. Je kunt ze nu niet in de steek laten, meisje.'

Haar waterige blik gleed over de mensen die al die maanden bij haar waren geweest. Ze was om hen gaan geven. Soms kon ze zich een leven zonder hen niet meer voorstellen.

Ze dacht aan de uren rond het kampvuur wanneer Sirus grappige en sterke verhalen opdiste. Ze zag Giffor voor zich, al die keren dat hij de dieren verzorgde. Ze voelde Gondolins armen om zich heen wanneer ze het even niet zag zitten. Ze dacht aan de sprankelende Sindra en aan de wijze uitspraken van Iss. Aan de prachtige eenhoorn Miran en aan Ikor, die op onvoorstelbare wijze zijn leven had opgeofferd om zijn volk te redden.

En toen dacht ze aan de drieling. De drie ooit zo machtige magiërs die hun krachten aan haar hadden afgestaan. Ze was van deze mannen gaan houden en ze wist dat hun liefde voor haar onvoorwaardelijk was, wat ze verder ook zou doen.

Ze had eraan getwijfeld, zo vaak. Vooral Mekarons bedoelingen waren haar niet altijd duidelijk. Ook hij had haar alleen maar willen helpen. Nee, ze kon hen niet in de steek laten. Hun hele leven had in het teken gestaan van haar. Ze kon het niet opgeven zo vlak voor de eindstreep; hoe moeilijk deze beproeving ook zou zijn. Ze hadden haar nodig. Iedereen die daar bij haar stond, rekende op haar. Ieder van hen had grote offers gebracht. Nu was het haar beurt. Ze had geen enkele keus.

Langzaam knikte ze en als in een droom greep ze naar haar zwaard. Als op afspraak weken de anderen opzij. Er ontstond een grote kring om Tiron en haar heen. Zelfs Adanar ging aan de kant.

Daar stonden ze tegenover elkaar, elk met hun magische zwaard in de hand. Dit was het moment waarop de hele wereld gewacht had. Nu zouden de aardmagie, de watermagie en de vuurmagie de strijd aangaan met de zwarte magie en de luchtmagie. Nu zou blijken welke vorm zou overleven. Zou de wereld vredig kunnen voortbestaan of zou er voor altijd een harde strijd zijn tussen deze krachten?

Alle lessen die Meroboth, Mekaron en Melsaran haar ooit hadden gegeven, schoten door Cyanes hoofd. Wanhopig klemde ze zich aan hun woorden vast. Ze probeerde niet te kijken naar de man die tegenover haar stond. Ze wilde niet denken aan de momenten die ze samen hadden doorgebracht. Maar juist nu trokken die ogenblikken als losse fragmenten aan haar voorbij.

Ze zag hoe ze samen door het groene landschap rond haar ouderlijk kasteel reden. Ze zag hen weer samen staan in het park bij het paleis van Vélar en ze zag dat allerlaatste moment in Ikors huis. Toen had ze het al kunnen weten.

Nee, ze wilde hier niet aan denken. Ze had een taak te volbrengen. Heel even vingen haar ogen de zijne en ze las dezelfde twijfels en dezelfde angsten. Wat een wreed lot hadden de sterren voor hen uitgezocht.

Cyane haalde diep adem en toen, onverwachts, deed ze een stap naar voren met haar zwaard in de aanslag. Tiron sprong lenig naar achteren en ontweek haar slag. Ze wist dat hij een kundig strijder was. Vaak genoeg had ze dat gezien. En hij was snel. Hij dook naar voren en sloeg hard tegen haar zwaard. Ternauwernood wist ze haar wapen vast te houden. Ze riep zichzelf streng tot de orde. Gevoelens waren nu niet belangrijk meer. Ze moest hem verslaan en dat betekende dat ze moest opletten.

Ze verstevigde haar greep en stak terug. Tiron dook weg. Toen zag ze de opvallende schittering in het gevest van zijn zwaard. Plotseling voelde ze een felle pijn in haar rechterhand die het zwaard vasthield. Ze wilde het uitschreeuwen. Heftig beet ze op haar tong tot ze het bloed in haar mond proefde.

Koortsachtig probeerde ze zich te concentreren. Ze hoefde de magie alleen haar wil maar op te leggen. Ze staarde naar Tirons arm waaruit plotseling een woeste slingerplant te voorschijn kwam. Tiron rukte die met een kreet van pijn uit zijn lichaam. Bloed sijpelde uit de wond. Hij sloeg weer toe en raakte Cyanes andere arm.

Een verlammende scheut drong door tot haar schouder. Ze hield het zwaard recht voor zich uit en concentreerde zich op de rode steen. Een dodelijke vlam schoot naar voren. Tiron wist deze te ontwijken door zich op de grond te laten vallen. Ze zag hem veranderen. Zijn gezicht verwrong, zijn armen en benen werden langer, zijn lichaam groter tot er een gruwelijk monster voor haar stond.

Angst overviel haar. Ze kon geen stap meer zetten. Verlamd staarde ze naar het wezen. In haar hand brandde het zwaard.

Toen zag ze het. In het monster stond Tiron. Het wezen leek slechts te bestaan uit nevelen. Ze hapte naar adem. Dit was het onderscheid tussen Goed en Kwaad. Nu kon ze door de magie heen kijken.

Ze aarzelde niet en dook naar voren, door het wezen heen, naar Tiron. Ze zag zijn verraste blik maar het was al te laat. Met haar zwaard sloeg ze genadeloos naar zijn arm. Hij hief zijn wapen op om zich te beschermen. Ze voelde hoe haar wapen zich in zijn vlees boorde. Ze sloot haar ogen.

Tiron viel op de grond en de nevelen die het monster hadden gevormd, vervaagden. Tiron rolde door en sprong weer overeind. Zijn gezicht was verbeten van de pijn. Een grote gapende wond zat vlak onder zijn schouder.

Cyane keek ernaar en voelde niets. Geen medelijden of wroeging, helemaal niets. Ze wist dat ze hem moest verslaan en haar eigen dromen voor de toekomst moest vernietigen om de wereld te redden.

Ze sprong weer naar voren maar botste hard tegen iets aan. Ze stak haar hand uit en voelde een soort van muur. Ze zag echter niets. Tiron stond vlak bij haar uit te hijgen. Ze kon niet bij hem komen.

Snel dacht ze na. Takken zouden deze muur niet omver halen en ook een golf was niet sterk genoeg. Vuur haalde weinig uit als dit steen was. Maar het was geen steen. Het was zwarte magie. Wat als ze nu alle drie de vormen tegelijk zou gebruiken? Ooit had dat gekund. Ooit hadden ze samen in de vijfkleurige diamant gezeten. Ze keek naar de drie stralende diamanten in haar zwaard. Ze concentreerde zich, voelde hun krachten. Het was zwaar. Ze hijgde, maar langzaam voelde ze iets omhoog komen. Iets gemeenschappelijks, iets sterks. Toen schoten er drie stralen uit het zwaard. Ze vermengden zich onderweg in een draaikolk van rood, blauw en groen.

De straal kletterde tegen de muur, die heel even zichtbaar werd: een hoge, oneindige zwarte barrière. Toen brokkelde de muur af en viel kletterend op de grond. Een zware vermoeidheid overviel haar, maar ze was nu vastbesloten door te gaan. Ze sprong naar voren en sloeg nogmaals toe.

Tiron was totaal verrast. Hij probeerde naar achteren weg te komen, struikelend over zijn eigen voeten. Met een klap viel hij naar achteren. Het zwaard kletterde uit zijn hand.

Cyane hoefde maar een stap te doen en ze torende hoog boven hem uit. Ze kon er nu een eind aan maken. Ze moest er nu een eind aan maken.

Hij greep naar de ketting om zijn hals. Een onzichtbare kracht smeet haar een paar meter verder op de grond. Een pijnscheut schoot door haar rug. Tegelijk realiseerde ze zich dat dit gevecht door kon gaan tot ze beiden te uitgeput waren om een stap te zetten.

Tiron krabbelde overeind.

Wat had Melsaran ook alweer gezegd? Het was het onderscheid tussen Goed en Kwaad dat het verschil kon maken. Maar hoe dan?

Opeens wist ze het. Natuurlijk. Al die stemmen in haar hoofd. Het geweten van haar medemens, de beweegredenen van hun handelen. Ze hoefde alleen maar die van Tiron te weten.

Miljoenen stemmen klonken in haar achterhoofd. Ze waren er altijd. Welke was die van Tiron?

Hij greep zijn zwaard en hief het op. Ook zij krabbelde overeind. Wanhopig probeerde ze zich te concentreren op de stemmen. Ze zocht naar die ene stem, de stem van Tiron. De zwarte diamant straalde heftig, klaar voor een nieuwe aanval.

Toen hoorde ze het. Ver weg. 'Cyane, ik wil je niet doden. Ik moet wel.'

De zwarte diamant flitste. Ze dook weg.

'Maak er een eind aan. Laat iemand hier een eind aan

maken.' De stem werd steeds duidelijker. 'Ik wil haar niet doden.'

Hij wilde haar niet doden. Dat was misschien haar kans. Ze sprong overeind met haar zwaard in de aanslag. Vastbesloten liep ze naar hem toe. Een zwarte straal schoot langs haar heen. Weer deed ze een stap. Een nieuwe straal boorde zich naast haar in het zand. Ze zag zijn ogen. Ze begreep wat hij aan het doen was. Hij miste haar bewust. Ze kwam dichterbij. Tiron deed een stap naar achteren, struikelde en viel.

In één beweging was ze bij hem. Ze keek op hem neer, leeg en vermoeid.

Hij keek haar recht aan. 'Doe het maar, Cyane,' fluisterde hij. 'Red deze wereld en verlos mij uit mijn lijden.'

Ze trilde van top tot teen. Ze schudde haar hoofd in een heftige ontkenning van wat haar te doen stond. Ze kon Tiron niet doden.

'Alsjeblieft, Cyane.' Zijn vermoeide stem klonk smekend, 'Dood mij. Dan hoef ik jou niet te doden. Dit was de uitkomst waarop ik hoopte. Ik zou je nooit iets aan kunnen doen. Dood mij.'

'Ik kan het niet.' Haar stem brak. Ze werd misselijk. Dus dit was de tol van de magie. Ze moest de man doden met wie ze gehoopt had de rest van haar leven door te brengen.

'Je moet.' Zijn ogen lieten haar niet los. Ze wist dat hij gelijk had. Ze moest. Het lot van de wereld hing van haar af. Ze moest de drager van het zwaard der zwarte magie verslaan.

Ze probeerde haar lichamelijke reacties te negeren. Ze sloeg geen acht op de verlammende pijn in haar hart of op de braakneigingen die sterk naar boven kwamen. Wat was haar gevoel vergeleken bij het welzijn van de wereld? Dit was haar offer voor de vrede, maar ze wist dat dit moment haar de rest van haar leven genadeloos zou blijven achtervolgen. Tirons smekende ogen, haar stekende pijn. Ze zou het nooit meer vergeten.

Automatisch hief ze haar wapen, klaar om de laatste vernietigende slag toe te brengen.

'Laat mijn zoon leven,' klonk opeens een donkere, heldere stem, zo luid alsof de persoon van wie die stem afkomstig was naast haar stond.

Van schrik liet ze bijna haar wapen vallen.

De deuren van de troonzaal waren opengegaan. Ieders blik was gericht op de man die daar stond.

Cyane wist niet welk gevoel ze voorrang moest geven bij de aanblik van de gesluierde man in het zwart. Opluchting, angst en verrassing streden in haar een heftige strijd om naar de voorgrond te treden. 'Scar,' fluisterde ze. Ze had de naam nog nauwelijks geuit of de wereld om haar heen werd een verwarrende en vooral beangstigende chaos.

'Nee!' schreeuwde Adanar, die tot nu toe nog geen beweging had gemaakt.

Als in een vertraagde droom zag ze de kwaadaardige Fee naar het zwaard en de ketting van Tiron duiken. Uit de kring van mensen die naar het gevecht tussen haar en Tiron hadden gekeken, sprong onmiddellijk nog een ranke gestalte. Hij was te laat.

Adanar greep het zwaard en hief het naar zijn aanvaller. Een flits van dodelijke zwarte magie kwam uit de diamant te voorschijn.

Cyane ontwaakte uit haar verdoving. 'Ikor!' schreeuwde ze onbeheerst. Wild sprong ze naar voren in een totaal nutteloze poging het onvermijdelijke te voorkomen. De magie raakte de Fee in zijn buikstreek en met een klap viel hij op de grond.

Cyane verstilde. Opeens kon ze zich niet meer bewegen.

Versteend staarde ze naar het gruwelijke beeld voor haar. Bloed liep uit Ikors mond. Zijn pupilloze ogen leken iemand te zoeken. Ze bleven rusten op haar, vragend, smekend.

Zonder oog voor het gevaar dat Adanar vormde, liep ze in enkele stappen naar Ikor toe en knielde bij hem neer. Ze greep zijn koude hand. Zijn slanke vingers sloten zich onverwacht stevig om de hare.

'Vergeef me,' zei hij zacht.

De tranen stroomden haar over de wangen. Heftig schudde ze haar hoofd. 'Nee, vergeef mij, Ikor. Ik heb je nooit willen zien.'

Een moeizame glimlach leek even zijn van pijn vertrokken gezicht te verlichten. 'Wij zijn je vrienden, Cyane. Geronimo en ik,' zei hij.

Ze knikte woordeloos. Ze wist het nu. Ikor en Geronimo waren haar vrienden. Twee bijzondere mannen. Trouw tot in de dood.

'Het is beter zo,' fluisterde Ikor. 'Geronimo kan niet leven met wat ik heb moeten doen om ons volk te redden. We konden elkaar niet verdragen. Het was voor mij gemakkelijker om te doen alsof hij er niet was. Ik hoop dat je me ooit zult begrijpen.' De ogen van de Fee braken en zijn hoofd viel opzij.

Cyane slaakte een verstikte kreet terwijl ze ongelovig naar Ikors lichaam staarde. Langzaam maakte ze zijn hand los uit de hare en legde die op zijn levenloze lichaam. Het lichaam dat jarenlang twee bijzondere mannen had gehuisvest. Nu begreep ze het. Ikor had een eigen leven willen leiden. Los van Geronimo. Het had nooit gekund en nu waren ze allebei dood. Een wilde woede overviel haar.

Met een ruk sprong ze op. Met haar zwaard in de hand stormde ze naar Adanar. Zijn waanzinnige blik bracht haar tot razernij. Hij zou boeten voor alles wat hij gedaan had.

Adanar hief zijn zwaard.

'Cyane, stop.' Melsarans stem drong nauwelijks tot haar door. Ze voelde een verlammende pijn in haar arm en haar zwaard viel kletterend op de grond.

Luid en triomfantelijk lachte Adanar en hij sprong naar voren om zijn werk af te maken. Nooit zou ze de aanblik van de krankzinnige Fee vergeten zoals hij daar met zijn afschuwelijke grimas naar haar toe kwam. Hij hief zijn machtige wapen en op dat moment drong het tot haar door dat alles voor niets was geweest. Dat besef deed in haar een enorme vechtlust ontbranden. Met het laatste restje kracht dat ze nog in zich had, greep ze haar zwaard. De diamanten straalden met de eeuwige kracht die zij leken te bezitten.

Ze beet op haar lip. Ze moest door de afschuwelijke pijn heen. Ze krabbelde moeizaam overeind. Ze zou in ieder geval strijdend ten onder gaan.

Adanar mompelde iets. Zijn magere lippen bewogen zich stram. Ze concentreerde zich op de krachten van de diamanten. Nog één keer zou ze hun magie gebruiken. De stralen begonnen zich te vormen. Ook de zwarte diamant straalde heftig. Bijna tegelijkertijd schoten de vijf kleuren uit de stenen en de hoorn. Ze ontmoetten elkaar tussen Adanar en Cyane in. Maar in plaats van elkaar te vernietigen stroomden ze samen.

Pas toen zag ze dat er iemand tussen hen in stond. Hij hield de mooiste diamant vast die ze ooit had gezien. Stralend, maagdelijk wit verspreidde zich. De vijf kleuren dwarrelden om de steen. Ze dansten alsof ze hun thuis hadden bereikt en drongen uiteindelijk naar binnen in een woeste dans achter het schitterende kristal.

'Nee!' krijste Adanar.

Ze zag dat de zwarte magie zich onttrok uit zijn lichaam.

'Nee, dat kun je me niet aandoen. Ik heb je groot gemaakt.'

Cyane verplaatste haar aandacht naar de man in het midden. Ze hapte naar adem. Het was Scar en in zijn hand hield hij de vijfkleurige diamant.

Genadeloos richtte hij de steen op de Fee. Onstuimig zoog het prachtige sieraad de zwarte krachten naar zich toe. Ze zag het magere lijf van Adanar haast verschrompelen. Zijn verwaarloosde lichaam kon dit niet meer aan. Zijn zwaard kletterde op de grond. Vertwijfeld keek hij naar de gesluierde man.

Scars ogen stonden onverzoenlijk. Met vaste hand hield hij de steen op Adanar gericht. Toen begon hij te spreken, langzaam en onverbiddelijk. 'Je hebt mij misbruikt en nu ook mijn zoon. Je hebt mij vervreemd van mijn broers. Onder jouw invloed heb ik Melsaran verraden. Ik was blind, Adanar, maar ik heb mijn lesje geleerd. Mijn leven is kapot. Ik zal er echter hoogstpersoonlijk voor zorgen dat je dat van mijn zoon niet vernietigt.'

De woorden van Scar drongen slechts langzaam tot Cyane door. Verbijsterd staarde ze naar de gesluierde man. Zijn vrije hand reikte naar de zwarte doeken om hem heen en met één beweging trok hij ze van zijn gezicht.

'Melsasser!' Melsarans vreugdekreet galmde door de zaal.

De oudere broer van de drieling leek op hen. Zijn groene ogen stonden hard en spottend. In zijn markante gezicht lagen diepe lijnen. Cyane herkende hem van Meroboths visioenen. Melsasser was niet dood, hij leefde en in zijn hand had hij de vijfkleurige diamant. Ze kon het nauwelijks geloven. In een flits herinnerde ze zich nu het boek met de gouden kaft. Het had op het bureau van Melsasser gelegen. De titel van het boek was *De vijfkleurige diamant*.

Ze had altijd vermoed dat Scar iets te verbergen had. Hoe had ze ooit kunnen weten dat hij Melsasser was? Hij had haar vanaf het begin van de reis geholpen. Ze wist nu waar die zwarte magie van hem vandaan kwam.

Adanar liep naar achteren in een poging om aan de zuigende kracht van de steen te ontkomen. 'Toe,' smeekte hij. 'Je krijgt je macht. Alles wat je maar wilt. Dat beloof ik je.'

'Waar heb ik dat eerder gehoord?' spotte Melsasser. De hand die de diamant vasthield bewoog niet. 'Het wordt tijd dat de zwarte magie teruggaat naar zijn rechtmatige eigenaar, Adanar, en we weten allebei wie dat is.'

De vijfkleurige diamant begon oogverblindend te stralen.

Cyane sloeg een hand voor haar ogen. Nog net zag ze hoe een felle straal zich op Adanar richtte. De Fee gilde hoog en schril. Een laatste donkere zwarte nevel onttrok zich aan zijn broodmagere lichaam. De zwarte gloed zweefde naar de witte steen en werd naar binnen gezogen, waar hij zich in een dans met de andere kleuren in de diamant leek te verstrengelen. Het onttrekken van zijn krachten was meer dan het uitgemergelde en verzwakte lichaam van de krankzinnige Fee kon verdragen. Hij zeeg op de grond neer met die afschuwelijke grimas op zijn gezicht gebeiteld. Zijn waanzinnige ogen zagen al niets meer toen hij de grond raakte.

Melsasser liet zijn hand zakken en bestudeerde de steen. Toen keek hij hen zwijgend aan. Een bijna lugubere stilte daalde op hen neer.

Zestien

Cyane kwam heel langzaam tot zichzelf. Met een on-werkelijk gevoel keek ze naar de ruimte om zich heen, alsof ze pas wat kon zien nu de rookwolken optrokken. Vlak bij haar lag het lichaam van Ikor en even verderop dat van Adanar. De ooit zo machtige meesterspionnen van Trona-dor hadden geen van beiden de laatste strijd overleefd.

Voor haar lagen de twee zwaarden met de vier diaman-ten die waren veranderd in kale brokken steen, ontdaan van elke kracht. De hoorn van de eenhoorn was stuk ge-sprongen.

Tiron was opgestaan en staarde naar de man die zoveel jaren geleden de aanstichter van al deze ellende was ge-weest.

Melsaran, Meroboth en Mekaron kwamen langzaam naar voren. Gondolin kwam naar Cyane toe en sloot haar in haar armen. Cyane voelde zich weer heel even kind. Ze probeerde dapper te glimlachen, maar ze kon het niet. Daarvoor waren de pijn en het verdriet nog te groot.

In Gondolins armen keek ze naar de vier magiërs die wat besluiteloos bij elkaar stonden. Midden in hun kleine krin-getje stond Tiron. Ze schrok van zijn blik. Woede, haat en verdriet streden daar om voorrang. Heel even bleef hij tussen de broers staan. Toen duwde hij Meroboth ruw aan de kant en rende de zaal uit.

'Tiron!' Het was eruit voor ze het besefte. Een stevige hand belette haar achter hem aan te gaan. Het was Iss. Hij schudde zwijgend zijn hoofd en ook zonder woorden begreep ze hem. Moedeloos liet ze haar schouders hangen.

De vier broers staarden hem lang na. Toen deed Melsaran een stap naar voren en omhelsde Melsasser met tranen in zijn ogen. Dit gebaar zei meer dan duizend woorden. Melsaran had het zijn broer vergeven en zou, zoals hij altijd had gedaan, de rest van zijn leven voor hem klaarstaan.

Dankbaar keek Melsasser hem aan. Meroboth en Mekaron verroerden zich echter niet.

'Dus Tiron is jouw zoon?' vroeg Meroboth ten slotte.

Melsasser knikte langzaam.

'Ik wist het.' Mekaron keek hem vorsend aan. 'Hij lijkt op jou.'

'Hij veracht me,' zei Melsasser met pijn in zijn stem.

'Ik vraag me af waarom.' Mekaron was op dit bijzondere moment nog altijd zijn droge, cynische zelf.

'Mekaron.' Bestraffend keek Melsaran naar de watermagiër.

'Houd toch op,' beet Mekaron hem toe. 'Dit is de man die al deze ellende veroorzaakt heeft.'

'Hij is onze broer,' verbeterde Melsaran hem rustig.

'Het is goed,' zei Melsasser sussend. 'Ik begrijp het wel. Ik zal het jullie nooit kwalijk nemen als jullie mij haten, maar vergeef alsjeblieft mijn zoon. Hij kon hier niets aan doen en hij heeft recht op familie. Dat heeft hij zijn hele leven moeten ontberen.'

'Wist hij het?' vroeg Meroboth.

Melsasser knikte. 'Ja. Tiron is de zoon van Elenia en mij. Elenia wilde geen kinderen. Haar leven draaide om zichzelf. Voor een baby was geen ruimte. Dus droeg ze Fabian op hem te doden. Fabian kon dat niet over zijn hart verkrijgen en hij heeft de baby bij een gezin ondergebracht. Zij hebben hem uitgebuit totdat ze door een stomme toevalligheid achter de waarheid kwamen. Ze waren doodsbang voor mij dus hebben ze hem verstoten. Tiron heeft nooit een poging gedaan in contact met mij te komen. Hij is direct op zoek gegaan naar jullie.'

'En hij heeft mij gevonden. Had ik dat geweten.' Meroboth schudde zijn hoofd.

'Hij had het je natuurlijk gewoon kunnen vertellen,' vond Mekaron.

'Natuurlijk,' zei Melsasser cynisch. 'Hallo, ik ben de zoon van die moordenaar. Leuk je te ontmoeten.'

'Het moet moeilijk voor hem zijn geweest,' zei Melsaran. Peinzend staarde hij naar Ikors lichaam. 'Nu begrijp ik waarom Tiron hem zo haatte. De handlanger van zijn vader.'

Melsasser liep naar de Fee toe en knielde bij hem neer. 'Ikor was de enige die de waarheid kende. Hij wist dat niet ik maar Adanar de feitelijke machthebber, Tronador dus, was. Ik wist ook wie Ikor was. De man van mijn minnares. Dat heb ik hem echter nooit verteld. Ik wist algauw wat hij van plan was en ik heb hem laten begaan. Op dat moment was hij de enige die nog een beetje tegen Adanar in kon gaan. Ik kon geen kant meer op. Ik heb vele vijanden. Adanar dreigde mij mijn magie te ontnemen als ik ooit de waarheid zou vertellen. Ik ben op de vlucht geslagen en mijn magie hielp me om in contact te komen met Cyane.

Adanar werd al snel krankzinnig en onberekenbaar. Toen we hoorden dat Melsaran in het Rijk was, wisten we dat de strijd was begonnen. Adanar kwam achter de waarheid rond Ikors identiteit en hij is toen gevlucht. Hoewel we elkaar niet echt mochten was het vreemd genoeg alsof ik een vriend verloor. Vanaf toen stond ik er alleen voor. Met mijn magie heb ik Melsaran nog weten te bevrijden en de zwarte slangen in het paleis van Elenia waren ook van mij. Toen heeft Adanar me al snel gevonden waarna hij de steen van me afnam. Gelukkig had ik nog een troef in handen. Ik was de enige die het boek over de vijfkleurige diamant had. Ik heb het boek jarenlang bestudeerd en wist daarom hoe ik de vijfkleurige diamant uit de handen van Orgor moest krijgen. Velen hebben het al geprobeerd in de Tempel van Orgor. Zij hebben het geen van allen overleefd. Zo kwam de diamant dus in mijn bezit.'

'Je hebt me al die tijd geholpen,' zei Cyane.

'Jij was mijn enige hoop,' zei Melsasser eenvoudig.

'Onze enige hoop.' Meroboth stak een hand uit naar zijn broer en hielp hem zo weer overeind. 'We hebben veel aan deze vrouw te danken.'

'Dat weet ik.' Melsasser keek hem dankbaar aan. Het eenvoudige gebaar betekende duidelijk veel voor hem.

Cyane liep naar Mekaron toe en greep zijn hand. Ze wist dat de watermagiër alles eerst moest overdenken voordat hij een toenaderingspoging tot zijn broer zou doen, maar hij was geen haatdragend man. Mekaron drukte haar hand en knikte haar toe.

Iss knielde bij het lichaam van Ikor neer en sloot zijn ogen. Toen legde hij een doek over hem heen. Cyane zag dat een eenzame traan over zijn gezicht liep.

'Laten we hier weggaan,' stelde Meroboth voor. Nog één keer nam hij de leiding in deze lange expeditie die nu eindelijk ten einde liep.

Langzaam verwijderden ze zich uit de troonzaal van Tronador. De strijd was voorbij.

Drie weken waren verstreken. Cyane zat in de ochtend-
zon bij een grote boom en staarde somber voor zich uit.
Naast haar stond een eenvoudige steen waarin Giffor met
strakke rechte letters had gebeiteld: 'Hier rusten Ikor en
Geronimo. Zij gaven hun leven voor hun volk.'

Het was een prachtige plek waar de Fee begraven was. In
het sprookjesachtige Elfenland, met zijn gezicht naar het
Feeënrijk, onder deze groene boom. Geronimo zou het
mooi hebben gevonden.

Twee weken waren ze nu te gast bij Wananka en Orion in
de grote kristallen burcht. De koningin was hen oneindig
dankbaar voor het voorkomen van de zo gevreesde oorlog.
Net als de meeste andere volken had Wananka al met een
leger aan de grens gestaan om de opmars van de zwarte
magie te voorkomen.

Het ene feest na het andere werd ter ere van Cyane gegeven. Ze kon er niet van genieten. Elke ochtend kwam ze
naar deze plek en huilde stil voor zich uit. Iedereen maakte
plannen voor de toekomst en hun groepje viel langzaam
uiteen.

Giffor zou straks met Vélar terugkeren naar Dwergenland waar hij nu al een legende was. Melsaran verheugde
zich op een teruggetrokken leven in een degelijk huis met
Sindra. Mekaron daarentegen had aangekondigd te willen
gaan reizen na zijn vrijwillige ballingschap in Dryadenland.
Iss zou hem vergezellen. De harde watermagiër had laten
weten dat iedereen die het waagde een opmerking te
maken over het mismaakte uiterlijk van de veerman kennis
zou maken met zijn zwaard. Meroboth zou met Sirus en
Gondolin naar Nudor gaan. Hij was van plan eens flink de
bloemetjes buiten te gaan zetten. Miran, de prachtige eenhoorn, leefde inmiddels een vrij leven in Elfenland net als
de meeste van haar volksgenoten. Wananka had aan Cyane

gevraagd wat ze wilde hebben en ze had de vrijlating van de eenhoorns gevraagd. Deze bijzondere wezens waren eindelijk verlost van hun slavernij en de luchtmagie.

Datgene wat ze echt wilde was toch voorgoed onbereikbaar geworden. Ze zuchtte triest. Soms wilde ze dat ze zelf ook maar het leven had gelaten in de strijd tegen Tronador, want er leek voor haar geen toekomst meer te zijn weggelegd.

Terug naar haar ouderlijk huis wilde ze niet, want ze wist dat ze daar niet meer zou kunnen aarden. Gondolin had haar hartelijk een nieuw thuis aangeboden, maar eigenlijk voelde ze zich daar te veel. Ze was nu een volwassen vrouw en ze moest haar eigen leven opbouwen. Een leven zonder Tiron. Niemand had meer iets van hem gehoord sinds hij overhaast uit de Burcht van Tronador was vertrokken.

'Zit je hier.'

Ze schrok van de stem.

Melsasser knielde naast haar neer. Hij was nog steeds in het zwart gekleed en de diepe lijnen in zijn gezicht waren de zichtbare tekenen van het leven dat hij achter zich had. Zijn witte haar was kort en hij had een gladde en krachtige kin. De groene ogen schitterden nog altijd vol strijdlust zoals ze zo vaak bij hem had opgemerkt toen hij voor haar nog als Scar door het leven ging.

Ze had hem de afgelopen weken nauwelijks gezien. Melsasser ontweek alle feesten en had zich opgesloten in een van de vele kamers in de burcht. Hij droeg nog steeds de vijfkleurige diamant bij zich. Niemand leek aanstalten te maken de steen en al zijn krachten voor zich op te eisen. Zelfs Mekaron leek zich verzoend te hebben met een leven zonder magie.

'Treur je om Ikor?' informeerde hij.

Cyane keek peinzend naar het graf en schudde toen haar

hoofd. 'Nee. Ik mis hem heel erg, maar ik weet ook dat hij niet verder kon en wilde leven. Nu heeft hij eindelijk rust.'

'En jij? Heb jij rust nu je taak is volbracht?' Melsasser keek haar vragend aan.

'Ach ja, heus wel,' mompelde ze.

'Iedereen is plannen aan het maken. Ik heb jou nog niet gehoord,' zei Melsasser.

'Ik heb geen plannen,' zei Cyane. Het viel haar op dat Melsasser van alle drie zijn broers wel wat had. De wilskracht van Mekaron, de levenslust van Meroboth en het bedachtzame van Melsaran. Als de drieling als één persoon geboren was, zou die lijken op Melsasser.

Ze wist niet goed wat ze van hem moest denken. Hij had enorm veel leed op zijn geweten. Desondanks had ze prettige herinneringen aan haar uren met hem. En als Melsarans hart groot genoeg was om hem te vergeven, dan moest zij dat toch ook kunnen.

'Cyane, ik heb nog steeds de vijfkleurige diamant,' zei Melsasser zonder op haar laatste woorden in te gaan.

'Dan heb je eindelijk de macht die je altijd al wilde hebben,' stelde ze.

Melsasser lachte kort. 'Dat heb ik verdiend.'

Cyane haalde haar schouders op.

'Mijn broers hebben geen interesse meer in hun magie. Ze willen als normale burgers door het leven gaan. Ik heb er geen recht op en daarom...' Hij haalde de schitterende steen te voorschijn en overhandigde hem aan haar.

Verbluft staarde ze naar de vijf dansende kleuren in het kristal. 'Nee,' stamelde ze. 'Dat kan ik niet aannemen.'

'Dat kun je wel. We weten dat je er verstandig mee om zult gaan. Je hebt bewezen een groot magiër te zijn en jouw leerlingen zullen waardige opvolgers worden. Dit is jouw toekomst Cyane, wees er trots op.'

Ze schudde haar hoofd. Een plotseling besef van de enorme macht en verantwoordelijkheid die op haar schouders werd gelegd, drong tot haar door. Ze keek naar de steen alsof ze zich eraan brandde.'Nee,'zei ze,'ik kan het niet. Ik ben helemaal alleen.'

'Nee, dat ben je niet,'klonk opeens een stem achter haar. Het was een stem die ze uit duizenden zou herkennen. De kostbare diamant rolde op de grond toen ze opsprong. 'Tiron!'

Hij zag er goed uit. Zijn gezicht was gebruind en zijn zwarte haren waren verward. Hij herinnerde haar aan hun allereerste ontmoeting zo lang geleden. Hij was uitgerust en in zijn ogen lag een vastberaden blik. Ze durfde niet op hem af te vliegen, al had ze dat het liefst wel gedaan.

'Vader, Cyane.'Hij zond haar een warme glimlach. Opeens laaide de hoop in haar op.

Melsasser deed een stap naar voren.'Ik ben zo blij dat je terug bent.'

'Ik ook,'zei Tiron.

'Kun je het me ooit vergeven?'vroeg Melsasser.

Tiron knikte.'Ja, dat kan ik,'zei hij fier.

Het volgende moment vlogen vader en zoon elkaar in de armen.

Cyane zag het tafereel met betraande ogen aan. Eindelijk had Tiron de moed gevonden zijn vader tegemoet te treden.

Hij maakte zich los uit de omhelzing.'Ik heb veel nagedacht de afgelopen weken,'begon hij.'En ik heb me gerealiseerd dat de echte schuldige inmiddels is gestraft. Ik ben mijn hele leven al op de vlucht, maar ook ik heb recht op datgene wat ik al zolang wil. Ik weet echter, Cyane, dat ik nooit een goede man voor de Tovenares van Goed en Kwaad zou kunnen zijn als ik zou blijven haten. Door de haat heb ik de dingen nooit gezien zoals ze werkelijk waren.' Hij keek naar de grafsteen. 'Ikor was diep vanbinnen een goede man. Net als ik kon hij op een gegeven moment niet anders meer. Ik herkende vaak zoveel in hem dat het me beangstigde. Ik wilde niet eindigen zoals hij. Ik wilde mijn eigen persoonlijkheid niet opofferen. En Mekaron. Ik haatte hem niet. Hoe kon ik? Hij is familie. Hij heeft een scherp verstand en ik wist dat hij me kende. Ik was constant op de vlucht terwijl er maar één persoon was bij wie ik wilde zijn. Cyane?' Hij keek haar vragend aan.

Ze aarzelde geen seconde. 'Ja,' zei ze alleen maar en liep naar hem toe.

Eindelijk was alles goed. Ze gingen zo in elkaar op dat ze Melsassers aanwezigheid vergaten.

'Ahum,' zei de magiër ten slotte. 'Ja, ik wil niet vervelend zijn, hoor.'

Cyane maakte zich los uit Tirons omhelzing en keek hem afwezig aan.

Melsasser stak zijn hand uit. Daarin lag de vijfkleurige diamant.

Vragend keek Cyane naar Tiron. Hij knikte haar bemoedigend toe.

Langzaam strekte ze haar hand naar de steen uit. Haar vingers sloten zich om de warme kleuren. Ze voelde de krachten van de magie. Ze hoorde weer die miljoenen stemmen. Pas nu kon ze haar positie accepteren. Samen met Tiron zou ze in staat zijn het goede van de magie te gebruiken en de wijsheid, die haar werd aangereikt, uit te dragen.

Hij legde zijn hand over de hare. Zo liepen ze samen terug naar de burcht.

Op de bruiloft van Cyane en Tiron was de groep voor het laatst bij elkaar. Het was Melsaran die Cyane bij het altaar weggaf aan Tiron, waarbij hij nauwlettend in de gaten werd gehouden door zijn drie broers en haar ouders, die de lange reis naar Elfenland hadden gemaakt. Graaf Osborn en gravin Cunnigunda waren alleen maar heel erg opgelucht dat hun verdwenen dochter nog leefde. Met geen woord repten ze over het feit dat ze met een stalknecht trouwde.

Zelfs Mekarons ogen schitterden verdacht toen ze haar jawoord gaf aan de man van wie ze al zo lang hield.

Gondolin en Sindra liepen bedrijvig om het bruidspaar heen om te zorgen dat Cyanes lange witte sluier niet kreukte, ondanks Giffors commentaar dat dat toch geen enkele zin had daar dat kind maar heen en weer bleef rennen om allerlei felicitaties in ontvangst te nemen. De Dwerg had een prachtige gouden ketting gesmeed met een houder voor haar diamant. Sirus' cadeau was haar zwaard dat hij weer helemaal had opgeknapt. In de houder lagen nog steeds de drie uitgebluste stenen, als een permanente herinnering aan haar avontuur.

Toen het feest in volle gang was, sloop Cyane in haar eentje weg. Nog één keer ging ze naar de grote boom. In haar hand hield ze haar bruidsboeket, dat ze zorgvuldig op het graf van Ikor legde.

'Hij zal het prettig vinden dat je ook op deze dag aan hem denkt.'

Ze draaide zich om en keek in het gezicht van Iss.'Ik zal elke dag aan hem denken en ik zal mijn kinderen en mijn leerlingen over hem vertellen. En ooit zal het ook de Feeën ter ore komen wat hun koning voor hen heeft gedaan.'

'Laten wij tweeën daarvoor zorgen,'zei Iss.

Ze knikte en greep zijn hand. Minutenlang bleven ze zo staan.

De zon scheen haar laatste stralen op het graf van de koning der Feeën.

Landen en volkeren uit
De Macht van het Zwaard

Akonezen
Land   Akonia
Hoofdstad   Asser
Korte omschrijving
Akonezen zijn mensen die leven in een feodale staat, zoals
bij ons in de Middeleeuwen. Ze leven van handel en land-
bouw. Hun grote land is centraal gelegen.

Dryaden
Land   Dryadenland
Hoofdstad   –
Korte omschrijving
De tere en kwetsbare Dryaden hebben zich na een ernstig
conflict met de Feeën teruggetrokken in Dryadenland. Zij
verdragen geen vreemden op hun eiland, dat beschermd
wordt door monsters in het Dryadenmeer.

Dwergen
Land   Dwergenland
Hoofdstad   Banadoor
Korte omschrijving
De Dwergen wonen met hun koning in een enorme berg.
Er zijn ook veel Dwergen naar het buitenland vertrokken,
waar ze geliefd zijn om hun prachtige smeedwerk. Dwer-
gen hebben veel respect voor dieren. Zij ook voor hen.

Elfen
Land Elfenland
Hoofdstad De Burcht van Orion
Korte omschrijving
De Elfen wonen met hun koning in een prachtige kristallen burcht waar ze eenhoorns fokken. Het volk wordt verscheurd door een burgeroorlog door toedoen van de koningszonen Fodan en Gir.

Feeën
Land Feeënrijk
Hoofdstad Ack
Korte omschrijving
Ooit waren de Feeën een machtig volk, maar door conflicten met de eenhoorns en de Elfen nam hun macht af. Om hun vroegere positie terug te winnen, sloot het grootste deel van de Feeën zich samen met hun koningin aan bij het Rijk der Duisternis. Deze overgelopen Feeën worden Zwarte Feeën genoemd. De rest van het Feeënrijk is in verval geraakt.

Moeras van Agis
In dit moerasachtige gebied wonen wezens die, vaak om hun afschrikwekkende uiterlijk, door andere volkeren verstoten zijn.

Morfen
Land Morfia
Hoofdstad -
Korte omschrijving
De Morfen zijn een vormveranderend volk. Zij kunnen dus verschillende gedaanten aannemen. Hierdoor zijn ze zeer geliefd in het buitenland. Het land Morfia is eigenlijk alleen

in naam van de Morfen, want het land is vrijwel onbe-
woond en vroeger was het een onderdeel van het Moeras
van Agis.

Nudoren
Land   Nudor
Hoofdstad   Nudoria
Korte omschrijving
Nudoren zijn huurlingen en handelaren die veel reizen. Ze
hebben een rijke cultuur en vriendschapsbanden met alle
omliggende landen.

Het Rijk der Duisternis
Land   Het Rijk der Duisternis bestaat uit diverse
             landen die een aaneengesloten gebied vor-
             men: Land der Gnomen, Land van Fodan en
             Gir, Woud der Tangen, Rijk der Duisternis.
Hoofdstad   Néfer à Tagalet
Korte omschrijving
In het Rijk der Duisternis wonen verschillende wezens die
naar Tronador zijn overgelopen, zoals talrijke Feeën, Elfen
en Dwergen. Volkeren die van oorsprong hier wonen, zijn
de Tangen (een bosvolk dat door middel van magie personen dagenlang in zijn bos kan vasthouden) en Gnomen
(wezens die soms met verschillende persoonlijkheden tegelijk in één verschrikkelijk lichaam leven). In het Rijk der
Duisternis hebben alle vormen van magie hun oorsprong.

Trollen

Land　　　Rijk der Trollen of Steengebergte
Hoofdstad　–
Korte omschrijving
De Trollen leefden hun hele leven in de gewelven van het Steengebergte waar ze voornamelijk steen hieuwen. De Trollen, die niet al te intelligent zijn, werden door het Rijk der Duisternis als voetvolk gebruikt en zijn nagenoeg uitgestorven.

Varénen

Land　　　Varénia
Hoofdstad　–
Korte omschrijving
Varénen zijn een nomadisch bosvolk, maar door de verarming van hun land zijn ze gedwongen te werken voor degene die hun het meest betaalt. In de loop der jaren zijn dan ook vele Varénen overgelopen naar het Rijk der Duisternis.

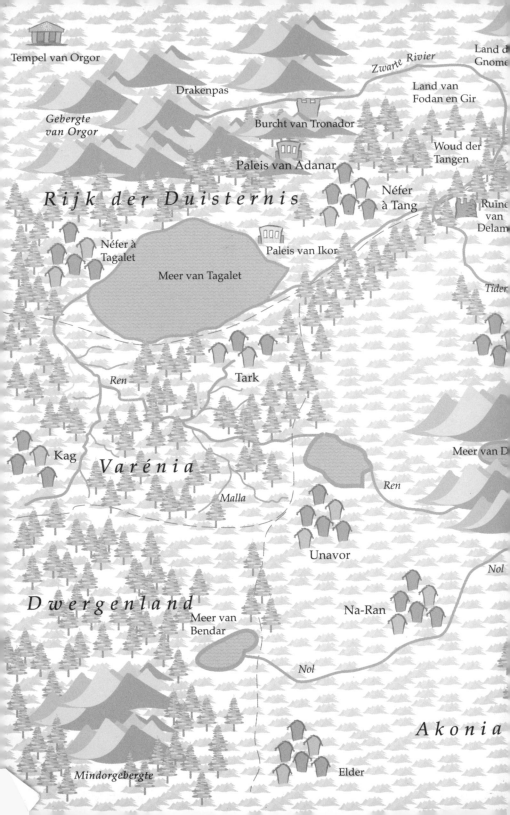